ALUN LENNY

BYW FFWL PELT

I Ann a'r teulu

ALUN LENNY
BYW FFWL PELT

Argraffiad cyntaf: 2019

© Hawlfraint Alun Lenny a'r Lolfa Cyf., 2019

Dymuna'r cyhoeddwyr gydnabod cymorth ariannol
Cyngor Llyfrau Cymru

Llun y clawr: Aled Llywelyn
Cynllun y clawr: Y Lolfa

Rhif Llyfr Rhyngwladol: 978 1 78461 771 4

Cyhoeddwyd, rhwymwyd ac argraffwyd yng Nghymru gan
Y Lolfa Cyf., Talybont, Ceredigion SY24 5HE
gwefan www.ylolfa.com
e-bost ylolfa@ylolfa.com
ffôn 01970 832 304
ffacs 832 782

Cynnwys

Rhagair

'DEWCH MLÂN, BOIS, ma'r dyn moyn mynd!' Mae'r person rwy am ei gyfweld i Newyddion S4C yn bygwth gadael, tra bod Tomi Owen, y dyn camera, yn ffidlan gyda'i offer a Tony Harries, y dyn sain, yn clebran gyda rhywun. Ond *hang on*, meddyliaf, mae Tomi wedi hen ymddeol a Tony druan yn ei fedd ers ugain mlynedd a mwy. Rhyfeddaf am eiliad fy mod yn medru siarad â'r meirw. Yna, rwy'n deffro o'r freuddwyd ac yn cofio mod i wedi gadael y byd teledu ers deuddeg mlynedd. Mae rhyw hiraeth rhyfedd yn cau am fy nghalon wrth i mi fynd 'nôl i gysgu.

Mae'r cyfan mor fyw, ac eto mor bell; weithiau fel ddoe ac weithiau fel oes o'r blaen. Ac fe oedd yn oes arall yn wir, cyn y chwyldro digidol sydd wedi newid ein bywydau ni i gyd am byth. Cychwynnodd y chwyldro ym myd darlledu, fel y nodir ar anrheg a gefais gan fy nghyd-weithwyr caredig wrth adael y BBC yn 2007: 'Alun Lenny. I nodi oes o gyfraniad i ddarlledu a newyddiaduraeth Gymraeg. O oes ffilm i'r oes ddigidol – roeddet ti yno.'

Craidd y gyfrol hon yw fy mhrofiadau wrth ohebu ar ddechrau'r chwyldro tawel yna – y math o chwyldro sy'n digwydd bob tua 300 mlynedd – wrth i ni symud o'r oes beirianyddol i'r oes ddigidol. Antur gyffrous ond enbyd ar brydiau oedd cael syrffio ar don y chwyldro ym myd newyddion yng nghwmni cyd-weithwyr oedd yn gymeriadau ac yn gwmni heb eu hail. Am 33 mlynedd bues i'n dyst i ddigwyddiadau mawr a mân yn fy nghornel fach i o'r byd ac weithiau yn y byd mawr tu fas. Rhaid mai'r 1980au oedd Oes Aur casglu newyddion yng Nghymru, a bydd rhan helaeth o'r gyfrol hon yn sôn am y cyfnod hwnnw.

Esboniaf sut deimlad oedd hi i ddarlledu'n fyw ergyd carreg o burfa olew oedd ar dân ac mewn perygl o ffrwydro eto unrhyw funud, o gael galwadau ffôn ganol nos gan Feibion Glyndŵr, o fentro 'mywyd wrth ymdrechu trwy lif mawr i gyrraedd y fan lle'r oedd pobol wedi boddi, o fynd gyda milwyr o Gymru i hela tyfwyr cyffuriau trwy'r jyngl yng nghanolbarth America, o fod yng nghanol terfysgoedd yn Ffrainc a phrotest byncer Caerfyrddin, o sgwrsio gyda chyn-arlywydd America mewn capel yng Nghymru, o bron cael damwain car gyda'r Tywysog Siarl, o fod yn angladd Bwystfil Brechfa – a llawer mwy.

Cewch wybod am ymdrechion gwirioneddol arwrol criwiau newyddion i guro'r *deadline* dyddiol. Roedd bron bob dydd yn rhuthr gwyllt o fyw ar yr hewl ac ar adrenalin. Erbyn canol y 1990au, roedd yr holl ruthro yn dechrau cael effaith ddifrifol ar fy iechyd. Fe drodd y straen yn ddibyniaeth ar ddiod a thabledi'r meddyg. Bu'r cyfan bron â'm lladd. Ond yn 2001 cefais adferiad iechyd corff ac enaid a blas newydd ar fywyd. Ailgydiais yn fy ngwaith gydag arddeliad yn ystod yr wythnos gan ddilyn ail yrfa fel pregethwr cynorthwyol ar y Sul.

Chwe blynedd yn hwyrach, a minnau'n 53 oed, mentrais adael swydd ddiogel yn y BBC a mynd i weithio'n hunangyflogedig fel Swyddog Cyfathrebu Undeb yr Annibynwyr Cymraeg. Newyddion drwg, rhan amlaf, byddwn yn ei gyhoeddi i'r genedl ar radio a theledu, ond daeth cyfle i mi ddefnyddio fy mhrofiad newyddiadurol i gyhoeddi'r Newyddion Da ar gyfryngau digidol newydd yr Undeb. Mae'r Annibynwyr yn enwad radical, a phrofiad cyffrous oedd cael hyrwyddo sawl ymgyrch yn erbyn anghyfiawnder a thros hawliau pobol fregus a di-bŵer. Rwy'n dal i wneud gwaith i'r Undeb a cheisiaf esbonio i chi sut brofiad yw ymladd yn erbyn llif dirywiad aruthrol crefydd yng Nghymru'r dyddiau hyn.

Yn 2012 daeth tro ar fyd eto. Ar ôl tair blynedd ar Gyngor Tref Caerfyrddin, gan gynnwys blwyddyn fel Siryf y dref, cefais f'ethol fel aelod dros Blaid Cymru ar Gyngor Sir Gâr. Ar ôl degawdau o eistedd yn fud ar seddau'r wasg, daeth hawl i siarad yn y siambr. Yn 2015 chwalodd y glymblaid o dan arweiniad y Blaid Lafur, ac fe wnaeth y grŵp Annibynnol wahodd Plaid Cymru i ymuno â nhw mewn clymblaid newydd, o dan arweiniad y Blaid. Yn sgil hynny, cefais fy mhenodi'n Gadeirydd Pwyllgor Cynllunio'r sir. A dyna fi 'nôl o flaen y camera eto, gan fod pob cyfarfod yn cael ei we-ddarlledu, a chais o dro i dro am gyfweliadau radio a theledu. Ar ôl cael fy ailethol i'r Cyngor Sir a Thref yn 2016, cefais fy urddo'n Faer Caerfyrddin am flwyddyn. Roedd cael dilyn ôl traed mawrion fel Syr Rhys ap Thomas yn y swydd honno'n fraint aruthrol. Mae gen i ddiddordeb mawr mewn hanes lleol ac enwau llefydd, fel y daw'n hysbys i chi hwnt ac yma yn y gyfrol fach hon.

Fel gohebydd, byddwn yn aml yn deffro'n y bore heb wybod lle y byddwn cyn nos. Ai Abergwaun neu Amsterdam? Felly hefyd yn y llyfr hwn. Wrth ddechrau llunio pob pennod, wyddwn i ddim yn iawn i ba gyfeiriad y byddwn yn mynd â chi. Fe af ar ôl sawl sgwarnog ac i lawr ambell hewl gul fu'n gwyro oddi ar ffordd fawr fy mywyd. Mae rhai teithiau hamddenol, ac eraill yn mynd ffwl pelt!

Alun Lenny
Tachwedd 2019

Oes yr Weierles a'r Gramoffon

'AC YN AWR, *S.O.S. Yn Galw Gari Tryfan.*' Cerddoriaeth ddramatig, neges *morse code*, sŵn dryll yn cael ei danio a llef olaf y truan gafodd ei saethu. Rhyfeddod yr weierles i grwt bach tair blwydd oed yn 1957 a'm profiad cyntaf o fyd y cyfryngau. Eisteddwn yn y gegin fach yn gwrando ar bob gair, yn gegagored, wrth i Gari a'i griw wynebu pob math o beryglon ar draws y byd. Byddai'r ditectif glew o Gymro wastad yn cario'r dydd ac fe ddes i gredu, yn ifanc iawn, mai fel'na oedd hi mewn bywyd, bod y da yn trechu'r drwg bob tro. Siom fu canfod sawl gwaith wedyn mai camargraff dybryd oedd hynny.

Ymhlith y lluniau cyntaf yn albwm y cof mae un o Mam yn cario bwced o ddŵr o'r winsh yng ngwaelod y cae tua hanner canllath o'n tŷ ni. Roedd y dŵr o dan ddwy lechen fawr gyda phwmp haearn trwm a chrochan anferth wrth ei ochr o dan gysgod hen ffawydden fawr. Rhaid oedd pwmpio a chario'r dŵr at bob pwrpas – i'w yfed, i olchi llestri a dillad, ac i dorri syched y tair buwch yn y beudy yn y gaeaf. Sied yng nghefn y cwt ieir oedd y tŷ bach a lampau paraffîn oedd yn goleuo ein cartref gwledig. Cefais fy magu mewn amodau gwlad Trydydd Byd, a hynny prin bum milltir o dref Caerfyrddin yn ail hanner yr 20fed ganrif – nid mod i'n ymwybodol o hynny, ac ni fues i heb fwyd na dillad teidi erioed.

Gan nad oedd trydan na theledu gennym bryd hynny, o gwmpas yr weierles buom yn dilyn y datblygiadau yn Cuba yn 1962. Roedd gofid gwirioneddol am Drydydd Rhyfel Byd, a hwnnw'n rhyfel niwclear, gyda Kennedy a Khrushchev yn chwarae gêm beryglus o wyddbwyll gwleidyddol gyda dyfodol dynoliaeth yn y fantol. Cofiaf fy mam-gu yn ei dagrau, yn eistedd ar bwys yr weierles yn gwrando ar yr *Home Service* ac yn pryderu bod diwedd y byd ar ddod. Es mas i'r sied wair, a gorwedd fel cath yng nghanol y cnwd cras gan feddwl y byddem yn ddiogel fan yno, beth bynnag fyddai'n digwydd mewn rhyw wlad bell.

Un parod iawn i 'weld y mynyddoedd' oedd fy mam-gu, neu Nana fel oeddwn yn ei galw. I fod yn deg, ni chafodd hi a Tad-cu fywyd rhwydd. Llafurwyr rhonc oedd y ddau, er i Nana, yn ei henaint, ddod yn ffan mawr o Dafydd Iwan. O barch i'r cof amdanynt, rwy'n trysori llythyr wedi'i arwyddo gan y Prif Weinidog Harold Wilson ei hun yn diolch am eu rhan yn ymgyrchu dros y Blaid Lafur yn Sir Gâr. Hawdd deall pam roeddent yn sosialwyr o ystyried eu cefndir a chaledi eu bywydau. Bu mam Nana farw pan oedd hi'n ddwy flwydd oed. Roedd ei thad yn löwr yng Ngwaun-Cae-Gurwen a phedwar o fechgyn i ofalu amdanynt, felly cafodd Nana ei mabwysiadu gan ei hewythr a'i wraig, oedd heb blant. Roedd ei Hwncwl Dafi yn Annibynnwr blaenllaw ac yn heddychwr i'r carn. Ar ddechrau'r Rhyfel Byd Cyntaf symudodd y teulu bach i fwthyn Drybedd yn y bryniau uwchben pentref Gwyddgrug. Cyfarfu fy mam-gu, May, â'r gof ifanc Tom Evans mewn cymanfa ganu ym Mhencader. Rhywbryd ar ôl priodi mi ganfyddodd y ddau eu bod yn perthyn! Roeddent yn ymfalchïo yn y berthynas deuluol gyda'r Undodwr mawr Gwilym Marles, ond yn llai balch o'r berthynas gydag un o ddisgynyddion ei frawd, sef Dylan Marlais Thomas, awdur *Under Milk Wood*.

Bu trychineb yn y teulu pan oedd fy mam yn chwe mis oed. Syrthiodd cannwyll i mewn i wely Valerie, ei chwaer ddyflwydd. Carlamodd Tad-cu ar gefn ceffyl lawr i bentref Rhydargaeau i alw'r doctor, ond bu'r un fach farw o effaith y sioc. Cynhaliwyd yr angladd yng nghapel Bwlch-y-corn ar ddydd Nadolig 1936, gan fod yn rhaid claddu o fewn pedwar diwrnod i'r farwolaeth bryd hynny. Bu cysgod y trychineb ar adeg y Nadolig ar Tad-cu a Nana tan y diwedd.

Buodd fy nhad-cu yn dioddef o amryw anhwylderau ar hyd ei oes, gan gynnwys TB, oedd yn lladdwr mawr tan ganol yr 20fed ganrif. Cofiaf fynd i'w weld yng nghôl Mam, a chael siarad â fe drwy ffenest Sanatoriwm Alltymynydd ger Llanybydder. Tua'r adeg yma canfuwyd y gwrthfiotig Streptomycin, a daeth diwedd ar oes y sanatoriwm yn fuan wedyn. Cafodd Tad-cu niwed difrifol i'w stumog hefyd ar ôl cael cic gan geffyl wrth bedoli. Ymdrechodd i ddal ati i weithio yn yr efail, er mewn gwendid mawr ar brydiau. Aeth gwaith gof yn brin wrth i'r tractor ddisodli'r ceffyl, ac fe drodd at waith weldio. Cafodd nwyon y broses hynny effaith ddrwg ar ei ysgyfaint, a bu'n rhaid iddo roi'r gorau i'w waith. Aeth fy Wncwl Dewi, brawd Mam, bant i'r RAF, gan adael Mam a Nana i grafu byw ar ddyddyn deuddeg erw, yn cadw dwy neu dair buwch odro ac ychydig o ieir. Yn 1953, fe wnaeth fy mam, Menna, briodi Alfred Lenny o Frechfa a ddaeth i fyw atynt, a'r flwyddyn ganlynol cefais i fy ngeni yn Ysbyty Heol y Prior, Caerfyrddin.

Gan fy mod yn naw mlwydd oed pan ddaeth trydan a theledu i'n tŷ ni, roedd y gramoffon yn rhan bwysig o'm bywyd cynnar, fel yr oedd mewn sawl cartref. Hoffaf y stori am hen lanc o ardal Brechfa, oedd yn byw mewn tŷ ffferm unig ar gyrion y fforest fawr ym mhen uchaf Cwm Llanllawddog. Bob nos Sadwrn, wedi wythnos galed o ffermio, byddai'n cael bàth ac yn siafio, yn gwisgo ei ddillad gorau – ac yn mynd mewn i'r parlwr i wrando ar y gramoffon am weddill y noson. Wel, pawb at y peth y bo.

Cefais fy magu yn sŵn emynau a chaneuon sentimental ar y disgiau mawr 78 rpm. Prin hanner canrif ar ôl marw'r Frenhines Fictoria, roedd cysgod yr oes honno'n dal i fod yn drwm ar adloniant poblogaidd Cymru. Cofiaf eistedd yn y parlwr yng ngolau lamp tili yn defnyddio holl nerth bôn braich pump oed i weindio sbring y gramoffon i glywed Jac a Wil, *superstars* y cyfnod, a werthodd tua 100,000 o recordiau. Un o'r clasuron oedd 'O Dwed Wrth Mam', cân leddf a sentimental sy'n sôn am fachan yn teimlo hiraeth dwys am ei ddiweddar fam ac euogrwydd am ei brifo hi ers yn fachgen bach. Ond paid poeni,

11

Mam, meddai, bydda i gyda thi yn y nefoedd wap. Joli iawn! Trosiad yw'r geiriau Cymraeg o'r gân a gyfansoddwyd gan Charles Fillmore yn 1898 pan fu farw mam William McKinley, Arlywydd America. Ond, hyd y gwyddwn i, canu am eu mam hwy oedd Jac a Wil. 'Yr Arw Groes' oedd un o *hits* eraill y ddau frawd. A phwy all anghofio Richie Thomas yn canu am 'Achub Hen Rebel'? Ac os y'ch chi'n meddwl bod 'Y Border Bach' gan Crwys yn cynnig ychydig o *light relief*, meddyliwch eto. Ynddi mae'r 'hen estron gwyllt o ddant y llew a dirmyg lond ei wên' yn tarfu ar drefn berffaith a thlws border bach ei fam. Geiriau Crwys ddaw i'm cof bob tro y gwelaf y blodyn melyn. Sôn am gael *bad press*!

'Pwy Fydd Yma 'Mhen Can Mlynedd?' oedd un o glasuron eraill y ddau frawd o Gwm Gwendraeth oedd yn ffefryn yn ein tŷ ni pan oeddwn yn fach. Mae'n swnio fel cynnyrch Oes Fictoria, ond cân gymharol newydd ydoedd bryd hynny. Ernest Llwyd Williams, cyfaill i Waldo ac awdur 'Crwydro Sir Benfro' oedd y cyfansoddwr. Yn fardd o fri, enillodd y Goron yn Eisteddfod Genedlaethol y Rhyl yn 1953 a'r Gadair yn Ystradgynlais yn 1954, sef blwyddyn fy ngeni. Mae'r gân yn holi sawl cwestiwn am ddyfodol diwylliant a chrefydd Cymru. 'Pwy Fydd Yma' yn darllen pennod, yn dywedyd gair, yn efengylu, yn torri'r bara ac yn rhannu'r gwin, pwy fydd yn y seddau ac yn y gadair fawr? O gofio mai yn 1943 y cyfansoddwyd y gân, ni chaem ateb i'r holl gwestiynau hyn am chwarter canrif arall! Ond eisoes, mewn sawl capel, yr ateb yw – 'Neb'! Ac erbyn 2043?

Roedd y capel yn dal i fod yn ganolog iawn i fywydau pobol yr ardal yn y 1950au. Ar y piano yn tŷ ni y byddai Mam a Nana yn ymarfer emynau ar gyfer y Sul ym Mwlch-y-corn – y capel bach dau led cae i lawr y bryn o'n cartref yn Efail-y-banc. Yno cefais fy medyddio gan y Parchg S B Jones, bardd y Gadair a'r Goron ac emynydd mawr. Un o Fois y Cilie oedd Simon Bartholomew Jones, a fu'n forwr ar long hwylio yn mynd â chargo rownd De America trwy stormydd enbyd y *Roaring Forties*. Hynny a'i ysbrydolodd i gyfansoddi'r bryddest 'Rownd yr Horn', a enillodd coron Eisteddfod Genedlaethol Wrecsam

1933 iddo. Dyna'r flwyddyn y daeth yn weinidog i Fwlch-y-corn a Pheniel, lle y bu am 30 mlynedd. Amlygwyd dewrder SB yn ystod yr Ail Ryfel Byd, pan fu'n gyd-olygydd *Sylfeini Heddwch* a *Ffordd Tangnefedd*, a gyhoeddwyd gan Undeb yr Annibynwyr. Ar adeg pan oedd nifer o weinidogion ac offeiriaid yn annog aelodau'r eglwysi i fynd i ymladd yn enw Crist, cyhoeddodd S B Jones: 'Ni ddyfeisiwyd yn holl hanes dyn drais mwy na chysylltu enw ac Efengyl Iesu o Nasareth â rhyfel.' Mac'n frawddeg rwy'n ei defnyddio'n aml mewn pregethau.

Os oedd cysgod Oes Fictoria yn drwm ar ganu poblogaidd Cymru pan oeddwn yn blentyn, roedd hynny'n wir am addysg hefyd. Cofiaf fy niwrnod cyntaf yn Ysgol Peniel ym Medi 1958 fel petai'n ddoe. Rown i'n gwisgo siaced las smart. Dim ond chwech mis oedd ers agor yr ysgol fodern o bren a gwydr. Erbyn hyn, mae wedi'i dymchwel, ac ysgol newydd arall yn ei lle. Dwy chwaer, Miss Davies Fowr a Miss Davies Fach, roddodd addysg fore oes i mi. Tan 1944 roedd yn rhaid i ferched ddewis rhwng gyrfa a gŵr. Byddai'n rhaid i unrhyw athrawes oedd am briodi roi'r gorau i ddysgu, gan fod disgwyl i'w gŵr ei chadw.

Mae cymaint o bethau eraill wedi newid yn hanes bro a byd ers fy nyddiau yn Ysgol Peniel. Roedd darnau mawr o fap y byd ar wal y dosbarth yn binc i nodi'r ymerodraeth 'nad oedd yr haul fyth yn machlud arni'. Ond erbyn hynny, hyd yn oed, roedd yr haul hwnnw yn prysur fachludo, gyda'r Ymerodraeth yn troi'n Gymanwlad. Dyna'r flwyddyn y cynhaliwyd y *British Empire and Commonwealth Games* yng Nghaerdydd. Yn fy marn i, mae rhywbeth afresymol iawn am y drefn o gydnabod gwaith da pobol trwy roi iddynt yr *Order of the British Empire*, neu'r MBE, neu beth bynnag, sef anrhydedd i berthyn i rywbeth nad yw'n bod bellach, ond sy'n dal i ddathlu'r drefn imperialaidd a achosodd gymaint o niwed a rhaib ar draws y byd.

Er mod i'n blentyn digon seriws, rown i'n medru gweld yr ochr ddigri i rai pethau nad oedd yn gomig i eraill. Cofiaf gael stŵr gan Miss Davies Fach am fostio allan i chwerthin pan oedd hi'n darllen y stori Feiblaidd am bobol yn torri twll yn y to er mwyn gostwng y claf o'r parlys ar ei wely i mewn i'r

13

stafell lle'r oedd Iesu. I mi, yn bedair oed, roedd yn ddarlun
abswrd a digri. Does dim o'i le ar hynny. Mae hiwmor o'r fath
yn frith drwy'r Beibl: o'r jôc fawr am bysgodyn yn llyncu Jona
i ddelweddau bwriadol ddigri Iesu am y dyn a'r trawst yn ei
lygad, a'r camel yn mynd trwy grai y nodwydd. Dyna hiwmor
sy'n perthyn i'r *genre* Iddewig.

O ystyried, rhaid mod i'n dipyn o *child prodigy* (am gyfnod
hynod fyr) oherwydd tra'r oedd y rhan fwyaf o blant dosbarth
y babanod yn dal i chwarae â dŵr a chregyn, rown i'n medru
cyfrif *hundreds, tens and units*. Cefais fy nyrchafu'n gynnar
o ofal Miss Davies Fach i ddosbarth Miss Davies Fowr. O
ganlyniad, cefais ddwy flynedd yn y dosbarth uchaf, o dan
Ernest Evans a Gwynfor Phillips. Prifathro o'r hen deip oedd
wedi dysgu fy mam oedd Ernest. Prifathro o fath newydd oedd
Gwynfor Phillips, oedd yn cyflwyno ystod ehangach o addysg,
er bod y ddau yn perthyn i'r côr canu ysgafn poblogaidd Bois
y Blacbord. Dim ond blwyddyn gefais i yn nosbarth 'Phillips
Bach', ond dyna'r flwyddyn orau erioed. Daeth â dulliau modern
o ddysgu, a'n cyflwyno i fyd gwyddoniaeth a daearyddiaeth.
Roedd ei ferch, Helen, yn aelod o'r grŵp pop Trydan gyda Joan
Gravell a Menna Elfyn, merch y Parchg T Elfyn Jones, a ddaeth
yn weinidog i'r ofalaeth ar ôl SB.

Dim ond yr ysgol, capel a dyrnaid o dai oedd ym Mheniel
yn f'amser i yno, gyda chaeau gwyrdd eang o gwmpas yr ysgol.
Erbyn hyn, saif yng nghanol ystadau tai mawr. Dyma bentref
welodd newid aruthrol mewn cenhedlaeth. Eto, braf yw dweud
bod y capel a'r Ysgol Sul yn dal yn fyw ac yn fywiog, bod dros
hanner yr 120 o blant sydd yn yr ysgol yn dod o aelwydydd
Cymraeg eu hiaith, a Chymraeg yw cyfrwng yr addysg. Nid
felly ydoedd yn f'amser i, 'nôl yn oes yr weierles. Bob wythnos
byddem yn cael gwers o wrando ar raglen o ganeuon Saesneg
ac yn cael llyfr i gyd-ganu, gyda chlasuron fel 'Drink To Me
Only With Thine Eyes', 'D'ye Ken John Peel' a'r 'Minstrel Boy'.
Aethom ar wyliau i Landudno pan oeddwn yn ddeng mlwydd
oed. Erbyn hynny, roeddem yn deulu o bump, yn dilyn geni
Eleri yn 1958 a Ceri yn 1963. Cefais fy mherswadio gan Mam

i fynd ar y llwyfan awyr agored yn Happy Valley yng nghesail y Gogarth, lle'r oedd Bob Monroe yn cyflwyno sioe dalent. *Hi-de-Hi!* yn wir! Doeddwn i'n fawr o ganwr bryd hynny, a ddim o gwbl nawr, ond hyderai Mam y byddwn yn swyno'r dorf sylweddol gydag emyn Cymraeg. Er i mi ddod yn drydydd, cafodd hi dipyn o sioc a siom o'm clywed yn datgan:

The Minstrel Boy to the war has gone
In the ranks of death you will find him...

Er nad oedd trydan yn yr ardal, roedd gan y rhan fwyaf o ffermydd *generators* ar gyfer y peiriannau godro – a byddai teledu ganddynt wedyn wrth gwrs. Yn saith neu wyth oed, byddwn yn cerdded fyny i'r Meini neu lawr i Waungaled, pellter o hanner milltir dda, i wylio *Bonanza*, oherwydd am hynny fyddai'r bechgyn yn sôn yn yr ysgol drannoeth. Peth diflas ofnadwy fyddai colli pennod, a methu ymuno yn y sgwrs am hynt a helynt diweddaraf Hoss, Little Joe a gweddill teulu Cartwright.

Yn nechrau'r 1960au, roedd yn rhaid perswadio'r Bwrdd Trydan bod galw am y gwasanaeth mewn ardal arbennig. Fe aeth fy nhad, fel clerc Cyngor Plwyf Llanllawddog, o gwmpas pob tŷ a fferm i gasglu enwau i'w cyflwyno i'r Bwrdd Trydan er mwyn eu perswadio i gysylltu'r ardal â'r Grid Cenedlaethol. Dim ond un person wrthododd arwyddo, gan ddweud nad oedd e'n gweld bod angen trydan o gwbl! Dylem gofio taw hen ŵr gafodd ei eni tua 1880 oedd hwnnw.

Cysylltwyd y cyflenwad trydan â'n tŷ ni ar ddiwrnod cyntaf eira mawr 1963. Daeth fy nhad adref mewn fan â thân trydan, cwcer a set deledu – er bod mwy o eira ar y llun yn fynych nag oedd y tu allan. O fewn naw mlynedd, roedd gennym deledu lliw, a naw mlynedd ar ôl hynny roeddwn yn ymddangos ar y teledu hwnnw'n gyson ar raglen *Heddiw*. O'r fath newid a fu mewn cyfnod mor fyr.

Gwas ffarm oedd fy nhad cyn iddo gael swydd *storeman* gan gwmni Dyfed Seeds yng Nghaerfyrddin yn 1959. Doedd dim

lot o siâp ar y cwmni bryd hynny, a dim ond fy nhad oedd yn
gweithio yn y warws mawr, tri-llawr, brics coch ger hen orsaf
y dref. Swydd dros dro ydoedd i fod tan i'r cwmni gau, gan nad
oedd y busnes yn llwyddo. Ond roedd fy nhad yn ddyn cryf
iawn, yn weithiwr caled gyda meddwl busnes craff, ac o dipyn
i beth, fe wellodd pethau. Cyflogwyd mwy o staff a dyrchafwyd
fy nhad yn rheolwr, swydd y bu ynddi tan ymddeol yn 1982.

Roeddwn yn ddarllenwr brwd iawn yn ystod fy mhlentyndod.
Yn aml, byddwn yn dal y bws o Beniel lawr i Gaerfyrddin ar
ôl ysgol i brynu'r cylchgrawn *Look and Learn* neu i fynd i'r
llyfrgell, cyn cerdded lawr i Dyfed Seeds a mynd adref gyda fy
nhad. Llyfrau Saesneg oeddent i gyd, ac rwy'n siŵr i mi fynd
i feddwl yn Saesneg am gyfnod! Yn yr iaith fain y byddem yn
chwarae cowbois yn yr ysgol hefyd. Ond yna, pan oeddwn
tua un ar ddeg mlwydd oed, fe holodd Cyril y Meini pam fod
Eurig Davies, Llwynsarnau a fi yn siarad Saesneg â'n gilydd
ar glôs y ffarm. Roedd yn brofiad hewl Damascus yn fy hanes.
Sylweddolais yn sydyn mor estron oedd rhai o'r pethau oedd
wedi llithro mewn i'm bywyd. Erbyn gadael ysgol Peniel rown
yn berson gwahanol wrth wynebu'r bennod nesaf yn fy hanes.

Cyfnod y Dansette a'r Tebot Piws

RHYW GYFUNIAD O ysgol fonedd a borstal oedd Ysgol Ramadeg y Bechgyn Caerfyrddin. Roedd safon yr addysg yn uchel iawn, gydag athrawon oedd yn wirioneddol arbenigol yn eu maes. Yn anffodus, roedd rhai ohonyn nhw hefyd o dueddiad seicopathig. Fel disgybl cydwybodol a thawel, fe lwyddais i osgoi'r grasfa gafodd sawl bachgen – nid y gansen yn unig, ond dyrnio caled yn yr wyneb yn aml. Byddai'r fath athrawon yn cael blynyddoedd mewn carchar am ymddwyn fel'na heddiw. Bu rhai ohonynt yn yr Ail Ryfel Byd, wrth gwrs, ac roedden nhw'n gyfarwydd â thrais dipyn gwaith na hynny.

Saesneg oedd iaith yr ysgol, gydag 'ambell i lesson fach yn Welsh whare teg' fel y canodd Dafydd Iwan. Doeddwn i ddim wedi cael llawer o flas ar wersi Cymraeg tan i ddau athro ifanc ymuno â'r staff, sef Gareth Jones a Wyn Jenkins, a ddaeth yn arlunydd adnabyddus ar ôl ymddeol. Yr unig wers arall yn Gymraeg oedd *Religious Instruction* gyda Glyndwr Walker. Rhaid talu teyrnged hefyd i William Owen, un o'r athrawon Saesneg, a Mathew Rees oedd yn dysgu hanes ac yn aelod o Gôr Mynydd Mawr. Cafodd y rhain ddylanwad mawr arna i, a dim ond yn ddiweddar y dywedodd Wyn wrtha i mor anodd oedd hi i'r staff Cymraeg eu hiaith yn y fath awyrgylch Seisnig.

Byddai gwrthdaro byth a beunydd rhwng yr *hambones* a'r *townies* hefyd. Bryd hynny, roedd bron pawb o gefn gwlad yn siarad Cymraeg, ond Saesneg oedd iaith y dref. Trefnwyd sawl gornest answyddogol o dan gysgod yr *arches* y tu fas i

stafelloedd newid yng nghornel pella'r ysgol, ymladdfa a
fyddai'n parhau tan fod y gwaed yn llifo. Rhan amlaf, y meibion
fferm cyhyrog gyda'u dyrnau mawr fyddai'n cario'r dydd. Mae'r
arches yno o hyd, ond cariad sy'n dwyn pobol yno heddiw, gan
fod priodasau'n cael eu cynnal yn y swyddfa gofrestru sydd
bellach yn yr adeilad uwch eu pennau. Roedd bwlio yn rhemp
yn yr ysgol, ac roedd un bachgen oedd dipyn hŷn na fi yn aml
yn mwynhau gwneud fy mywyd i, ac eraill yr un oed, yn uffern.
Fyddwn ni fyth yn ystyried cwyno wrth yr athrawon na neb
arall, dim ond gwneud fy ngorau i'w osgoi. Daeth y bwlio i ben
pan wnaeth bachgen mwy na fe, oedd yn gymydog i mi, roi
crysfa iddo a'i rybuddio i roi'r gorau iddi. Oes, mae 'na feistr
ar Feistr Mostyn.

Rown i'n casáu ymarfer corff â chas perffaith. Doedd
y syniad o wastraffu egni trwy redeg rownd cae ddim yn
gwneud synnwyr i fi o gwbl. Byddwn yn ymuno â'r bechgyn
eraill i chwarae pêl-droed gyda phêl tennis ar y iard yn yr awr
ginio, ond rygbi oedd yr unig wers chwaraeon swyddogol, ac
roedd lle gan yr ysgol i ymfalchïo yn ei llwyddiant. Yn 1972,
fe wnaeth tri chyn-ddisgybl, sef Gerald Davies, Roy Bergiers
a'r anfarwol Ray Gravell, chwarae i Gymru yn erbyn Seland
Newydd. Er i Gymru golli, roedd y ddau olaf yn aelodau o dîm
Llanelli a drechodd y Crysau Duon, gyda Roy, sy'n dal i fyw
yng Nghaerfyrddin, yn sgorio'r unig gais yn y gêm hanesyddol
honno. Er ei fod yn hyfforddwr rygbi heb ei ail, person oedd
braidd yn rhy hoff o golbio plant oedd yr athro chwaraeon,
Elwyn Roberts, yn fy ngolwg i. Degawdau yn ddiweddarach,
fe ddes i'w adnabod yn dda fel Ysgrifennydd Clwb y Jiwbilî, y
clwb snwcer bues i'n perthyn iddo yng Nghaerfyrddin am rai
blynyddoedd tua diwedd y ganrif. Mae Elwyn yn hen ŵr wrth ei
ffon erbyn hyn, a byddaf yn aros i sgwrsio gyda fe wrth gwrdd
ar y stryd neu mewn siop o bryd i'w gilydd. Mae'n rhyfedd fel
mae pethau a phobol yn newid.

Erbyn diwedd y 1960au, roedd elfen gref o genedlaetholdeb
ymhlith carfan sylweddol o'r bechgyn hynaf. Roedd Gwynfor
yn Aelod Seneddol Caerfyrddin a llwyth o bobol ifanc yn

aelodau o gangen leol Plaid Cymru. Adeg yr Arwisgo, fe wnaeth Wynford James ac eraill gychwyn ymgyrch yn erbyn ymweliad y Tywysog Siarl â pharc Caerfyrddin yn ystod ei daith o gwmpas Cymru. Fe aeth y prifathro, Ben Howell, yn benwan a bygwth gwrthod rhoi geirda iddynt wrth ymgeisio am swyddi neu fynd i goleg. Beth wnaeth nifer o'r bechgyn oedd mynd i barc y dref a throi eu cefnau ar y Tywysog wrth iddo fynd heibio yn ei Land Rover agored. Es i ddim i'r ysgol y diwrnod hwnnw, gan ddewis aros adref i helpu gyda'r cynhaeaf gwair. Fel yn achos Brexit, fe wnaeth yr Arwisgo rwygo Cymru: roedd pawb naill ai'n ffyrnig o blaid neu yn erbyn y syrcas frenhinol. Y tro cyntaf y bu Tony ac Aloma yn canu mewn cyngerdd yn hen farchnad Caerfyrddin y flwyddyn honno, roedd tua dwy fil o bobol yno. Pan ddaeth Dafydd Iwan i'r llwyfan a chanu 'Carlo' roedd hanner y gynulleidfa fawr yn bloeddio cymeradwyaeth a'r hanner arall yn bwio. Cefais stŵr gan fy rhieni am brynu copi o'r record i'w chwarae ar y Dansette. Erbyn hynny, roedd y gramoffon wedi cael mynd mas ar gefn *trailor*, gyda llwyth o hen drugareddau eraill, i'w harllwys i lawr cwm cyfagos.

Yr hyn dynnodd y colyn o'r sefyllfa, a'r hyn newidiodd agwedd cymaint o Gymry yn fy marn i, oedd y gân hynod glyfar 'Croeso Chwedeg Nain' lle mae gitâr gelfydd Meic Stevens yn gyfeiliant bywiog i'r geiriau dychanol. Roedd fy rhieni wedi dwli ar y gân honno a'r un hollol wahanol 'Gad fi'n llonydd (o fy Nuw)' ar yr ochr arall, ac o ddod i hoffi caneuon Dafydd fe ddaethant yn genedlaetholwyr pybyr. Fe wnaeth Mam, cyn-lywydd y WI ym Mheniel, ysgogi sefydlu cangen o Ferched y Wawr yn y pentref, cangen sydd mor gref heddiw ag erioed. Bu'n Llywydd y gangen honno sawl gwaith, ac yn Llywydd ac Ysgrifennydd Rhanbarthol y mudiad yn Sir Gâr. Byddwn yn barod i ddadlau bod Dafydd Iwan wedi gwneud mwy na neb arall i newid meddylfryd Cymry Cymraeg yn y cyfnod yna, a wedyn, ac i mi, Dafydd yw Cymro mwyaf ail hanner yr 20fed ganrif.

Er i mi brynu pob un o recordiau Dafydd, y Tebot Piws

wnaeth ddylanwadu fwyaf arna i, a hwy yw fy hoff grŵp o hyd. Mae'r gân hudolus 'Dilyn Colomen' yn dwyn i gof haf heulog 1972, Eisteddfod Hwlffordd a gwyliau Glan-llyn. Byddwn yn mynd i'r Genedlaethol, nid i weld y Cadeirio, ond i glywed y Tebot a Meic Stevens yn canu ac i brynu eu recordiau diweddaraf. Yn 17 oed, fe es i'r Brifwyl ym Mangor gydag Eric Lloyd, ffrind teuluol agos iawn o hyd, yn fan A35 Eric. Roedd y ddinas yn ferw drwyddi gyda'r hwyr. Un noson ar ôl *stop tap*, pan ddaeth cannoedd ohonom allan o westy'r Castle gyferbyn â'r Eglwys Gadeiriol, roedd criw mawr o *skinheads* Maesgeirchen ar draws y ffordd lydan yn chwilio am drwbl. Daw'r llun i fy meddwl o ddau blisman ar ganol y stryd, yn galw'n groch am gymorth ar eu radio. Daeth *skinhead* mawr mewn denim a Doc Martens ar draws y ffordd i'n herio. Camodd un o fois caled Rhydargaeau, Winston Pentremawr, i'w gwrdd a rhoi'r fath ergyd iddo nes ei fod yn ei hyd ar draws bonet car. Fe aeth hi'n ymladdfa fawr wedyn, ond yn anffodus i fechgyn Maesgeirchen roedd nifer o'r rhai ddaeth allan o'r Castle yn cario poteli a gwydrau a ddefnyddiwyd fel arfau. Erbyn i ddau lond fan o heddlu gyrraedd, roedd gwaed ar lawr a chriw Maesgeirchen yn ffoi trwy fynwent yr eglwys. Byddai adroddiad am frwydr fel'na ar dudalen flaen y *Daily Post* heddiw, ond bryd hynny doedd neb yn talu fawr o sylw i'r fath ddigwyddiad.

Roedd ffermio yn rhan bwysig o'm bywyd yn fy arddegau. O'r adeg pan oedd fy nghoesau'n ddigon hir i yrru'r Ffergi fach, bues i'n helpu fy nhad i ffermio ein tyddyn ugain erw. Ar ôl dod 'nôl o'r ysgol bob dydd yn y gaeaf, byddwn yn cario byrnau gwair a bwyd sych i'r dwsin o fustych, y lloi a'r tair buwch. Dysgais sut i ysbaddu gyda phinsiwrn ac i dynnu cyrn lloi â haearn poeth, ond roedd yn llawer gwell gen i drin y tir. Mae caeau Efail y Banc yn codi i 800 troedfedd uwch y môr, gyda golygfeydd godidog. Mae bryniau'r Preselau i'w gweld yn y gorllewin pell a chornel fforest fawr Brechfa tua dwy filltir i'r gogledd-ddwyrain. Erbyn hyn mae rhes o dwrbeini gwynt anferth yn rhedeg trwy'r goedwig ar y gorwel. Roedd ein tir yn ffinio â fferm y Meini Gwynion, sydd â golygfeydd ehangach fyth. O'r cae lle codwyd carreg wen anferth i nodi bedd rhyw bwysigyn anghofiedig o'r oesoedd cyn-hanesyddol, mae'n bosib gweld o Fannau Sir Gâr i lawr Dyffryn Tywi hyd at Fae Caerfyrddin a draw at y Preselau, sy'n llwyfan i rai o'r machludoedd mwyaf tanllyd o drawiadol welsoch chi erioed. Dyna'r cornel bach o'r greadigaeth y bues i'n trin ei thir, yn aredig, yn sgwaru tail, yn torri ysgall gyda phladur ac yn taro polion ffensio i fol eu cloddiau gyda gordd drom cyn staplo'r weiren bigog ar dalcen y pyst ar ôl ei thynnu y tu ôl i'r Ffergi tan ei bod hi'n canu fel tant gitâr.

Y cynhaeaf gwair oedd fy hoff dymor, ac nid yn unig am fod cymdogion yn talu hyd at bunt y dydd am gael help. O'r adeg rown i'n 14 oed, byddwn yn mynd i weithio ar ffermydd cyfagos y Meini, Brynceir, Penrhiwlas, Waungaled, Brynteg ac Hengil Isaf. Er gwaetha'r mewnfudo dros y degawdau, mae'n braf nodi mai Cymry sy'n byw o hyd mewn pump o'r chwe lle yna. Cyn dyddiau'r *big bales* roedd cywain gwair yn waith corfforol caled. Os oedd y gwair yn gras, byddai'n gymharol hawdd trafod y bêls, ond os oedd y gwair yn rhy las, a'r belo yn dynn, tipyn o slafdod oedd codi'r bêls trwm i'r treilar, ac roedd hi'n fwy o chwysfa fyth bod yn ffwrn y sied wair yn derbyn cannoedd o fyrnau yn dod i fyny ar yr *elevator*, yn un rhes ddidrugaredd. Ar ddiwedd y dydd, byddai'r dwylo'n llosgi ar ôl trin y cordiau belo tynn, ac ambell ysgallen o dan y croen. Ond rown i'n mwynhau'r cwmni, y seidr cyn mynd 'nôl i'r cae ar ôl codi llwyth yn yr ydlan, a'r swper o gwmpas bwrdd y gegin ar ddiwedd y dydd gydag o leiaf hanner dwsin o gymdogion. Doedd dim yn cymharu â llyncu awel y cyfnos wrth gerdded adref ar ôl diwrnod caled ar gaeau gwair mis Mehefin. Mae clywed Plethyn yn canu 'Teulu'r Tir' am gynhaeaf Meifod yn dod â'r cyfan 'nôl yn fyw i mi, ac yn codi hiraeth am y dyddiau pell hynny. Trwy gyfrwng y gerdd fach syml hon, rwy'n ceisio gwthio ffiniau'r hyn a gofiaf pan oeddwn yn bum mlwydd oed.

YDLAN WAUNGALED 1959

Cusanau'r haul y llwch
a chanai'r awel faled
o glod i'r tresi aur
yn ydlan wair Waungaled.

Ci glas â llygad ddall
orwedda dan y dined,
yn frenin ar ei fyd
o gathod, ieir a 'whyed.

Hen dractor ddaw drwy'r bwlch
mewn cwmwl o steiff disel,
yn halio llwyth o wair
ysgallog o'r cae cornel.

A dacw hwy yn dod
yn lliwiau ac yn lleisiau,
sŵn sgidiau hoelion mawr,
sawr chwys a sudd y caeau.

Ond er im graffu'n daer
ni allaf roi eu henwau,
fe sychodd trigain mlynedd
fanylion eu hwynebau.

Ac er im wrando'n daer
ddeallaf ddim o'u geiriau,
diystyr yw eu sŵn
fel clebran Afon Crychiau.

Dduw mawr, ai dyna i gyd
yw statws anfarwoldeb
y rhai sydd wedi ffoi
i gaeau tragwyddoldeb?

Ond bydd y sêr yn troi
o hyd mewn rhyw ffurfafen,
mewn byd ymhell o 'ma
bydd awyr las a heulwen.

Pwy ŵyr na fydd 'na yno
rhyw rai rôl diwrnod caled
yn gorwedd yn y gwair
ar gaeau rhyw Waungaled?

Bues i'n gweithio yn Dyfed Seeds, yn ystod gwyliau'r Pasg yn bennaf, pan fyddai'r cwmni ar ei brysuraf. Erbyn tua 1969, roedden nhw wedi symud i adeilad newydd gyda pheiriannau modern ar draws yr afon yn Llangynnwr. Cyn dyddiau'r *forklift truck* roedd dadlwytho lorïau oedd yn cludo cwdau hadau llafur 112 pwys (50 kilo), a rhai hadau gwair 168 pwys (75 kilo), yn slafdod. Ar ddiwedd diwrnod gwaith hyd at 10 awr, nid y cefn oedd yn brifo, ond y traed! Roedd naws deuluol i'r cwmni ac mae Peter Crowdey, a olynodd fy nhad fel rheolwr, Dai 'Llanllwch' Evans, oedd yn yrrwr lorri, ac Eric Lloyd yn gyfeillion agos iawn i ni fel teulu tan heddiw. Felly hefyd Denzil 'Llywallter' Davies, fu'n canu mewn eisteddfodau gyda Mam ar un adeg. Mae Dyfed Seeds wedi dod i ben ers rhai blynyddoedd bellach, a siopau anferth Currys a'r Range lle bu'r adeilad gynt.

Roedd hwn yn gyfnod euraidd yn hanes ein cartref teuluol, gyda rhywun wastad yn galw yn Efail-y-banc i gael dished o de gan Mam neu lased o wisgi gan fy nhad. Fel yr hen efail gynt, roedd yn dipyn o gyrchfan i gyfeillion a chymdogion. Mae sŵn y clebran a'r chwerthin yn dal i atseinio yn fy ngof i lawr o'r blynyddoedd pell.

O ran ysgol, wnes i ddim mwynhau yn y Gram nes cyrraedd y 6ed Dosbarth a chael dewis fy hoff destunau, sef Cymraeg, Saesneg a Hanes. Ar ôl gwneud cawlach o arholiadau Lefel A y tro cyntaf, fe arhosais ymlaen yn yr ysgol am flwyddyn i'w hailsefyll. Y rheswm pennaf am y methiant oedd na wnes i adolygu o gwbl, gan obeithio'n ofer bod digon o waith y tymor gyda mi yn y cof. Cefais fy ngwneud yn ddirprwy-brif ddisgybl yr ysgol yn 1972–3, a'm cyfaill Ronw Protheroe yn brif ddisgybl. Yn y flwyddyn honno hefyd fe gipiais gadair Eisteddfod yr ysgol ar Ddydd Gŵyl Ddewi, y gadair gyntaf a'r olaf i mi ei hennill yn fy mywyd.

Oni bai mod i wedi gorfod aros ymlaen am flwyddyn, byddwn i ddim wedi cwrdd ag Ann Williams mewn dawns yn yr ysgol, a byddai bywyd wedi bod yn wahanol iawn! Ym Machynlleth cafodd Ann ei geni, ond bu'n byw yng Nghaerfyrddin ers yn dair blwydd oed. Roedd ei brawd mawr Ieuan yn yr ysgol yr un pryd â fi, ac yn chwaraewr rygbi da. Cardis i'r carn oedd eu rhieni gyda Nora yn dod o Lanilar a Dai o Benuwch ger Tregaron. Fe ddechreuom ni fynd mas gyda'n gilydd yn 1973, a phriodi ymhen pum mlynedd ar ôl i Ann raddio o'r Brifysgol yn Aberystwyth.

Yn ystod y flwyddyn ysgol olaf honno fe wnaeth criw ohonom sefydlu'r grŵp pop Talcen Crych. Daw'r enw o linell yn nrama *Llywelyn Fawr* gan Thomas Parry: 'Dewder yw'r saib llonydd, y talcen crych.' Ronw oedd y prif leisydd a gitarydd, Eifion Daniels ar y gitar fâs, Mike Harries yn drymio a minnau'n chwarae gitar 12-tant a mandolin trydan. Ymhen amser, daeth Austin Davies i gymryd lle Mike fel drymiwr. Dysgu pobol Caerfyrddin a'r cyffiniau i yrru oedd swydd Austin, ac mae'n dal i fod wrthi. Ar ôl graddio, fe aeth Ronw i weithio i'r cyfryngau yng Nghaerdydd, lle gwnaeth enw iddo'i hyn ar y dechrau yn cynhyrchu rhaglenni ysgafn fel *Torri Gwynt*. Fe arhosodd Eifion yn y gorllewin, gan dreulio'i yrfa yn Ysgol y Preseli ar ôl bod yng Ngholeg y Llyfrgellwyr yn Aberystwyth. Buom ar y teledu, a rhyddhau sengl. Testun 'Cân Gwynoro (Fi yw'r unig un a thair)' oedd buddugoliaeth Gwynoro Jones dros Gwynfor Evans yn etholiad Mawrth 1974 trwy fwyafrif o dair pleidlais. Cân ddychanol, wrth gwrs, a brofodd yn boblogaidd iawn yn y cyfnod cyffrous yna rhwng y ddau etholiad cyffredinol y flwyddyn honno, cyn i Gwynfor ail-ennill y sedd gyda mwyafrif o dros 3,000 yn yr hydref. Fe'i recordiwyd yn stiwdio Dryw yn Abertawe ar beiriant 4-trac digon hynafol, a hynny mewn tua thair awr. Ar ddiwedd y gân 'Branwen' ar yr ail ochr, fe aeth gitâr drydan Ronw allan o diwn, fel y clywir yn blaen ar y record gan nad oedd amser i ailrecordio! Erbyn hynny roedd Byrnan Davies, oedd yn gweithio gyda fy wncwl Bob Lenny yn swyddfa arwerthwyr John Francis, wedi ymuno â ni fel prif leisydd.

Roeddem i gyd wedi gadael yr ysgol erbyn rhyddhau 'Angharad' yn 1975. Cafodd hon ei recordio yn stiwdio Sain, gyda Hefin Elis yn cynhyrchu, a'i chyhoeddi ar label Afon. Fe ymunodd Geraint Lövgreen â ni i chwarae'r piano, yn ogystal â John Davies a Colin Owen, dau aelod o Eliffant wedi hynny. Mae'r darn offerynnol hir ar ddiwedd 'Angharad', lle clywir gitâr Gibson Les Paul John yn 'canu deuawd' gyda'r peth pertaf ar unrhyw record Gymraeg.

Ond i droi'r tâp yn ôl i 1973. Llwyddais i gael gradd A yn Saesneg a B yn Gymraeg yn Lefel A. Hanes oedd fy hoff destun, ond gradd E gefais yn hwnnw, am reswm digon diflas. Amser te, y diwrnod cyn yr arholiad, cefais ffit epileptig. Un funud roeddwn yn astudio llyfr hanes Cymru, a'r nesaf roedd fy nhad yn fy nghodi oddi ar y llawr. Rhyw ffordd neu'i gilydd fe lwyddais i fynd drwy'r arholiad ac ymlaen i'r Brifysgol yn Aberystwyth ym mis Medi. Ond roedd y profiad wedi chwalu fy hyder yn llwyr. Doeddwn i erioed wedi cael trawiad fel'na o'r blaen, ac ofnwn fod rhywbeth difrifol yn bod arna i, er bod y profion meddygol yn negyddol. Un bore yn Aber wrth baratoi i fynd i ddarlith fe gefais ffit arall, a chollais bob diddordeb mewn bywyd academaidd. Eto, fe wnes i fwynhau bywyd cymdeithasol y coleg a dod i adnabod sawl ffrind. Er aros ymlaen tan ddiwedd y flwyddyn gyntaf, gwyddwn nad oedd pwynt i mi sefyll yr arholiadau. Ar ôl gadael, cefais swydd dros dro gyda Chyngor Dosbarth Caerfyrddin, yn derbyn galwadau ffôn gan denantiaid am broblemau o bob math yn eu tai cyngor. Bron i hanner canrif yn ddiweddarach, a minnau'n gynghorydd sir, rwy unwaith eto'n cael cwynion o'r fath. Na, dyw rhai pethau ddim yn newid!

Fflêrs a Phlwm Poeth

'JOURNALISM' MEDDAI'R GOLYGYDD, gan syllu arna i dros ben ei sbectol beiffocal, 'is 95% perspiration and 5% inspiration.' Wel, dyna *boring*, meddyliais i mi fy hun, ond man a man rhoi *go* arni. Ar ôl i gyfnod gwaith y Cyngor Dosbarth ddod i ben, doedd yr un swydd arall gen i mewn golwg y bore hwnnw o Fedi 1974. Eisteddwn yn swyddfa'r *Carmarthen Journal* yn cael cyfweliad gan David Edmunds am swydd gohebydd o dan hyfforddiant. Cynigiwyd cyflog o £15 yr wythnos a'r anrhydedd o ymuno â staff y papur wythnosol hynaf yng Nghymru. Cefais y swydd, i ddechrau'n syth gan fod Adrian Howells – un o gynhyrchwyr *Heno* flynyddoedd wedyn – yn mynd i adael y *Journal* i weithio i'r *Evening Post*.

Bues â diddordeb byw mewn newyddion ers yn 12 mlwydd oed pan gefais *transistor radio* i'r Nadolig. Yn fuan wedyn darlledwyd *News at Ten* ITV am y tro cyntaf, ac roeddwn yn ddigon hen erbyn hynny i aros lan i'w wylio bob nos cyn mynd i'r gwely. Er mod i'n 19 oed yn ymuno â'r *Journal*, roedd yr hyfforddiant wedi dechrau flynyddoedd ynghynt. Yn yr ysgol, roeddwn yn feistr ar *precis*, sef cwtogi darn hir o destun i'r ffeithiau hanfodol. Roedd yn gas gen i waith cartref ac fe fyddwn yn aml yn ei adael tan y funud olaf – yn llythrennol, jyst cyn mynd i'r ysgol yn y bore. Mae 'na hen ddywediad Saesneg, 'Never put off until tomorrow what you can do today.' Fy nghred i oedd 'Peidiwch fyth â gwneud heddiw yr hyn fedrwch ei ohirio tan yfory!' Er na wyddwn hynny wrth sgriblo fy ngwaith cartref yn y gwely cyn codi, roedd yn hyfforddiant ardderchog ar gyfer bod yn ohebydd, swydd lle byddai angen gweithio'n gyflym ar y funud olaf.

Dyn mawr mewn dillad syber oedd Mr Edmunds. Byddai'n

golygu deunydd i'w bapur mewn llawysgrifen. Mor wahanol i'r unig ohebydd arall ar y papur! Bachan byr wyth stôn oedd Wyndham Rees. Eisteddai yno o flaen teipiadur Remington, yn llawes ei grys, yn pwno'r allweddellau crwn â dau fys gydag egni drymiwr roc gwallgof. Rhythai ar y geiriau trwy un llygad, gan fod y mwg o'r sigarét yng nghornel ei geg yn cau'r llall. O bryd i'w gilydd, byddai ambell reg yn torri ar draws clatshan y peiriant bychan. Rwy'n gweld Wyndham yn bur aml o hyd, gan ei fod yn cerdded o gwmpas y dref, ar gyngor meddygol, yn dilyn trawiad ar y galon.

Yr unig aelod arall o'r staff golygyddol oedd Godfrey Jones, ffotograffydd oedd wastad yn gwisgo hen het *trilby* frown. Roedd ganddo stiwdio fechan i ddatblygu ei luniau, a chamera Leica fyddai'n werth tipyn heddiw. Eto, man a man petai wedi defnyddio Box Brownie, achos roedd proses argraffu lluniau'r *Journal* mor gyntefig roedd fel edrych ar bobol mewn niwl. Fe allai Godfrey fod yn ddigon pigog, ond eto roedd yn garedig iawn wrth y plant petaen ni'n digwydd cwrdd yn y dref flynyddoedd ar ôl i mi orffen ar y papur, gan fynnu rhoi arian i Rhun a Mared i brynu hufen iâ.

Dyna'r bobol bues i'n cydweithio â nhw yn llanc tenau, hir-walltog 19 oed, yn gwisgo crysau â choleri mawr, trowsus *flares* a sgidiau platfform. Erbyn heddiw mae hen adeilad y *Journal* yn gartref i Ganolfan Gymraeg yr Atom, gyda'i chaffi, swyddfeydd a stafelloedd cyfarfod, ond ffatri o Oes Fictoria ydoedd pan oeddwn i'n gweithio yno. Plwm tawdd oedd hanfod y broses, a byddai tarthen las o'r metal gwenwynig drwy'r lle, a'i sawr yn glynu wrth eich dillad.

Wrth gamu drwy'r fynedfa lydan o Heol y Brenin, roedd *hatch* ar y dde a thu ôl iddo yr unig ferched oedd yn gweithio i'r *Journal*. 1974 ydoedd, cofiwch, ac nid oedd merched yn y stafell newyddion nac yn y gweithdy. Byddai Gloria, Meira ac Urith yn paratoi ein pecyn pae bob wythnos ac yn derbyn yr hysbysebion oedd yn talu am gynnal y papur. 'Sdim byd ond blydi *adverts* yn y *Journal* wthnos hon 'to' oedd y gri wythnosol ar y stryd, yn y mart neu mewn tafarn, ond roedd dros ugain mil o bobol yn dal i brynu'r papur, oedd yn golygu bod tua chwe deg mil yn ei ddarllen.

Ar ôl pasio *hatch* y merched, byddech yn mynd ymlaen wedyn i le'r oedd y papur ei hun yn cael ei argraffu. Dyna beth oedd warws: dwy stafell anferth, gyda muriau *hardboard* yn gwahanu'r gwahanol adrannau lle'r oedd tua phymtheg o staff yn gweithio. Ar y dde, roedd rhestr o beiriannau tebyg i deipiaduron anferth – y Linotype a ddyfeisiwyd gan Ottmar Mergenthaler yn 1883. Bryd hynny, roedd yn chwyldro ym myd argraffu, ond yn prysur fynd yn hen ffasiwn erbyn f'amser ar y *Journal*. Y tu ôl i bob peiriant roedd bwced o blwm tawdd, gyda fflam nwy oddi tano. Byddai'r argraffwr yn derbyn yr erthygl gan ohebydd, neu hysbyseb ar bapur, ac yn ei deipio i gynhyrchu *slugs*, sef darnau o blwm fflat tebyg i ddominos. Rhedai'r geiriau ar hyd talcen y *slug* gyda'r darnau'n cael eu stacio i wneud colofn. Rhoddwyd y rhain mewn trei metel o'r enw *galley* a'i gario lawr i ben isa'r adeilad. Yno roedd bwrdd hir o lechen drom ac arno 16 ffrâm fetel fawr. Fe adeiladwyd tudalennau'n *Journal* yn ystod yr wythnos trwy lanw'r fframiau â cholofnau plwm a'r blociau pren oedd yn dal y lluniau metal. Ar bnawn Mercher, byddai'r fframiau trwm yn cael eu cario i ddau beiriant anferth 12-tunell o'r enw Cossar, gyda *cogs* mawr pres, er mwyn argraffu'r papur. Roedd sŵn y peiriannau yn fyddarol wrth argraffu tua 4,000 o gopïau o'r *Journal* bob awr a'r cyfan yn mynd allan trwy ddrws y cefn i'r faniau a fyddai'n ei ddosbarthu ledled y sir.

Ar ôl ychydig wythnosau o hyfforddiant mewn swydd gyda Wyndham ac Adrian, cefais fy anfon ar fy mhen fy hun i ohebu o lysoedd barn a chyfarfodydd y Cyngor. Yr unig ganllaw oedd hen gopi o'r *Essential Law for Journalists*. Am bedair blynedd, bues yn mynd i Lys Ynadon Caerfyrddin yn y *Guildhall* bob dydd Llun a dydd Mawrth bron yn ddi-dor. Gwelais gannoedd o bobol o flaen eu gwell am droseddau mawr a mân: popeth o bisio'n y stryd i achosion traddodi i Lys y Goron am lofruddiaeth. Gwelwn ddau wyneb cyfarwydd o'm dyddiau yn yr Ysgol Ramadeg yn y llys. Ar y fainc eisteddai Megan Howell, a fu'n dysgu mathemateg i mi am flwyddyn, ac oedd yn wraig i'r prifathro Ben Howell. Yn cadw cwmni i mi ar seddau'r wasg roedd Mydrim Jones, gohebydd y *Carmarthen Times*, aeth ymlaen i weithio i rai o bapurau mawr Fleet Street. Am wythnos bob mis, byddai achosion mwy difrifol yn cael eu cynnal lan llofft yn Llys y Goron. Mae'r llys gyda'r mwyaf ysblennydd ym Mhrydain: stafell anferth gyda lle i tua chant o bobol eistedd yn yr oriel gyhoeddus, muriau o baneli derw, ffenestri eang gyda golygfeydd o sgwâr y dref, meinciau wedi'u gorchuddio â lledr coch, lluniau enfawr o'r cadfridogion Thomas Picton a William Nott, doc yn y canol gyda lle i ddwsin o ddiffynyddion, a sedd y barnwr fel gorsedd yn edrych i lawr ar bawb yn y pen blaen. Ni thybiais i fyth bryd hynny y byddwn yn eistedd ar yr orsedd honno, dros ddeugain mlynedd yn ddiweddarach, fel maer Caerfyrddin!

Dyma le cafodd dau o aelodau blaenllaw Merched Beca, Dai'r Cantwr a Shoni Sgubor-fawr, eu dedfrydu i alltudiaeth yn Awstralia yn 1843. Yma hefyd y dedfrydwyd Ronnie 'Cadno' Harries i farwolaeth ym 1954 am lofruddio ei 'wncwl a'i anti' – y person olaf i'w grogi yng ngharchar Abertawe. Roedd David Edmunds yn gohebu am yr achos i'r *Western Mail* ac fe ddywedodd wrtha i fod y barnwr mor emosiynol pan roddwyd y cap du ar ei ben fel y bu'n rhaid iddo ohirio'r gwrandawiad am gyfnod. Y plisman ifanc oedd yn gyrru Ronnie Harries o'r carchar yn Abertawe i'r achos bob dydd oedd Bryn Jones, sydd wedi ymddeol ers degawdau bellach fel uwch-swyddog yn Heddlu Dyfed Powys, ond sy'n dal yn rhyfeddol o sionc ac yn aelod ffyddlon yng nghapel Annibynnol Ebeneser, Abergwili. Cofiaf Bryn yn dweud wrtha i bod Harries yn siŵr y byddai'r rheithgor yn ei gael yn ddieuog. 'You boys have been good to me,' meddai'r llofrudd wrth Bryn a'r ddau blisman arall yn y car ar ei ffordd i'r llys ar y diwrnod olaf. 'When all this is over, I'll buy you a slap up meal in the Ivy Bush.' Mae Bryn yn dal i ddisgwyl...

Roedd y ffaith bod pob achos mawr a mân yn cael sylw yn y *Journal* yn aml yn gymaint o gosb â dedfryd y llys i bobol na

29

fu erioed mewn trwbl o'r blaen. Cyhuddiad yn erbyn ffermwr parchus a diacon capel o ardal Llambed oedd yr achos cyntaf i mi ohebu arno yn Llys y Goron. Fe'i cafwyd yn euog o dwyll yn ymwneud â grantiau am daenu calch ar ei dir. Wrth i mi adael y llys, daeth ata i a gofyn, 'How much do you want for leaving this out of the paper?' Atebais yn Gymraeg nad oedd hawl gen i i wneud hynny. 'O, dewch mlân,' meddai'n wawdlyd, 'fi'n gwbod bo chi'n neud e i bobol eraill. Fe wna'i roi *hundred pound* i chi.' Er y byddai hynny'n gyfystyr â thua £1,000 heddiw, ac yn gyflog chwe wythnos i mi bryd hynny, fe wrthodais. Ar ôl mynd 'nôl i'r swyddfa, adroddais yr hanes wrth Mr Edmunds. Yn hytrach na chladdu'r stori fel paragraff neu ddau ar waelod tudalen 13, cafodd yr achos sylw llawn ar y dudalen flaen. Dyna oedd y gosb am ymdrech i lwgrwobrwyo gohebydd.

Unwaith, ac unwaith yn unig, y gwnes i hepgor stori o'r papur, er na ddywedais ddim wrth neb tan nawr. Roedd hen wraig o flaen yr ynadon am gerdded allan o siop heb dalu am bownd o fenyn, neu rywbeth pitw felly – ni chofiaf yn iawn. Yr amddiffyniad, yn syml, oedd iddi anghofio talu. Cafodd ddirwy fechan. Dyfalu llwyr ar fy rhan fyddai tybio ei bod hi'n dechrau dioddef o ddementia, cyflwr nad oedd yn cael ei gydnabod yn gyffredin bryd hynny. Yn sicr, roedd hi mewn stad emosiynol iawn pan ddaeth ata i tu fas i'r llys ar ddiwedd yr achos ac erfyn arna i trwy ei dagrau i beidio â rhoi'r hanes yn y papur. Doedd dim sôn am arian. Dywedais wrthi na fyddai'r stori yn y *Journal*. Roeddwn wedi cyrraedd fy ffin bersonol fel gohebydd proffesiynol.

Straeon llys a chyngor oedd bara menyn y *Journal,* ond ambell waith byddem yn cael stori annisgwyl a fyddai'n deilwng o sylw ehangach. Un bore braf fe es i lawr i bentref Meidrim ar ôl darllen bod y Cyngor Bro wedi trafod cwyn am hwyaid yn domi ar y sleid ym mharc chwarae'r plant bach. Roedd yr adar yn eiddo i berchennog tafarn gyfagos y Fountain, ac fe es i siarad â hi, Saesnes gymharol ifanc. Honnodd mai gwragedd lleol eiddigeddus oedd wedi dechrau cwyno am yr hwyaid. 'They've got it in for me because they think their husbands stay here after closing time watching me dance naked on the bar,' meddai. Yn sydyn, roedd y stori dwy a dime wedi troi'n un a fyddai'n deilwng o sylw yn y *News of the World*! Gallaf weld y pennawd nawr: 'Naked landlady in duck muck scandal in sleepy Welsh village.'

Agwedd syrffedus o waith gohebydd ar bapur lleol oedd golygu adroddiadau hirfaith am briodasau ac angladdau i gwpwl o frawddegau. Dysgais yn gynnar i beidio â dweud, 'The funeral of the late John Jones...' 'Wrth gwrs ei fod e'n "late",' bytheiriai Mr Edmunds, 'neu bydden nhw ddim wedi'i gladdu fe!' Diolch i'r drefn, roedd y cyfnod pan fyddai'r gohebydd druan yn gorfod mynd i'r angladd i gasglu enwau'r galarwyr oddi ar y plethdorchau yn y fynwent wedi mynd heibio. Roedd yna amser hefyd pan fyddai adroddiadau priodas yn hawlio hanner colofn dda. Byddent yn sôn yn fanwl am beth oedd y prif westai'n gwisgo a pha anrhegion a roddwyd ganddynt. Yn anffodus, roedd y *Journal* yn enwog am ei gamgymeriadau sillafu. Doedd hi'n helpu dim mai Jac a'i un lygad wydr oedd yn darllen y proflenni. Byddai'r argraffwyr yn gwneud camgymeriad yn fwriadol ambell waith, allan o ddiawlineb. Ar ddiwedd un adroddiad hirfaith am briodas arbennig o smart un teulu hynod barchus roedd y frawddeg i fod: 'Upon leaving for their honeymoon the best man presented the groom with a travelling clock.' Yn anffodus, nid 'clock' ymddangosodd yn y papur, a bu hw-ha anferth.

Byddai'r argraffwyr hefyd yn chwarae triciau ar ei gilydd. Roedd un bachan yn dod i'r gwaith â thri wy wedi berwi i ginio bob dydd. Un bore, tra roedd e'n y tŷ bach, fe wnaeth rhywun gyfnewid un o'r wyau am un amrwd. Am hanner dydd, byddai pawb yn mynd i'r Stag and Pheasant drws nesaf i gael cwpwl o beints ac i fwyta cynnwys eu bocsys bwyd, gan taw dim ond crisps a chocos oedd ar fwydlen y rhan fwyaf o dafarnau bryd hynny. Yn ôl ei arfer, eisteddai wrth y bar yn cracio'r wyau allan o'u plisg. Roedd y ddau gyntaf wedi berwi, ond chwalodd y trydydd, gan redeg i lawr ymyl y bar a thros ben-lin ei drowsus. A'i wraig druan gafodd y bai am fethu berwi wyau'n iawn!

Bob yn ail benwythnos, byddwn yn mynd lan i Aberystwyth i weld Ann, oedd yn y Brifysgol yno erbyn hynny, a ninnau wedi dyweddïo. Er mod i'n cael benthyg car Mam i deithio'n lleol, byddwn yn gorfod ffeindio fy ffordd fy hun i Aber rhan amlaf, gan ddibynnu ar garedigrwydd y sawl fyddai'n barod i stopio wrth fodio'r 50 milltir yno ac yn ôl. Un noson o Hydref roeddwn wedi cerdded cyn belled â'r cornel ar y ffordd mas o Benparcau, lle'r oedd garej fechan a dau frawd mewn cotiau gwyn yn gweini petrol. Roedd hi wedi nosi, yn wyntog a dail marw yn chwythu lawr y ffordd, a'r cyfan fel y bedd. Daeth Ford Anglia heibio ac aros o'm gweld yn codi bawd. Cymro Cymraeg o Sir Fôn oedd y gyrrwr, yn mynd lawr i Bort Talbot ar gwrs wythnos yn y gwaith dur, ac yn amlwg yr un mor unig â fi ar ôl ffarwelio â'i deulu ifanc yn Llangefni. Roedd yn falch iawn o gael cwmni a chawsom sgwrs fywiog am hyn a'r llall cyn iddo fy ngadael yng Nghwmann, gan ei fod yn mynd ymlaen tua Llandeilo a'r de. Wrth aros ger y dafarn ar y cornel, cefais lifft bron yn syth yr holl ffordd i Rydargaeau. Ar ôl cerdded y filltir serth ac unig olaf tuag adref yn y tywyllwch rown i yno mewn pryd i gael swper eildwym. Arferai Ieuan, brawd Ann, fodio 'nôl o Brifysgol Bryste, ac fe gafodd stŵr gan ei fam unwaith am gyrraedd adref â'i ddillad yn llwch du i gyd ar ôl cael lifft o Cross Hands gan lorri lo! Fe aeth oes y bawdheglu heibio erbyn hyn am na wyddoch pwy sy'n bodio nac y chwaith yn aros i roi lifft.

Daeth fy nyddiau yn dibynnu ar fy mys bawd i ben pan wnaeth fy nhad brynu car i mi – Wolseley Hornet a gostiodd £70. Ni chofiaf oed y car bach, ond roedd ganddo seddau lledr coch a dashboard o bren cnau Ffrengig. Ni fyddai'n rhaid i mi boeni sut i fynd i Aber bellach, dim ond gwneud yn siŵr bod gen i ddigon o arian i roi petrol yn y tanc. Cael a chael oedd hi weithiau ar ôl penwythnos ddrud yn Aber a byddwn yn diffodd y peiriant ar ben pob rhiw hir, yn enwedig Morfa Mawr rhwng Llan-non ac Aberaeron.

Am fis bob ochr i'r Nadolig yn 1975 a 1976 byddai'r *Journal* yn f'anfon ar gwrs hyfforddiant i newyddiadurwyr yng ngholeg

Colchester Avenue, Caerdydd. Roedd criw o hanner dwsin ohonom yn lletya yn Stacey Road, y Rhath. Daethom yn ffrindiau da ar y pryd, ond ofnaf taw dim ond Gaina Morgan sy'n dal i fod mewn cysylltiad â mi. Magwyd Gaina ym mhlasty enwog Y Sgêr ger Cynffig, ac roedd yn gweithio i'r *South Wales Guardian*. Bu'n ohebydd amaeth BBC Cymru am flynyddoedd wedyn. Y gyfraith a llaw-fer oedd y ddau beth pwysicaf ar y cwrs. Bu'r hyfforddiant cyfreithiol yn werthfawr dros ben, ac er mai rhydlyd braidd yw fy llaw-fer *Teeline* erbyn hyn, mae'n ddefnyddiol o bryd i'w gilydd. Er enghraifft, pan oeddwn yn cymryd nodiadau mewn seminar allweddol a digon tanllyd am gyllideb Cyngor Sir Gâr yn ystod fy mlwyddyn gyntaf ar y Cyngor, sylwais fod dau o'm 'gelynion gwleidyddol' ar y bwrdd bob ochr i mi yn ceisio craffu ar fy nodiadau. Dyma fi felly yn achub ar y cyfle i ymarfer fy llaw-fer, gan achosi penbleth llwyr i'r ddau o weld yr *hieroglyphics* rhyfedd ar y dudalen!

O fewn llai na blwyddyn ar y *Journal*, roeddwn yn gwneud yr un gwaith â'r ddau arall ar y staff golygyddol, ond roedd cyflog cyw-ohebydd yn dipyn is. Ar ôl treth, roeddwn yn derbyn £14.50 yr wythnos. Er mod i'n byw gartref ac yn gweithio ar y fferm am fy nghadw, doedd yr arian ddim yn mynd yn bell iawn. Roeddwn wedi cael blas ar ddroelli recordiau i Radio Ysbyty Glangwili, felly dyma Byrnan Davies a fi yn ystyried dechrau disco teithiol. Roeddem yn ffrindiau mawr gyda Hywel Williams, tafarnwr yr Half Way, Nantgaredig, oedd yn rheolwr Talcen Crych. Ei fam Eira, menyw fechan sionc â thafod fel raser oedd yn rhedeg y lle mewn gwirionedd. Roedd disco yno bob nos Fercher, a'r stafell fawr yn mhen ucha'r dafarn yn orlawn o bobol ifanc y cylch. Llwyddodd Hywel i ddwyn perswâd ar ei fam i roi cyfle i Byrnan a fi gymryd ato. Cytunodd, ac felly dyma ni'n prynu'r offer yn siop Picton Music yng Nghaerfyrddin. Erbyn hynny, rown i wedi benthyg arian gan fy nhad, i'w dalu'n ôl o elw'r disco, i brynu fan mini gymharol newydd. Yn ogystal â'r PA a'r ddesg, roeddem wedi prynu goleuadau, gan gynnwys strôb a dau daflegrydd *liquid wheel* fyddai'n taflu patrymau seicadelig ar furiau'r neuadd.

Yeah – far out man! Profodd caneuon Cymraeg fel 'Pishyn' Edward H, 'Tocyn' Brân a 'Mae Rhywun Wedi Dwyn Fy Nhrwyn' gan y Tebot Piws i fod yn ffefrynnau mawr gan ffermwyr ifanc Dyffryn Tywi, ond oherwydd prinder caneuon Cymraeg addas, ofnaf taw recordiau sengl Anglo-Americanaidd byddem yn eu chwarae fwyaf. Er hynny, llwyddais i gyflwyno cerddoriaeth Gymraeg i sawl un trwy gyfrwng y disco. Roedd siop recordiau drws nesaf i'r *Journal*, ac yno y byddwn yn prynu senglau diweddaraf Abba, Status Quo, Queen, Kenny Rogers, Blondie, Hot Chocolate ac yn y blaen. Oedd, roedd y 70au'n amser da i redeg disco. Roeddwn yn codi ffi o £12, ac yn gwario tua £1 o hwnnw ar brynu dwy record newydd bob wythnos. Mae nifer o'r hen *vinyls*, sy'n werth tipyn o arian nawr, yn dal i fod gyda fi. Byddwn yn cadw Eira yn hapus trwy fynd â chopi o'r *Journal* iddi bob nos Fercher, a hynny yn llythrennol *hot off the press*. Byddai wrth ei bodd yn cael y newyddion cyn pawb arall, ac yn cerdded o gwmpas y bar gyda'r papur ar agor yn cyhoeddi hanes hwn a'r llall – yn enwedig y rhai a fu o flaen y llys.

Yn ogystal â gweithio i'r *Journal*, roeddwn yn cyfrannu'n achlysurol i ddau bapur arall tra gwahanol i'w gilydd – *Y Cymro* a'r *Morning Advertiser*, sef papur y tafarnwyr. Sefydlwyd hwnnw yn 1794, ac ymhlith yr enwogion a fu'n gweithio iddo mae Charles Dickens ac Alastair Campbell. Roedd tref Caerfyrddin yn dir ffrwythlon i ganfod straeon. Cafodd ei enwi'n 'boozer's paradise' gan y *News of the World*, a hynny am reswm da. Y mart mawr, prysur oedd calon y dref. Am dridiau bob wythnos ar ddiwrnodau mart byddai'r tafarnau'n agor am chwech y bore, ac yn aros ar agor drwy'r dydd tan un ar ddeg y nos. Y rheswm am yr oriau yfed hirfaith oedd bod y porthmyn a fyddai'n dod â lorïau o wartheg i'r mart ar ôl gyrru lawr dros nos o Loegr yn disgwyl cael *hot toddy* gyda'u brecwast mewn tafarnau fel y Ceffyl Du, y Tanners neu'r Butchers. Roedd hyn mewn oes pan oedd tafarnau'n gorfod cau yn y prynhawn a *stop tap* am 10.30 y nos. O ganlyniad, byddai pobol yn dod o bell ac agos i dreulio'r dydd ar ei hyd yn nhafarnau Caerfyrddin. Pan fyddai'r pyllau glo yn cau am bythefnos bob haf, byddai llond bysus o lowyr sychedig y Rhondda yn parcio y tu fas i'r Boar's Head yn Heol Awst.

Roedd agwedd pobol tuag at yfed a gyrru yn bur wahanol yn yr oes honno, a phetai rhywun yn cael ei ddal, cydymdeimlad oedd yr ymateb arferol, yn wahanol i heddiw, wrth gwrs. Dywedodd un hen ohebydd stori wych wrtha i am y Prif Gwnstabl yn cynnal cynhadledd i'r wasg pan ddaeth y prawf anadlydd i rym yn 1967. Er mwyn dangos sut oedd y ddyfais yn gweithio, fe wahoddwyd gohebwyr i orsaf yr heddlu ddechrau'r pnawn i chwythu mewn i'r cwdyn, ac yna anogwyd pawb i yfed o'r poteli wisgi a ddarparwyd ar eu cyfer, cyn cymryd y prawf unwaith eto. Trefnwyd fod ceir yr heddlu yn mynd â nhw adref yn ddiogel. (Alla i ddim dychmygu hynny'n digwydd heddiw!) Pan wnacth golygydd y *Western Telegraph* gymryd y prawf cyntaf, canfuwyd ei fod eisoes dros y *limit*. 'Mr Thomas, this shows that you've already been drinking,' meddai'r Prif Gopyn braidd yn syn. 'Good Lord, no,' atebodd yntau'n ddig, 'I've just had a schooner of sherry before lunch as usual, a couple of glasses of wine with my food and a large brandy with my cigar.' Dyna'r math o ddiwylliant oedd yn bodoli yn y byd newyddiadurol bryd hynny.

Erthyglau am ganu pop fyddwn i'n eu hanfon i'r *Cymro*, rhan amlaf adolygiadau o recordiau newydd. Hefin Wyn oedd golygydd y tudalennau pop, ac rydym yn gyfeillion fyth ers hynny. Roeddwn hefyd ar fwrdd golygyddol y cylchgrawn pop *Asbri*, a sefydlwyd gan Eilir Davies oedd yn berchen ar y Stiwdio Gerdd yng Nghaerfyrddin. Byddai Ann a fi'n mynd i ddigwyddiadau mawr fel y Twrw Tanllyd ym mhafiliwn anferth Pontrhydfendigaid, hithau i dynnu lluniau a minnau i lunio adolygiad. Drwy chwifio cerdyn NUJ y llwyddom ni'n dau i wthio drwy'r dorf fawr i 'gyngerdd olaf' Edward H Dafis ym mhafiliwn Corwen y noson fythgofiadwy honno yn 1976.

Roedd Talcen Crych yn dal i fynd, gyda Clive Jones a Dorian Davies yn ymuno ag Austin a minnau ar ôl i Eifion a Ronw adael. Swyddog nyrsio yn Ysbyty Dewi Sant oedd Clive, a aeth ymlaen i ddilyn gyrfa lwyddiannus yn y byd seiciatryddol.

Byddwn yn cwrdd â Dorian ar y llinell biced yn ystod streic y glowyr ymhen rhai blynyddoedd, pan oedd yn gweithio yng Nghynheidre. Buom ar *mini tour* ddwywaith yn y gogledd, ac yn chwarae droeon yn ystod gwyliau'r haf mewn lle o'r enw Cromwell's Kitchen gyferbyn â chastell Penfro. Y cymeriad mawr hwnnw o Faenclochog, y diweddar Dilwyn Edwards, fyddai'n arwain ac yn dweud jôcs. Gan taw ymwelwyr o Loegr oedd y gynulleidfa, roedd y cyflwyno yn Saesneg, ond y caneuon yn Gymraeg. Byddai Dilwyn wastad yn cyflwyno'i hun trwy ddweud: 'I'm a PF. Do you know what that means? Poor Farmer!' Daeth dyddiau'r Talcen i ben yn 1978. Erbyn hynny, rown i'n gweithio yng Nghaerdydd, a doedd yr un aelod o'r grŵp gwreiddiol ar y llwyfan yn y cyngerdd olaf. Rhaid bod hynny'n rhyw fath o record.

Ar ôl i mi symud 'nôl i fyw yn y gorllewin fe wnaeth Clive a fi, a chyfaill i ni, Warner Evans, ffurfio grŵp newydd o'r enw Cadno. Roedd Warner yn gitarydd blaen gwirioneddol ardderchog, yn arbenigo mewn chwarae caneuon offerynnol y Shadows ar ei Fender Stratocaster USA goch. Buom yn gyfeillion agos am flynyddoedd, cyn iddo farw o dan amgylchiadau trist iawn yn 2005. Roedd ei wraig Dawn wedi cael strôc ac yn ddifrifol wael yn Ysbyty Glangwili pan gafodd alwad i fynd i'w gweld ar frys. Yn fuan ar ôl gadael ei gartref yng nghanol tref Caerfyrddin, cafodd drawiad ar y galon ger cylchfan yr Hen Dderwen a bu farw. Dymuniad Dawn oedd fy mod i'n cael y Strat coch, ac rwy'n ei drysori o hyd.

Rwy'n llunio'r bennod hon ddyddiau ar ôl y tân mawr a achosodd y fath ddifrod i Eglwys Gadeiriol Notre-Dame ym Mharis. Fe aeth Ann a fi yno yn y fan mini yn 1977, fel rhan o'i chwrs gradd mewn Celfyddyd Weledol. Fuom ni erioed dramor cyn hynny, ac aethom â phabell, gan wersylla yn Normandy ar y ffordd i Baris, ac yna ar gyrion y ddinas a dal y trên i Gare du Nord. Ar y stryd tu fas i'r orsaf, roedd nifer o ffotograffwyr yn cynnig tynnu lluniau polaroid o ymwelwyr. Ar foment wan, dyma ni'n derbyn y cynnig. Wrth gerdded i ffwrdd, sylweddolais fod y ffotograffydd wedi codi 400f arnom – sef tua £40 bryd hynny. Arian mawr! Es yn ôl, ond roedd wedi diflannu. Ond drannoeth roedd y cnaf yn yr un man eto yn gweiddi 'Photo, photo'. Fe es ato gan gydio yn ei goler a'i gyhuddo mewn Ffrangeg bratiog o fod yn lleidr, a dweud y byddwn yn galw'r heddlu oni bai fy mod yn cael peth o'r arian yn ôl. Rhaid bod y tramorwr gwyllt mewn cot ledr ddu wedi codi ofn arno, achos fe gefais 200f ganddo. Roedd yn dal i fod yn 'voleur', ond roeddem ninnau hefyd wedi dysgu gwers.

Digwyddiad wrth adael eglwys Notre-Dame a gofiaf fwyaf. Yn union tu fas i'r porth mawr o dan y ddau dŵr anferth, roedd hen drempyn yn cardota, a phobol yn taflu ambell ddarn arian i'w dun tybaco. Wrth i ni aros yno'n edmygu gwneuthuriad y drysau hynafol, daeth offeiriad o ryw fath mewn gwisg ddu hir heibio a dechrau gweiddi ar y cardotyn, cyn rhoi cic i'w dun tobaco nes fod y *francs* a'r *centimes* yn hedfan i bob cyfeiriad. 'Cristnogol iawn,' ddywedes i wrth Ann ar y pryd, ac rwy'n dal i feddwl felly. Roedd digon yn wylo dros y difrod wnaeth y tân yno eleni, ond faint oedd yn wylo dros y cardotyn?

Bu'r pedair blynedd ar y *Journal*, gyda'r holl bethau eraill oedd yn digwydd yn fy mywyd bryd hynny, yn gyfnod cyffrous iawn. Profiad heb ei ail oedd cael gweithio mewn diwydiant oedd ar fin diflannu. Gwir y dywedodd fy hen gyfaill o newyddiadurwr David Allen: 'If you've never smelled the whiff of hot lead, boy, you're not a proper journalist.'

Radio yn y Wyrcws

ER CYMAINT WNES i fwynhau fy nyddiau ar y *Journal*, byddwn wedi methu fforddio byw oni bai mod i'n dal i fyw gartref gyda fy rhieni a'r teulu. Gydag Ann ar fin graddio, a ni'n dau am briodi, byddai'n rhaid canfod swydd oedd yn talu mwy nag arian poced. Yn Chwefror 1978, gwelais hysbyseb am swydd is-olygydd gyda Radio Cymru yng Nghaerdydd. Mae is-olygydd yn swnio'n swydd aruchel, ond dyna oedd baw isa'r domen yn adran newyddion y BBC. Gwaith *sub-editor* oedd llunio bwletin byr o'r *copy* fyddai'n cyrraedd y stafell newyddion o bob rhan o Gymru, dros y ffôn gan ohebwyr yn y maes ac o Brydain a'r byd ar beiriant teleprinter. Anfonais i rai straeon mawr i'r BBC yn ystod f'amser gyda'r *Journal* ac yn cael tâl digon derbyniol am bob un.

Fe deithiais yn fy fan mini lwyd i Broadcasting House Llandaf ar gyfer cyfweliad mewn stafell bwyllgora grand gyda llun mawr o reolwr cyntaf BBC Cymru, Alun Oldfield-Davies, ar y wal. Rhaid mod i'n edrych fel crwt cefn gwlad go iawn i'r panel, oedd yn cynnwys Owen Roberts, y Pennaeth Newyddion. Ar ôl hynny cafodd y tri ymgeisydd hanner dwsin o straeon i'w trosi o'r Saesneg er mwyn llunio bwletin yn Gymraeg. Cefais wybod mai Merfin Jones, oedd eisoes yn gwneud y gwaith fel hunanliwtiwr, gafodd ei benodi. Ond yn fuan wedyn daeth gwŷs gan Owen Roberts a Tudor Phillips, ei ddirprwy, i gwrdd â nhw am gyfweliad pellach, nid yn Broadcasting House y tro hwn, ond yn y Pilgrims Arms yn Sain Ffagan! Ac yno, yn y *lounge bar*, y cefais gynnig cytundeb i gymryd lle Merfin fel gohebydd hunangyflogedig. Cofiaf Tudor yn dweud, 'Byddwch yn ffeindio bod y BBC yn gyflogwr da.' Ac felly y bu ar y cyfan.

Yn 24 oed dyma fi'n gadael fy nghartref gwledig a symud i Gaerdydd, gan aros y noson gyntaf mewn gwesty tsiêp yn Heol yr Eglwys Gadeiriol. Teimlwn yn bur ddigalon o fod mewn dinas oedd yn llawer mwy brwnt a diflas nag ydyw heddiw, ac yn nerfus am y swydd newydd. Heb wybod beth i'w ddisgwyl, es i'r stafell newyddion yn fy siwt orau, a theimlo fel pysgodyn mas o ddŵr yng nghanol yr holl brysurwch. Er i mi adnabod sawl wyneb cyfarwydd o fyd teledu, doedden nhw ddim yn f'adnabod i. Ond, chwarae teg, fe ddaeth Gerry Monte, un o sêr *Wales Today* ata i a chyflwyno ei hun a dymuno'n dda i mi. Ychydig y tybiais y byddai Gerry a minnau yn cydweithio fel gohebwyr teledu gorllewin Cymru ymhen amser.

Ond buan y daeth rhai o'r bobol ddieithr yn ffrindiau – yn dal i fod felly, yn wir. Yn eu plith roedd Allan Pickard, aeth o'r BBC i'r weinidogaeth yn hwyrach. Rwy'n dal i'w gyfarfod mewn digwyddiadau gan Undeb yr Annibynwyr. Yn y fath achlysuron byddaf hefyd yn gweld Emlyn Davies, a benodwyd yn Olygydd Newyddion Radio Cymru yn ystod y cyfnod. O bryd i'w gilydd byddaf hefyd yn cwrdd â'r barfog Handel Jones gyda'i wên barod. Nid oedd Handel yn gyrru ers i'w gar fethu â chychwyn rhyw fore, ac iddo ddod i'w waith ar y bws. Penderfynodd beidio â gyrru fyth wedyn. Wn i ddim a yw'r stori'n wir neu beidio, ond ymhen amser fe symudodd Handel i fyw i bentref anghysbell Rhandirmwyn, o bobman. Nid y lle mwyaf cyfleus i'r sawl sydd heb gar. Gwnaeth yrfa iddo'i hyn fel gohebydd amaeth. Yn ogystal â gweithio ar y ddesg newyddion, cychwynnodd Merfin Jones raglen am geir – rhaglen y bues i'n cyfrannu ati'n achlysurol. Yno hefyd roedd ei frawd Emrys, darlledwr heb ei ail a *bon viveur* nodedig. Stori fawr Emrys oedd iddo gwrdd â Muhammad Ali mewn lifft yn Llundain, pan oedd hwnnw yn ei anterth, a recordio cyfweliad yn y fan a'r lle. Buodd Emrys yn aros gyda ni cwpwl o weithiau pan oeddem yn byw yng Nghwmduad, yn ystod ei ymweliadau â'r gorllewin. Roedd ganddo dalent fawr a llais darlledu unigryw, ond cafodd ddiwedd truenus ar ôl syrthio i grafangau'r ddiod, a gorffen ei ddyddiau o dan ofal ei rieni oedrannus.

Yr un wnaeth fy nghymryd o dan ei adain yn y dyddiau cynnar hynny oedd prif olygydd y bwletinau Cymraeg, Gwyndaf Owen, a ddaeth yn gyfaill oes i mi tan ei farw yn 2014. Yn berson hynaws â chwerthiniad heintus, doedd gan neb air gwael am y gŵr bach â'r galon fawr o Riwlas. Ar ôl sefydlu S4C, fe'm dilynodd i newyddion teledu fel cynhyrchydd. Wedi iddo ymddeol yn gynnar yn 1992, daeth i Gaerfyrddin cwpwl o weithiau i weld tîm pêl-droed y dre'n chwarae ei annwyl Fangor. Ar ôl pryd o fwyd yn tŷ ni, byddem yn mynd i'r clwb am ddiod cyn y gêm. Y tro cyntaf, Bangor a orfu, a chefais gerdyn cydymdeimlad drwy'r post oddi wrth 'cefnogwr Bangor'. Yr eildro, Caerfyrddin gariodd y dydd ac anfonais y cerdyn yn ôl i Gwyndaf, gan newid y geiriad! Bu'n hynod garedig i mi, gan gadw fy nghefn ar adeg pan fu ymgais faleisus i'm diswyddo ym 1986. Yn wir, ofnaf y byddai fy ngyrfa gyda'r BBC wedi dod i ben bryd hynny oni bai i Gwyndaf achub fy ngham.

Newyddiadurwyr sy'n darllen y bwletinau radio heddiw rhan amlaf, ond bryd hynny roedd actorion o fri yn cyhoeddi'r newyddion ar yr awr ac yn eistedd yn y stiwdio trwy gydol y shifft rhag ofn i rywbeth fynd o'i le ar y recordiad a bod angen iddynt wneud cyhoeddiad a chwarae record tan i'r broblem gael ei datrys. Roedd y rhestr yn anrhydeddus iawn – enwogion fel Ronnie Williams, Robin Jones, Iwan Thomas, John Evans, Dillwyn Owen, Menna Gwyn a'r gantores (a'r awdur) Mari Griffith. Roedd rhai yn mynnu cael y sgript o leiaf ugain munud cyn y bwletin ac yn cwyno os y byddem ni ychydig funudau'n hwyr, tra bod eraill yn medru darllen y bwletin yn fyw ar yr olwg gyntaf. Dyrnaid o staff fyddai yn Broadcasting House ar ddydd Sul, a digon diflas oedd safon yr arlwyo yn y cantîn ar brydiau. Un tro, rown i'n rhannu bwrdd gyda Dillwyn Owen, sef Jacob Ellis *Pobol y Cwm* a Will Posh yn *Grand Slam*, oedd yn darllen y newyddion y Sabath hwnnw. Teg dweud taw cymeriad digon ddywedwst ydoedd. Cwynodd mai dim ond cyw iâr a ffagots oedd ar y fwydlen. Cawsom gyw iâr ein dau, ond wrth dorri'r cig gwelodd fod gwaed yn y ffowlyn. 'For heaven's sake, this hasn't been cooked properly,' rhuodd mewn

Saesneg coeth. Aeth 'nôl i gael ymddiheuriad a ffagots yn lle hynny, ond ar ôl eistedd a mynd ati i sleisio'r ffagotsen, canfu fod y canol yn dal i fod wedi rhewi. Bron iddo daflu'r plât i'r llawr wrth godi a gadael y cantîn, gan regi a rhwygo. Ie, mae'n rhyfedd beth mae dyn yn ei gofio!

Am chwe mis, o Fawrth tan Awst 1978, bues i'n byw mewn tri gwahanol le yng Nghaerdydd. Ar y dechrau, rown i'n rhannu *bedsit* gydag Alun Reynolds o Grwbin, oedd â'i fryd ar fynd yn fargyfreithiwr ac yn gorfod byw heb dâl am flwyddyn. Roeddem yn rhannu stafell mewn lle digon diflas gyferbyn â'r fynwent yn y Rhath. Doedd byth dŵr poeth yn y stafell ymolchi ac un bore fe godais o'r gwely a chlywed *crunch* chwilod o dan fy nhraed. Bydd pawb sydd wedi gweld y rhaglen wych honno *Rising Damp* yn deall y sefyllfa. Symudais yn fuan i *bedsit* arall uwchben syrjeri deintydd ger cylchfan Gabalfa. Roedd hi'n stafell ddigon dymunol, gyda *bay window* â golygfa dros ardal werdd i gyfeiriad Ysbyty'r Waun. Ond ar ôl deufis cefais gynnig i rannu tŷ gyda Richard Rees, oedd yn cyflwyno'r rhaglen *Sosban* ar fore Sadwrn. Roedd Richard a minnau'n dipyn o ffrindiau, ac yno y bues i tan i mi briodi ym mis Medi a symud i fyw i Gwmduad, pentref bach tua deng milltir i'r gogledd o Gaerfyrddin.

Erbyn hynny roeddwn wedi cael cynnig i weithio'n hunangyflogedig fel gohebydd cyntaf Radio Cymru yng Nghaerfyrddin. Swydd sgitsoffrenig iawn fyddai gen i am y tair blynedd nesaf. Er mod i'n gohebu o'r gorllewin yn ystod yr wythnos, roedd y shifftiau 12 awr yn Broadcasting House ar benwythnosau yn talu'n dda, felly byddwn yn teithio i Gaerdydd yn rheolaidd. Ar ôl ffarwelio ag Ann am 4.00 y bore, byddwn yn gyrru 80 milltir i'r brifddinas, taith bell mewn fan mini ar hyd yr A48 pan nad oedd ond darnau byr o'r M4 yn bod. Gwellodd pethau'n raddol wrth i mi gyfnewid y fan am Alfa Romeo ac wrth i'r M4 ymwthio'n bellach tua'r gorllewin.

Byddwn yn cyrraedd tua chwech ar fore Sadwrn a dechrau llunio'r bwletin fyddai'n cael ei ddarlledu am wyth o'r gloch ar Radio Cymru. Petawn i'n methu cyrraedd, fyddai dim bwletin!

Ar ddiwedd y shifft hir byddwn yn mynd i'r clwb am fwyd a diod ac aros dros nos gyda ffrindiau fel Hefin Wyn, neu'n cysgu yn Broadcasting House ei hun yn y *conductor's room* cysurus y des o hyd iddo lawr llawr o'r Stafell Newyddion. Byddwn yn dechrau gwaith am ddeg o'r gloch fore Sul a gadael Broadcasting House am ddeg y nos, pan fyddai'r bwletin olaf yn cael ei ddarlledu. Er bod y bwletin yn barod gen i erbyn hanner awr wedi naw, byddai'n rhaid disgwyl rhagolygon y tywydd ar y *teleprinter*. Mwy nag unwaith, fe adewais ychydig yn gynnar gan broffwydo: 'Fe fydd hi'n sych heno ar y cyfan, gyda chawodydd mewn mannau.' Sylwodd neb fyth! Bryd hynny, roedd ystad o dai newydd yn cael ei chodi yn Llandaf, ac arwydd mawr yn cyhoeddi, 'If you lived here you'd be home by now'. Rhegais yr arwydd bob tro wrth wynebu'r daith hir 'nôl i Gwmduad.

Yn ystod yr wythnos byddwn yn hel straeon i raglenni newyddion Radio Cymru. Roedd *Post Prynhawn* newydd ddechrau – rhaglen y bues i'n cyfrannu iddi am bron i 30 mlynedd. Byddwn yn mynd i le bynnag oedd y stori, i recordio cyfweliadau ar beiriant Uher, gan ddod 'nôl i'r stiwdio yn hen wyrcws Penlan, adeilad hanesyddol iawn. Yn 1843 fe ymosododd torf o tua 2,000 o Ferched Beca a'u cefnogwyr ar y lle mewn protest yn erbyn y Ddeddf Tlodi. Tra roeddent yn chwalu'r celfi, fe gyrhaeddodd marchfilwyr y Light Dragoon gan garlamu i mewn i glos y wyrcws gyda'u cleddyfau noeth. Gwasgarodd y protestwyr i bob cyfeiriad, ac arestiwyd nifer. Yn 2018, gyda'r adeilad yn wag ers rhai blynyddoedd, cafodd ei ddifrodi'n ddifrïol iawn gan dân.

Ond 'nôl yn 1978, hwn oedd fy mhrif weithle – stiwdio fechan ddigon cyntefig gyda meicroffon, cymysgydd sain syml, peiriant tâp Ferrograph a ffôn. Roedd y stiwdio ar y llawr cyntaf, drws nesaf i labordy'r *public analyst* ac roedd gwynt cemegau'n drwm. Adeilad digon sinistr a thywyll ydoedd yn y nos, a sawl tro bu bron i mi faglu dros ben grisiau wrth adael y lle mewn tywyllwch. Am y tair blynedd nesaf, i'r stiwdio fach hon y byddwn yn dod 'nôl rhan amlaf i olygu tâp

¼ modfedd gyda raser ar y peiriant Ferrograph, a recordio neu wneud darnau'n fyw i raglenni newyddion Radio Cymru ac yn achlysurol i Radio Wales. Ond gan fod Dyfed a Phowys o fewn fy nhiriogaeth, byddwn hefyd yn mynd i stiwdios cyffelyb yn Hwlffordd, Aberystwyth, y Drenewydd a Llandrindod. Rown i'n mwynhau teithio trwy ardaloedd newydd yn fy Alfa Romeo Sprint lliw mwstard, oedd fel Ferrari bach ac yn gynt na bron unrhyw gar arall ar yr hewl bryd hynny.

Yn sicr, doedd dim prinder newyddion. Roedd Cymdeithas yr Iaith yng nghanol ymgyrch torcyfraith i bwyso am sianel deledu Gymraeg, ac yn fuan ar ôl i mi ddechrau gohebu o'r gorllewin cynhaliwyd achos cofiadwy iawn yn Llys y Goron, Caerfyrddin yn Nhachwedd 1978. Safai arweinwyr Cymdeithas yr Iaith yn y doc lle bu arweinwyr Merched Beca gynt. Cyhuddwyd Wynford James a Rhodri Williams o gynllwynio i wneud difrod i drosglwyddydd teledu Blaenplwyf ger Aberystwyth. Roedd yr oriel gyhoeddus yn y llys anferth yn orlawn, gyda channoedd o gefnogwyr ar sgwâr y dref yn canu ac yn bloeddio sloganau. Dringodd un protestiwr i fyny i'r oriel tu fas i'r adeilad a dechrau curo ar y ffenest fawr. Fe drodd wyneb y barnwr yn biws wrth iddo anfon plismyn i'w arestio am ddirmyg llys. Dyna hefyd fu tynged nifer yn yr oriel gyhoeddus a dorrodd ar draws yr achos. Cafodd pob un wythnos o garchar. Ar yr ail ddiwrnod roedd Gwilym Owen, golygydd rhaglen *Y Dydd* ar HTV, wedi cael gwŷs i ymddangos fel tyst i gadarnhau bod Wynford a Rhodri wedi cymryd cyfrifoldeb fel Cadeirydd ac Ysgrifennydd Cymdeithas yr Iaith am y weithred ym Mlaenplwyf ar y rhaglen honno. Nid oedd Gwilym yn hapus o gwbl, ac fe suddwyd jin neu ddau lan llofft yn y Queens amser cinio cyn iddo gael ei alw yn y llys ddechrau'r pnawn. Pan geisiodd esbonio nad oedd yno o'i wirfodd wrth gymryd y llw, fe dorrodd chwerthin uchel *laughing box* ar draws y lle. Fe drodd wyneb y barnwr yn biws eto wrth iddo orchymyn plismyn i ganfod y teclyn. Bu'r rheini'n sgramblo ar eu penliniau o dan y meinciau, wrth i'r protestwyr gicio'r teclyn ar hyd y llawr. 'Cliriwch y galeri!' rhuodd y barnwr, ac fe aeth yr achos ymlaen gyda'r oriel yn wag. Drannoeth, roedd pawb – gan gynnwys y wasg – yn cael eu harchwilio wrth ddod mewn i'r llys. Ond er gwaetha'r mesurau diogelwch, pan gliriwyd yr oriel ar ôl i brotestwyr dorri ar draws yr achos unwaith eto, roedd dau berson yn dal i eistedd yno gan iddynt smyglo cadwynau a chloeon i'r llys. Erbyn hynny, roedd wyneb y barnwr yn lliw dyfnach na phiws. Llwyddwyd i ddod â'r achos i ben ymhen yr wythnos, cael y ddau ddiffynnydd yn euog a'u carcharu am chwe mis.

Nadolig 1978 oedd y cyntaf i Ann a fi yn ein cartref priodasol yng Nghwmduad. Er bod tafarn y White Lion o fewn hanner can llath, pobol o Lundain oedd yn cadw'r lle, ac roedd yn well gan y ddau ohonom deithio tua thair milltir i'r Railway yn Llanpumsaint. Roedd cymdeithas Gymraeg fywiog iawn yno, gyda recordiau Dafydd Iwan, Bando ac ati ar y *jukebox*. Yn helpu tu ôl y bar ambell i nos Sadwrn fyddai Bryn Fôn, canwr Crysbas bryd hynny, oedd yn canlyn Velvor, merch Gwilym a Bet, perchnogion y dafarn. Cymeriad lliwgar iawn oedd Gwilym, yn dynnwr coes ac yn hoff iawn o'i wisgi. Fe allech fynd i'r Railway unrhyw adeg o'r dydd a chanfod criw o bobol yn yfed ac yn sgwrsio. Roedd hyn yn wir am sawl tafarn, sefyllfa ddefnyddiol iawn os oedd angen gwneud *vox pops* ar frys am ryw destun neu'i gilydd. Cyn fy nyddiau i ar deledu, fe lansiodd Prif Gwnstabl Heddlu Dyfed Powys strategaeth newydd, lle byddai car yr heddlu yn mynd i bentref gwledig ac yn aros yno am tuag awr er mwyn i bobl leol ddod ag unrhyw broblem atynt. Dewisodd Lanpumsaint, a gwahodd y wasg, gan gynnwys Sulwyn Thomas a chriw *Heddiw*, yno i ffilmio. Roedd hi wedi *stop tap* am dri o'r gloch y prynhawn, ond fe aeth y Prif Gwnstabl i guro ar ddrws y Railway i ofyn a oedd popeth yn iawn, er mwyn cael ffilmio. Daeth Gwilym i'r drws yn ddigon crynedig i roi cyfweliad, ond wrth i'r plismyn adael, fe gydiodd yn llawes y dyn sain, Tony Harries, a dweud wrtho am ddod mewn am ddiod cyn gynted ag y byddai'r heddlu yn gyrru i ffwrdd. 'Pan es i miwn i'r dafarn, wedd y bois fuodd yn cwato yn dod lan o'r selar fel haid o ligod mowr,' meddai Tony wrth adrodd yr hanes.

Yn fuan ar ôl Calan 1979, aethom ar ein pennau i mewn i ymgyrch y refferendwm cyntaf dros ddatganoli i Gymru. Y tro cyntaf i fi fynd i bencadlys Cyngor Powys yn Llandrindod oedd i ohebu ar ganlyniad y refferendwm hwnnw a gynhaliwyd ar Ddydd Gŵyl Ddewi. Er mai llywodraeth Lafur Jim Callaghan oedd wedi galw'r refferendwm, roedd bradwyr fel Neil Kinnock a Leo Abse yn ymgyrchu'n ffyrnig yn erbyn rhoi unrhyw hawliau i'n gwlad. Pleidleisiodd pobol Cymru yn erbyn trwy fwyafrif o 80% i 20%. Wrth yrru 'nôl o Landrindod gwelwn eira ar Fannau Sir Gâr, a meddyliais ei bod hi'n aeaf arnom fel cenedl hefyd. Roedd y rhewynt yn dal i chwythu yn Etholiad Cyffredinol mis Mai, pan etholwyd llywodraeth Geidwadol, gyda Margaret Thatcher yn dod yn Brif Weinidog. Fe gollodd Gwynfor ei sedd yng Nghaerfyrddin ac fe gollodd yr SNP naw o'u 11 sedd hwy. Prin y gallai neb wadu ei bod hi'n edrych yn ddu iawn ar ddyfodol y ddwy genedl.

Yna, fe ddigwyddodd rhywbeth rhyfedd iawn. Cefais alwad ffôn gan yr heddlu un bore o Ragfyr i ddweud bod dau dŷ haf wedi mynd ar dân ym mhentref Llanrhian yng ngogledd Sir Benfro. Wnes i erioed feddwl mai dyma ddechrau ymgyrch genedlaethol. Y cyfan wyddwn am y pentref bach oedd y cyfeiriad yng ngherdd Crwys i 'Felin Trefin':

Lle dôi gwenith gwyn Llanrhiain
Derfyn haf yn llwythi cras...

Ond yna daeth y newyddion bod pedwar tŷ haf arall, ar Benrhyn Llŷn ac ym Mhennal ger Machynlleth, wedi cael eu llosgi'r un noson, sef adeg cofio lladd Llywelyn ein Llyw Olaf yng Nghilmeri. Cafodd enwau Rhys Gethin a Meibion Glyndŵr eu clywed am y tro cyntaf. Byddai 220 o dai haf yn cael eu llosgi dros y ddegawd nesaf, a neb yn cael ei ddal. Cofnodaf fwy am hyn yn nes ymlaen, ond yn ystod f'amser yn gweithio i Radio Cymru cefais alwadau gan y frigâd dân neu'r heddlu bob awr o sawl noson yn rhoi gwybod i mi fod tŷ haf ar dân. Er gwaetha siom fawr y refferendwm roedd hi'n amlwg bod rhywrai'n benderfynol na fyddai'r genedl yn diflannu i lwch hanes heb frwydr.

Yn fuan ar ôl y tanau cyntaf, fe aeth yr ymgyrch dros sianel deledu Gymraeg, a fu'n mudlosgi ers rhai blynyddoedd, yn wenfflam pan gyhoeddodd Gwynfor Evans y byddai'n mynd ar streic newyn hyd at farwolaeth oni bai bod llywodraeth Thatcher yn cadw at eu haddewid maniffesto i sefydlu sianel deledu Gymraeg. Fe ysgogodd hynny ymgyrchu dwysach ledled Cymru. Bues i mewn sawl achos llys lle'r oedd pobol yn gwrthod talu am drwydded deledu mewn protest yn erbyn brad y llywodraeth. Bryd hynny roedd llysoedd mewn pentrefi fel Pencader ac Eglwyswrw, ac yn y pentref hwnnw bu'n rhaid gohirio'r achos yn y llys bychan am fod Ffred Ffransis a chriw o Gymdeithas yr Iaith wedi dringo i ben to gwastad yng nghefn y llys, ac yn stampio'u traed i rythm 'Sianel Gymraeg yn awr' tan fod y lle'n crynu!

Roeddwn gyda chriw o'r wasg a'r cyfryngau yng ngardd cartref Gwynfor, Talar Wen ger Llangadog, ym mis Medi 1980 i gael ei ymateb i'r newyddion bod y llywodraeth wedi ildio. Roedd hon yn stori anferth, ac ar ôl cyfweliad digon brysiog gyda Gwynfor, fe ruthrais 'nôl i'r stiwdio yng Nghaerfyrddin i ddal *Post Prynhawn*, gan wthio'r Alfa Romeo Sprint i dros 100 milltir yr awr ar hyd y darn hir o hewl islaw Castell Dinefwr a heibio i bentref Gelli Aur. Siawns na fydd y rhan fwyaf o bobol ifanc heddiw, yn ein hoes ddigidol aml-lwyfan gyfryngol, yn deall pam ar y ddaear y byddai rhywun yn bygwth lladd ei hun er mwyn cael sianel deledu. Ond mewn oes pan oedd y teledu tair-sianel yn brif gyfrwng adloniant ym mhob cartref, roedd cael sianel Gymraeg yn beth mawr yn wir. Yn sicr, bu'n beth mawr yn fy mywyd bach i, oherwydd i wasanaeth newyddion y sianel honno y byddwn yn gweithio am 25 mlynedd.

Y Cymeriadau
tu ôl i'r Camera

CYN MYND YMHELLACH i lawr ffordd fy mywyd, rwy am eich cyflwyno i'r criwiau camera a fu'n cyd-deithio gyda fi. Roedd pawb yn dod o gefndir gwahanol, ond roedd gan bron pawb un peth yn gyffredin: buon nhw erioed yn agos i brifysgol. Mae'n *cliché*, ond cynnyrch coleg hywyd oeddent bron i gyd, gyda gwytnwch a hiwmor amrwd y fath raddedigion yn eu natur. Daeth hewl bywyd y rhan fwyaf i ben erbyn hyn, ond maen nhw'n dal i fod yn rhan o hanes fy nhaith fach i, fel cydweithwyr a chyfeillion triw yn ystod fy ngyrfa gyda'r BBC.

Tomi Owen a Tony Harries

Cyn dyddiau S4C, roedd clywed dyn camera yn siarad Cymraeg yn destun rhyfeddod. Credaf mai Tomi Owen, Tony Harries a fi oedd yr unig griw camera Cymraeg yn y byd ar un adeg. Tan 1963, dyn tân ar drên stêm oedd Tomi. Gwaith aruthrol o galed, brwnt a phoeth ydoedd, yn rhofio glo ar y *footplate* i grombil y ffwrnes danllyd. Pan ddaeth y *diesels* a diwedd oes y trenau stêm, doedd dim angen dynion tân. Rhoddodd Tomi ei raw yn y to, fel petai, a chael cynnig i fod yn ddyn sain gyda Barry Thomas, dyn camera o Abergwaun. Sôn am newid gyrfa!

Y stori fwyaf a brofodd Tomi yn ei yrfa oedd trychineb Aberfan ym 1966. Am dridiau, buodd e a Barry yn byw mewn fan. Gan fod hyn ddegawdau cyn oes y fideo a darlledu lloeren, byddai'r gwaith am y dydd drosodd unwaith roedd y ffilm 16mm mewn tacsi, ar ei ffordd i Gaerdydd i'w brosesu. Ond wedyn byddai Tomi yn cydio mewn rhaw ac yn ymuno â'r glowyr oedd wrthi'n ddyfal yn clirio'r mochyndra du o adfeilion yr ysgol a thai cyfagos. Fel cyn-ddyn tân ar drên stêm, roedd mor gryf ag unrhyw löwr. Tystion i drychinebau yw criwiau camera; rhaid aros hyd braich oddi wrth y stori. Ond roedd Aberfan yn wahanol. Deuddeg oed oeddwn i, ond rwy'n cofio gweld y lluniau ar y teledu.

O dipyn i beth, fe wnaeth Tomi gymryd at y gwaith camera yn lle Barry, a daeth ei nai, Tony Harries, i weithio ato fe fel dyn sain. Bu'r ddau yn gweithio gyda Sulwyn Thomas ar *Heddiw* am flynyddoedd, cyn i mi gael swydd Sulwyn fel gohebydd y rhaglen honno yn 1981 pan aeth yntau i godi ei *Stondin* enwog ar Radio Cymru. A dyma gychwyn ar tua degawd o weithio'n ddyddiol bron gyda Tomi a Tony. Yn Wdig roedd cartref Tomi, a byddai'n codi Tony filltir i fyny'r ffordd ar sgwâr Abergwaun i fynd i ble bynnag oedd y stori'r diwrnod hwnnw.

Daethom yn gyfeillion teuluol agos iawn. Pan oedd Mared ni yn deirblwydd oed, 'Nomi' a 'Noni' oedd y ddau fyddai'n cwrdd â mi'n aml yn ein tŷ ni. Bydden yn chwarae triciau ar ein gilydd hefyd. Un tro, pan oeddwn yn darlledu'n fyw ar radio o giosg coch, sylwais o gornel fy llygad ar y ddau yn gwneud rhywbeth tu allan. Roeddent wedi rhwymo llatheidiau lawer o'r tâp gwyn a ddefnyddiwyd i selio caniau ffilm sawl tro o gwmpas y ciosg ac ni allwn agor y drws!

Ni fyddai *Heddiw* yn cael ei ddarlledu ym mis Awst, ac roedd disgwyl i bawb gymryd mis o wyliau bryd hynny. Byddai Tomi, ei wraig Esther a'u tri mab, yn mynd ar *cruise*. Doedd y gwyliau gorfodol hyn ddim wrth fodd Frances, gwraig Tony, ac fe drefnodd hi waith tymhorol iddo ar lorri sbwriel y Cyngor. Does rhyfedd fod Tony'n falch o fynd 'nôl i'w waith arferol fel dyn sain i'r BBC ar ôl mis o redeg ar ôl y lorri yn gwacáu biniau Abergwaun a'r fro. Meddyliais yn aml y byddai wedi gwneud byd o les i ambell un oedd yn gweithio i'r BBC yng Nghaerdydd i dreulio mis yn dilyn lorri sbwriel. Ambell un, cofiwch, nid pawb.

Byddai straeon *Heddiw* rhan amlaf yn cael eu trefnu ymlaen

llaw, ond pan ddaeth S4C a dyddiau *Newyddion Saith*, byddai'n aml yn ben bore arnom yn trefnu stori. Gan fod Abergwaun yn daith awr dda o Gaerfyrddin, a dim dal lle byddem yn mynd wedi hynny, byddai Tomi a Tony yn gyrru i fyny'r ffordd cyn belled ag Eglwyswrw erbyn naw o'r gloch. Pam Eglwyswrw? Am ei bod yn groesffordd gyfleus i fwrw at leoliad y stori, boed lawr i Aberdaugleddau, lan i Aberystwyth neu ymlaen i Gaerfyrddin. Yno roedd tafarn hynafol y Sergeants Arms. Hen enw am farnwr yw 'Sergeant', a'r barnwr enwog ddaeth i Eglwyswrw slawer dydd oedd Hanging Judge Jeffreys, y Cymro a fu'n erlid gwrthryfelwyr Dug Mynwy dair canrif yn ôl. Tan y 1990au, roedd y llys yn dal i fod yn rhan o adeilad y dafarn. Gyferbyn â'r dafarn roedd *lay-by* a chiosg coch. Yn y dyddiau cyn ffôn symudol, y ciosg hwn oedd swyddfa answyddogol y BBC yng ngogledd Sir Benfro! Byddai Tomi yn fy ffonio oddi yno i weld a oedd stori ar y gweill, neu'n eistedd yn y car gyda'r ffenest yn gilagored i ddisgwyl galwad ffôn gen i. Mae'r cyfan yn swnio'n gyntefig iawn yn oes yr iPhone, ond roedd y trefniant yn arfer gweithio'n iawn, heblaw wrth gwrs bod rhywun yn defnyddio'r ciosg.

Digon cyntefig hefyd oedd y 'stiwdio' yng ngwesty'r Metropole yn Llandrindod slawer dydd. Yno, roedd yr offer radio syml Codec – math o ffôn o ansawdd uwch – mewn cwpwrdd dillad yn un o'r stafelloedd gwely. Mae'r Met yn westy mawr, a byddai'r stafell wely honno bron wastad yn segur, ond un diwrnod, pan oedd cynhadledd bwysig yn y dref, roedd pob stafell yn llawn. Roedd angen mynediad i'r Codec ar fy hen gyfaill David Allen i ddarlledu o'i gynhadledd. Aeth i mewn i'r stafell a chanfod pâr priod yno. Cododd ei het trilby iddynt a gofyn yn ei lais BBC-aidd gorau: 'Would you mind terribly if I went into your wardrobe?' A thra syllai'r ddau yn syfrdan, dyma David yn tynnu'r blwch Codec gwyrdd o'r cwpwrdd ac yn darlledu darn byw i Radio Wales. 'Thank you very much. So sorry to have troubled you,' meddai, gan godi ei het eto wrth adael y stafell wely. Mae'n swnio fel golygfa o *Fawlty Towers*!

Daeth cyfnod y ciosc-stiwdio yn Eglwyswrw i ben gyda

dyfodiad y *pager*, teclyn oedd yn caniatáu i'r cynhyrchydd hysbysu'r gohebydd neu'r dyn camera bod angen ffonio'r swyddfa. Ym 1986, roedd pawb pwysig yn gwisgo *pager* ym mhoced uchaf ei got, yn ei felt, neu mewn bag llaw. Roedd gen i *pager two-tone*: blip-blip-blip petai rhywun o'r BBC am i mi ffonio a *blîp-blîp* petai Ann am gysylltu. Er mor gyntefig mae hyn yn swnio heddiw, roedd yn chwyldro yn 1986.

Tafarnau oedd diddordeb Tony, person hynaws oedd yn hoffi cwmni a sgwrs. Er ei fod yn briod, gyda dau o fechgyn bach, byddai'n cilio bob nos i un neu fwy o dafarndai Abergwaun yn syth ar ôl cyrraedd adref. Roedd diwylliant cryf o yfed yn y BBC ac ym myd darlledu yn gyffredinol bryd hynny. Byddem yn cael cinio mewn tafarn bob dydd, wedi'i olchi lawr gyda lager. Yna, 'nôl â ni ar yr hewl ac ymlaen gyda'r ffilmio. O dro i dro byddem yn aros i ffwrdd dros nos, gan fod stori arall yn yr un ardal drannoeth, rhan amlaf yn y canolbarth. Dros y blynyddoedd daethom yn gyfarwydd iawn â llefydd fel yr Aleppo Merchant yng Ngharno, Y Goat yn Llanfair Caereinion, y Royal Oak yn y Trallwng a hyd yn oed y Castle yn Nhrefesgob (Bishop's Castle) sydd ergyd carreg dros Glawdd Offa. Wrth i *deadlines* newyddion gwtogi ar ein hawr ginio, fe drodd y peintiau yn haneri gyda brechdan i Tomi a fi, a wisgi mawr a phecyn o grisps i Tony. O dipyn i beth, ni fynnai Tony gael brecwast chwaith. Cyrhaeddodd adref o'r gwaith un noson, a chanfod bod ei deulu wedi symud i ffwrdd, gan adael dim ond un gwely ac ychydig ddodrefn yn y tŷ. Erbyn 1990, aeth y ddiod yn hollol drech na fe a bu'n rhaid iddo roi'r gorau i'w waith.

Fe'i gwelais am y tro olaf yn nhafarn y Farmers ar sgwâr Abergwaun yn 1996. Erbyn hynny, roeddwn innau i ffwrdd o'r gwaith am gyfnod yn dioddef o straen blynyddoedd o ruthro gorffwyll. Galwodd Andrew 'Pwmps' Davies heibio a gofyn os hoffem fynd am sbin. 'Beth am fynd lawr i Abergwaun i weld Tony?' awgrymais. A bant â ni. Gwyddwn ei fod mewn tipyn o bicil. Daethom o hyd iddo yn y Farmers tua un o'r gloch y pnawn. Doeddwn i ddim wedi ei weld ers tro, ac roedd ei gyflwr wedi dirywio'n enbyd. Prin y gallwn ei ddeall yn siarad. Buom yno am ryw hanner awr. Cyn gadael, rhoddais anrheg iddo – ¼ botel o Bell's. Fe'i derbyniodd heb air a'i rhoi yn syth ym mhoced ei *bodywarmer* glas. Ymhen ychydig fisoedd, rown i yn ei angladd. Roedd yn 56 oed.

Fe wnaeth David a Jeremy Owen ddilyn ôl traed eu tad fel dynion sain a chamera. Mae David yn dal i weithio i newyddion y BBC, ac fe fyddaf yn cwrdd â fe o bryd i'w gilydd pan fydd galw arnaf i gael fy nghyfweld fel cynghorydd, neu fel swyddog y wasg Undeb yr Annibynwyr. Mae'r atgofion yn aml yn llifo'n ôl wrth i ni'n dau gofio'r hwyl a'r helyntion a gawsom slawer dydd, ac a gofnodir yn y llyfr hwn.

Ken 'Mayfair' Davies

Cymro Cymraeg prin arall y tu ôl i'r camera oedd Ken Davies. Roedd Ken yn ffansïo'i hyn fel tipyn o *Jack the Lad*. 'Nôl yn y 1960au, gyrrau E-type Jag ac enwodd ei stiwdio ffotograffig yng Nghaerfyrddin yn Mayfair Studios. Mae'r cwmni bellach, o dan yr enw Carmarthen Cameras, yn eiddo i berson lleol arall ac yn un o'r cwmnïau camera annibynnol mwyaf ym Mhrydain. Er gwaetha'i ddelwedd *swinging Sixties*, crwt o Gwmtudu ar lannau Bae Ceredigion oedd Ken. Fel yn hanes Tomi Owen, bu newid mawr yn ei yrfa. Pan oedd yn gweithio fel mecanic i Evans Brothers yng Nghaerfyrddin, fe ddechreuodd dynnu lluniau priodas. Gwelodd yn fuan bod marchnad i'w waith, ac fe roddodd glwtyn brwnt y mecanic i lawr am byth.

Fe gwrddais i â fe am y tro cyntaf pan oeddwn yn gweithio i'r *Journal*, a hynny mewn man hanesyddol. Mis Hydref 1974 oedd hi, a minnau gyda Ken ac eraill o'r wasg ar blatfform pren ar sgaffaldau tu allan i Neuadd y dref yn Sgwâr Nott ar noson etholiad cyffredinol. Chwe mis cyn hynny, roedd Gwynfor Evans wedi methu adennill sedd Caerfyrddin trwy dair pleidlais yn unig yn erbyn Gwynoro Jones, yr aelod Llafur a gipiodd y sedd oddi wrtho yn 1970. Roedd y dref yn ferw drwyddi a'r sgwâr islaw yn orlawn ar ôl i'r tafarnau gau, gyda tua dwy fil o bobol yn canu ac yn bloeddio 'Gwynfor, Gwynfor'. Yn yr oriau mân, fe gyhoeddwyd fod Gwynfor wedi ennill trwy fwyafrif o dros dair mil, ac wrth i'r gwron godi ei law ar y dorf fawr, fe dynnodd Ken lun du a gwyn a fyddai'n ddelwedd eiconig o'r noson honno a'r cyfnod hwnnw. Yn wir, llun Ken yw sail y gofeb bres fawr a godwyd ar Sgwâr Caerfyrddin yn 2016 i nodi hanner canfed pen-blwydd buddugoliaeth Gwynfor yn 1966 fel aelod cyntaf Plaid Cymru, cofeb y bues i a chriw bychan yn gyfrifol am godi arian i'w chynhyrchu. Braf dweud bod miloedd o luniau Ken nawr yn ddiogel yn y Llyfrgell Genedlaethol. Feddyliais i fyth yn 1974 y byddwn yn cydweithio gyda Ken am tua phymtheg mlynedd, heb sôn am wasanaethu yn ei angladd.

Ffilmio ar ei ben ei hun wnâi Ken yn y 1960au, gyda chamera Bolex 16mm di-sain. Dyma'r eitemau byr fyddai'n cael eu lleisio fel *reads* gan y cyflwynydd yn fyw ar y rhaglen – yn danau, yn ddamweiniau ceir, yn ymddangosiadau llys. Os digwydd y byddwn yn gohebu ar yr un stori i'r *Journal*, byddai Ken yn aml yn gofyn i fi 'roi llinell o gopi' dros y ffôn i'r BBC, i fynd gyda'r lluniau. Rhain oedd fy nghyfraniadau cyntaf i'r Gorfforaeth. Un bore yn 1983, a minnau bellach yn ohebydd S4C, cefais alwad ffôn gan Ken mewn panig yn dweud bod jobyn ganddo i'r BBC drannoeth ond nad oedd dyn sain ganddo. Oeddwn i'n gwybod am rywun? Cofiais yn sydyn am Andrew Davies, cyfaill teuluol oedd wedi prynu offer disco yn ddiweddar, ac oedd felly'n gyfarwydd â chymysgu sain. Dyna sut dechreuodd Andrew 'Pwmps' ym myd y cyfryngau. Bu Andrew'n ddyn sain iddo tan 1987, pan aeth i'r gogledd i weithio i Barcud. Daeth Guto Orwig o Fethesda i gymryd ei le.

Dyn y ceir cyflym oedd Ken, rhinwedd oedd wrth fy modd i wrth i ni rasio i leoliad stori ym mherfeddion Sir Benfro neu bellafoedd Powys. Roedd Audi Quattro gwyn ganddo, a minnau â char staff Rover 213 gwyn, oedd yn perthyn i genhedlaeth newydd o geir gyda'i beiriant Honda *12-valve* bywiog. Pan oedd Ken a fi ar drywydd stori, dim ond un cyflymdra oedd – troed lawr ffwl pelt tan fod y *revcounter* yn cyffwrdd â'r coch! Sut ar y ddaear na chawsom docyn sbido, heb sôn am osgoi damwain neu fynd dros ben clawdd yn ystod yr holl flynyddoedd, wn i ddim. Efallai bod â wnelo hynny rywbeth â'r ffaith bod Ken yn fêts gorau gyda bron pob plisman yn Nyfed-Powys, beth bynnag ei ranc.

Gan ei fod bellach y tu hwnt i unrhyw erledigaeth, mae'n ddiogel i mi ddwcud y byddai'n gwrando ar negeseuon yr heddlu a'r frigâd dân ar set radio arbennig petai rhywbeth yn digwydd. Ac fe oedd yna dipyn yn digwydd yn ystod nosweithiau'r 1980au. Yn aml, byddai'r ffôn yn canu am dri o'r gloch y bore. 'Shwd ti, boi? Ken sy 'ma. *Holiday home* ar dân. Ti moyn dod 'da fi?' Mas â fi o'r gwely, gwisgo'n frysiog a gadael y tŷ. Byddai Ann wedi clywed y ffôn, ond heb gymryd sylw, gan y gwyddai mai gwaith ydoedd. Byddwn yn cerdded yn gysglyd i ben draw'r stryd dawel o dan oleuadau oren y lampiau a disgwyl am Ken a Guto i gyrraedd yn yr Audi gwyn. Yr adeg yna o'r nos, ni fyddai Ken yn cymryd sylw o'r *Highway Code*; troed lawr a thanio'r *turbo* oedd hi. Byddem yn rhuo trwy bentrefi gwledig yn gwneud dros 70 milltir yr awr. O fewn dim, byddem yng Nghrymych, Llangrannog, Llangadog neu le bynnag. Doedd byth problem gyda'r heddlu am fod pawb yn adnabod car Ken gyda'i rif BBC 48. Yn yr un modd, roedd y dynion tân, bron yn ddieithriad, yn adnabod Ken a fi ac yn barod i'n cyfeirio at y fan y byddem yn cael y '*shots* gorau' cyn cael cyfweliad parod gyda'r prif swyddog oedd yn bresennol. Roeddem i gyd yn rhan o ddrama fach Meibion Glyndŵr ar nosweithiau felly, er bod y prif gymeriad(au) wedi mynd, wrth gwrs.

Roedd Ken yn weithiwr caled a allai fod yn tyr ei amynedd gyda'r sawl nad oedd mor ymroddedig â fe. Ond roedd hefyd yn berson caredig a hael, fel yn wir yr oedd pob un o'r dynion camera y bues i'n ddigon ffodus i weithio gyda hwy. Nid oedd unrhyw ffafr yn ormod o drafferth i Ken. Roedd ef a'i wraig Morwena yn byw mewn tŷ mawr ar dop y llethr serth uwchben Tafarn Tanerdy, gyda golygfa wych i fyny Dyffryn Tywi. Doedd dim plant gan y ddau, ac os fyddwn yn galw yno ar neges i weld Ken pan oedd ein plant ni yn fach, byddai'n llawenhau o weld

Rhun a Mared yn dod gyda mi i weld y Coy Carp anferth yn y pwll yn yr ardd.

Yn ei henaint, er yn gorfforol iach a chryf, cafodd Ken ei daro gan glefyd creulon dementia. Fe aeth gofalu amdano yn drech na Morwena, ac yn 84 oed bu'n rhaid iddo fynd i gartref nyrsio Plas-y-Dderwen yng Nghaerfyrddin. Byddwn yn galw i'w weld o bryd i'w gilydd, ac yntau'n gaeth i'w wely ac i atgofion dyddiau gynt. Y tro olaf i mi ei weld, rhai wythnosau cyn ei farw yn Ionawr 2016, roedd 'newydd brynu car newydd' ac yn poeni pa rif i'w gael. 'Beth ti'n feddwl, boi?' holodd drosodd a throsodd, 'pwy *number* allai gâl?' Gwn o brofiad, mewn sefyllfa fel'na, taw ymuno yn y ffantasi sydd orau. 'Beth am BBC 48?' awgrymais. 'Ti'n meddwl gallai gâl hwnnw?' holodd. 'Fe wnai ofyn i'r DVLA,' atebais. 'Galli di wir? Bydden i'n ddiolchgar iawn i ti, boi.'

Wrth i mi godi i adael, mewn eiliadau o gallineb, meddai Ken: 'Duw, fe gethon ni sbri, 'achan. Fe gethon ni sbri.' Dyna'i eiriau olaf i mi. Bu farw yn fuan wedyn. Cefais y fraint o gynnal ei angladd a thraddodi'r deyrnged yn amlosgfa Arberth. Roedd hyn bron i naw mlynedd ar ôl i fi adael y BBC, a braf oedd cael cwrdd â hen wynebau ddaeth yno i dalu'r deyrnged olaf i Ken, pobol rown i bron ag anghofio eu henwau.

Blwyddyn ar ôl gadael y BBC fe lwyddais i werthu'r syniad o baratoi rhaglen am Ken a Tomi ar gyfer y gyfres *O Flaen Dy Lygaid* ar S4C. Dyma ddau Gymro Cymraeg oedd wedi bod yn bresennol ac wedi ffilmio rhai o'r digwyddiadau mwyaf yn hanes ein cenedl, ond a fu'n hollol anweledig i'r gwylwyr adref. Enw'r rhaglen oedd *Tystion*, gan mai hwy oedd y tystion tawel oedd wedi gweld cymaint trwy lens y camera. Fe wnes i gyfweld Ken a Tomi yn siarad am rai o'r straeon mwyaf y buon nhw'n eu ffilmio, o drychineb Aberfan i ddamwain y *Sea Empress*. Rown i'n falch dros ben i mi gael cyfle i gyflwyno'r ddau gymeriad mawr yma i'r gwylwyr, i glywed eu lleisiau'n sôn am eu profiadau a'u rhan hollol allweddol yn y broses o ddod ag eitemau newyddion dyddiol i'r genedl dros ddegawdau, o ddyddiau ffilm du a gwyn i oes y fideo.

Andrew 'Pwmps' Davies

Andrew oedd cyfaill pennaf fy mrawd Ceri, sydd naw mlynedd yn iau na mi, pan oedd y ddau yn yr Ysgol Ramadeg yng Nghaerfyrddin wrth i honno droi'n Ysgol Bro Myrddin. Cafodd ei eni a'i fagu ym mhentref Llanpumsaint, lle'r oedd ei rieni'n berchen ar siop a phwmps petrol. Dyna pam gafodd e'r enw Andrew Pwmps, neu jyst Pwmps, yn ôl arferiad cefn gwlad. Ei rieni oedd Emrys a Nancy 'Pwmps' a ddaeth yn gyfeillion agos i'm rhieni i trwy gyfeillgarwch y ddau fab. Yn ystod dyddiau ysgol bu'n drymio i fand Eryr Wen yn y cyfnod pan recordiwyd 'Siop Ddillad Bala'. 'Pwmps oedd y drymiwr gorau erioed i ddod o Lanpumsaint,' taerodd ei gyfaill Ioan Hefin (Iogi), â thafod yn ei foch. Ar ôl gadael ysgol, cafodd ei hyfforddi fel trydanwr gan weithio i gwmni lleol Dyfed Alarms cyn troi at redeg disco teithiol, ac yna gweithio i Ken fel dyn sain. Yn dilyn hynny, bues i'n cydweithio gyda'r ddau ar straeon newyddion di-ri, yn ogystal â mynd i amryw bethau fel ffrindiau.

Er enghraifft, un haf heulog, fe wnaeth y ddau ohonom a Iogi benderfynu rhoi ein beiciau ar y trên o Landeilo i Drefyclo, a seiclo ar hyd y gororau am dridiau. Roedd gan y ddau arall feiciau ysgafn gweddol newydd, ond hen Raleigh *three-speed* trwm oedd 'da fi, a hwnnw heb fod mas o'r garej ers tro byd. Rhyw ffordd neu'i gilydd, llwyddwyd i gyrraedd Llanandras i aros dros nos, cyn seiclo lawr i Aberhonddu ar gyfer yr ail noson. Wrth aros i dalu 5c am groesi'r bont doll ar bwys y Gelli Gandryll, deallwyd fod y perchennog yn gwerthu seidr Scrumpy am £5 y galwyn. Gan ei bod hi'n fore poeth, a ninnau wedi seiclo ers dwy awr (araf), cytunwyd i gael hoe fach a thorri syched. Awr yn ddiweddarach, roedd y seidr wedi'i yfed, a Iogi ac Andrew yn eu trôns yn 'nofio' yn Afon Gwy. Llwyddwyd i ailgychwyn ar ein taith heb i neb foddi, a chyrraedd y Gelli am ginio a mwy o seidr, cyn bwrw am Aberhonddu. O fewn milltir fe wnaeth Andrew daro *pothole* a glanio ar yr hewl. Cododd o'r tarmac a'i wyneb yn waed i gyd. Diwedd y daith y pnawn hwnnw oedd A&E Aberhonddu, lle cafodd Pwmps bwythau yn y clwyf.

Pan aeth Andrew a fi ar daith debyg tua blwyddyn ar ôl hynny, fe syrthiais oddi ar fy meic ddwy filltir tu fas i Lwydlo. Er gwaetha'r codwm cas, llwyddais i seiclo lan i Craven Arms drannoeth i ddal y trên 'nôl i Landeilo. Pan es i weld y doctor, canfuwyd mod i wedi cracio dwy asen. Dyna ddiwedd ar y seiclo, ond mae'r Raleigh yn dal i fod yn y garej os oes rhywun am ei brynu.

Yn 1987, aeth Andrew i'r gogledd i weithio i gwmnïau Barcud ac Enfys. Yno, cyfarfu â Llio Silyn a phriodi ym Methesda yn 1990. Roedd Ann a fi yn y briodas ac yn y cwmni bach o westeion yn y brecwast ym Mhortmeirion, lle bu Ann yn tynnu'r lluniau. Pan ddaethant 'nôl i Sir Gâr i ddechrau teulu, dechreuodd Andrew weithio gyda mi eto fel dyn camera. Erbyn hynny, doedd dim dynion sain yn gweithio ar y Newyddion, heblaw ei fod e'n achlysur arbennig.

Roedd pob dydd ar yr hewl gydag Andrew yn donic. Un tro, tua 1991, roeddem yn eistedd mewn tagfa draffig ar ein ffordd i Sioe'r Siroedd Unedig yng Nghaerfyrddin. Daeth y sioe i ben flynyddoedd yn ôl bellach, ond bryd hynny roedd yn para am ddeuddydd, ac yn denu torfeydd anferth. Roeddem yn gwrando ar *Stondin Sulwyn* ond gan taw mis Awst oedd hi, roedd Sulwyn ar wyliau a John Meredith yn cyflwyno. Roedd hi'n amlwg nad oedd llawer o ddeunydd ar gyfer y rhaglen, a rhwng chwarae recordiau a chyhoeddi bore coffi Merched y Wawr yn Y Talbot, Tregaron am y trydydd tro, roedd John druan yn erfyn ar bobol i ffonio. Felly, dyma Andrew'n ffonio'r stiwdio yn Aberystwyth tra roeddem yn eistedd yn y car yn disgwyl i'r traffig symud, gan efelychu llais hen ffarmwr. 'Helô. Ma SOS 'da fi i chi roi ar y *programme*. O'n i yn *show* Caerfyrddin ddo' ac fe golles i allwedd bwysig. Allech chi ofyn i unrhyw un sy'n ffeindio'r allwedd ar gae'r *show* heddi i ffono plis. Mae'n allwedd bersonol bwysig iawn i fi. Fy enw? Dafydd Davies, Ffos-y-ffin Farm.' (Dealled y darllenydd!) Wrth i ni gyrraedd y maes parcio, roedd y record wedi gorffen, a bron na allech chi glywed y ffanffer wrth i John gyhoeddi bod ganddo SOS ar gyfer pobol oedd yn mynd i sioe Caerfyrddin. Roedd Andrew a mi yn chwerthin hyd ddagrau yn gwrando ar yr apêl gan Dafydd Davies, Ffos-y-ffin a'i allwedd yn mynd mas yn fyw ar Radio Cymru. Dim ond ar y diwedd wnaeth y geiniog syrthio gyda John, a aeth ar frys at y record nesaf. Beth wnaeth y cyfan mor wych oedd y ffaith bod John ei hun yn gymaint o dynnwr coes, a bod nifer o'i ffrindiau a glywodd y rhaglen wedi tynnu ei goes yntau'n ddidrugaredd wedyn. Pethau bach fel'na oedd yn cadw dyn yn weddol gall ar hewl galed newyddion.

Yn ogystal â rhaglenni newyddion y BBC a S4C, roedd galw mawr am wasanaeth Andrew gan gwmnïau annibynnol. Doedd ond angen gwylio *Cefn Gwlad* am y ddwy funud gyntaf i wybod pwy oedd y tu ôl i'r camera. Andrew Pwmps oedd y dyn camera gorau i mi weithio gyda fe erioed. Fe wnaeth e feithrin Rhodri Gruffydd o Landeilo a Geraint Jones o Bont-iets fel dynion camera, a chyflogi dynion sain fel Huw Davies a Robert Thomas. Bu'r cymeriadau hyn i gyd yn gweithio gyda mi o bryd i'w gilydd.

Yn 2008, fe wnaeth Andrew a Llio brynu Siop y Pentan yng Nghaerfyrddin – y siop lle bu ei fam yn gweithio am ddegawdau, ac sydd bellach yn eiddo i'w mab hynaf, Brieg. Ergyd greulon oedd canfod yn 2014 bod Andrew yn dioddef o gancr difrifol. Ar Chwefror 1af 2017, bore fy mhen-blwydd yn 63 oed, roeddwn yn rhuthro i fyny grisiau llydan Neuadd y Sir i gyfarfod pan ffoniodd Llio i ddweud bod Andrew wedi marw. Roedd hyn bythefnos union ers angladd Ken Davies. Wrth imi aros ar y grisiau llwyd yn y glaw, llifodd yr atgofion am y tri ohonom yn sefyll yn yr union fan yn ffilmio cyfweliadau a phrotestiadau di-ri 'nôl yn nyddiau cyngor Dyfed. Cefais y fraint aruthrol o weinyddu ei angladd yn amlosgfa Llanelli. Dyna un o'r pethau mwyaf anodd i mi ei wneud erioed. Rwy'n cyfaddef mai'r unig ffordd y llwyddais i reoli fy nheimladau yn ystod y gwasanaeth oedd trwy beidio ag edrych mwy nag unwaith ar Llio a'r plant – Brieg, Gronw, Efa ac Iago – yn eu galar. Daeth cannoedd o alarwyr eraill ynghyd i hebrwng ei arch, oedd wedi'i gorchuddio â'r Ddraig Goch a thrwch o Gennin Pedr. Roedd yno wynebau enwog o fyd teledu: actorion, gwleidyddion a chantorion, yn gymysg â chyfeillion a chymdogion o wlad a thref. Beth bynnag fo'u cefndir a'u safle, roedd pawb yn ffrind i Andrew Pwmps, fy nghyfaill a'm cyd-weithiwr a ddaeth i ddiwedd ffordd ei fywyd yn llawer rhy ifanc yn 52 oed.

Guto Orwig

Hyfforddwyd Guto fel golygydd ffilm yn BBC Bangor cyn symud i Gaerfyrddin i gymryd lle Andrew Pwmps fel dyn sain gyda Ken Davies. Rhyw fath o *transfer* am wn i. Teg dweud iddi gymryd ychydig o amser iddyn nhw gyfarwyddo â'i gilydd, ac ambell noson byddai'r naill ar y ffôn i mi yn cwyno am y llall! Roedd Guto yn fwy hamddenol ei ffordd, tra roedd Ken am fynd ffwl pelt, ond roedd y ddau'n hoff o yrru'n gyflym. Byddai Guto'n mynd 'nôl i Fethesda o bryd i'w gilydd, ac yn aml yn gadael yn hwyr y nos pan fyddai'r ffyrdd yn dawel. Ei nod oedd cyflawni'r daith 120 milltir mewn llai na dwyawr. Wn i ddim os wnaeth e hynny erioed, ond un tro fe wnaeth rhywun gwyno amdano i'r heddlu pan ddaeth rownd y tro i mewn i'r pentref ar ddwy olwyn! Ymhen amser, fe wnaeth Guto gymryd at gamera Ken, gyda Huw Davies yn dod yn ddyn sain.

Huw Davies

Fe ddes i adnabod Huw fel un o griw Tafarn y Railway yn Llanpumsaint. Cyn iddo ddechrau gweithio i ni yn gyrru ffilm ac wedyn fideo i'r BBC yng Nghaerdydd, bu mewn sawl swydd, gan gynnwys cadw tafarn Jac y Gwas yn Nhrefach Felindre. Roedd Huw yn berson hollol ymroddedig ac yn ddolen allweddol yn y broses o gasglu'r newyddion dyddiol. Byddem yn rhuthro i gwrdd â fe mewn arhosfan ger Llangurig, Crymych, Aberhonddu neu le bynnag, a byddai Huw yn ein gadael gyda'r teiars yn sgrechian i fynd â'r deunydd gwerthfawr i Landaf. Un tro, wrth weld y trosglwyddiad yn digwydd ym mhentref

Penbryn ger Aberteifi, fe dybiodd dyn oedd yn gweithio mewn gardd gyfagos fod rhywbeth amheus yn digwydd. Ffoniodd yr heddlu, gan honni iddo weld pecyn o gyffuriau'n cael ei drosglwyddo o un car i'r llall! Cafodd bois y CID sbri mawr o ganfod rhif fy nghar yn y system, a deall beth oedd wedi digwydd mewn gwirionedd.

Pan gyrhaeddodd yr oes ddigidol orllewin Cymru yn 1985 aethom drosodd o gamerâu ffilm i fideo. Sefydlwyd *inject points*, sef bocs ar wal allanol adeiladau'r mastiau ym Mlaenplwyf ar bwys Aberystwyth, ym Mhentregalar ger Crymych, ac ar ben y mynydd uwchlaw cartref fy rhieni, chwe milltir o Gaerfyrddin. Oddi yno byddem yn anfon lluniau a sain 'i lawr y lein' i'r BBC yng Nghaerdydd, a hyd yn oed ddarlledu'n fyw pan oedd stori fawr. Fe wnaeth hyn olygu bod llawer llai o waith i Huw fel gyrrwr, ond fe gafodd hyfforddiant fel dyn sain. Un ardderchog ydoedd hefyd, yn gweithio i griwiau newyddion i gychwyn ac yna i raglenni cyffredinol y BBC a S4C. Roedd Huw yn dynnwr coes heb ei ail a'i sylwadau digri yn rhan o hwyl gweithio mewn busnes allai fod mor ddifrifol. Buodd yntau hefyd farw'n llawer rhy ifanc yn 67 oed yn 2018.

John Higgs

Roedd John yn ddyn tal gyda gwallt oedd wedi gwynni cyn i mi ddod i'w adnabod, yn weithiwr caled, yn glebrwr heb ei ail ac yn gyfaill da. Yn wleidyddol, roedd e rhywle i'r dde o Margaret Thatcher, gyda llais clochaidd yn barod i fynegi ei farn. Ond gwyddwn y gallwn ddibynnu ar John i fy nghefnogi mewn pob sefyllfa. Wrth ffilmio darn i gamera mewn ambell dref, fe fyddai plant yn aml yn gwneud siape y tu ôl i mi. Byddai ymateb John yn ddigyfaddawd: 'Stop that, or you'll feel the tip of my boot up your arse!'

Pan fyddwn yn tynnu coes John am ei oed a'i wallt gwyn, ei ymateb oedd: 'There may be frost on the roof boy, but there's still a fire in the chimney.' Bu'n gweithio fel dyn camera tan y diwedd. Fe'i gwelais ef olaf ar bnawn llwyd ac oer ddechrau

2013 ym Mharc Waundew Caerfyrddin, i fyny ar y gantri uchel yn ffilmio'r gêm bêl-droed i'r uned chwaraeon. Cawsom sgwrs gyflym yn ystod hanner amser, minnau ar lawr ac yntau fry uwch fy mhen. Pum mis yn ddiweddarach cefais y newyddion ei fod wedi marw yn sydyn wrth roi'r camera yn y car i fynd i ffilmio gêm bêl-droed. Roedd yn 82 oed, a gwn taw fel 'na'n union y byddai'n dymuno gadael y fuchedd hon.

Lenny

'O BLE DDAETH yr enw Lenny yna, bachan?' yw'r cwestiwn glywais droeon. Petawn i'n bêl-droediwr, a bod y dorf yn canu, 'Does dim ond un Alun Lenny' byddai hynny'n llythrennol wir! Sneb arall yn y byd â'r un enw.

Un o'r trysorau mwyaf yn ein tŷ ni yw llyfr a argraffwyd yn Glasgow yn 1723 sy'n olrhain achau'r Clan Buchanan. Ynddo mae'r bennod, 'An Account of the family of Lenny', sy'n cychwyn gyda'r geiriau 'This Family of Lenny is descended from the most ancient Cadet which came from the Family of Buchanan.' Roedd tiroedd y tylwyth yn agos i Lwch Llimanwy, sef Loch Lomond, a'r crair pwysicaf ym meddiant y clan oedd y cledd mawr (*claymore*) a ddefnyddiwyd gan un o'r cyndeidiau i oresgyn y tiroedd ddaeth yn eiddo iddynt. Fe dybir bod yr enw Lenny yn dod o'r Aeleg 'lan' neu 'lainne', yr un gair â 'llafn' yn Gymraeg. Os felly, 'pobol y cleddyf' yw ystyr Lenny, ac yn sicr mae iddynt hanes rhyfelgar!

Crair pwysig arall yng ngofal y clan oedd llaw Fillan, sant o'r 8fed ganrif. Y noson cyn brwydr fawr Bannockburn yn 1314 roedd Robert de Bruce a'i gadfridogion ym mhabell y brenin yn trafod sut i ymladd byddin Edward II, oedd â dwy neu deirgwaith yn fwy o filwyr. 'Suddenly a silver box in a coffer in the tent gave a great clink, whereupon the King's chaplain ran and found St Fillan's hand... which had by some misadventure been lost, miraculously reappeared in the box in which it was usually kept.' Drannoeth, fe wnaeth un o'r clan Lenny barado'r llaw o flaen rhengoedd yr Alban i'w hysbrydoli i fuddugoliaeth fawr dros luoedd brenin Lloegr.

Un o gymeriadau enwocaf y clan yw Syr Alexander Buchanan de Lenny. Yn 1421, roedd e, a byddin o Albanwyr a Ffrancod, mewn brwydr yn erbyn y Saeson yn Bauge, yn Nyffryn y Loire. Trechwyd y Saeson ar ôl i Syr Alexander ladd Dug Clarence, brawd y brenin Harri V, trwy yrru ei waywffon drwy'r hollt yn ei helm a thrwy ei lygad chwith i mewn i'w ymennydd. Yn anffodus, fe laddwyd Alexander ym mrwydr Verneuil tair blynedd ar ôl hynny.

Erbyn hyn mae mwy o Lennys yn byw yng ngorllewin Cymru nac mewn unrhyw ran arall o Brydain, diolch i fy nhad-cu a ddaeth yma o Lundain yn 1907. Cockney oedd Charles Lenny, gan iddo gael ei eni yn Holborn o fewn sŵn y *Bow Bells*. Mae yna ambell aderyn brith yn y teulu, a hanesion trist. Cafodd fy hen hen dad-cu, Robert Lenny, ei chwipio a'i garcharu am fis am geisio dwyn plwm pan oedd yn 13 oed yn 1843. Priododd yn 1872, ond bu farw o fewn wythnos. O fewn wythnosau bu farw ei wraig Sarah hefyd yn Wyrcws Marylebone.

Erbyn ei fod yn 13 oed, roedd tad-cu a'i chwe brawd a chwaer yn amddifad, gan i'w rhieni farw o fewn mis i'w gilydd. Ar ôl i'w frawd symud i Frechfa, penderfynodd yntau adael y brifddinas a mynd i berfeddion cefn gwlad. Gwariodd hanner coron ar docyn trên unffordd o Lundain. Ar ôl cyrraedd gorsaf Nantgaredig ar noson arw, cafodd lifft ar gart a cheffyl dyn gwerthu glo y chwe milltir olaf i Frechfa ar hyd hewl droellog a choediog. Roedd hynny'n sioc anferth i Cockney na welodd gefn gwlad erioed. "Sa hanner coron arall 'da fi, bydden i wedi mynd 'nôl i Lunden yn syth,' ddwedodd e wrtha i.

Pan ddaeth tad-cu i Frechfa, bach iawn o Saesneg oedd gan lawer o'r bobol leol, ac fe ddysgodd Gymraeg trwy fynd i gapel Methodist y pentref. Siaradai Gymraeg gloyw, ond i gyfeiliant acen Clychau Bow hyd y diwedd. Yn fachgen, arferai gerdded 12 milltir trwy ogledd Llundain i ffair geffylau Barnet ac ar ôl dod lawr i Frechfa, cafodd waith ar fferm Nant-y-fuwch a chyfle i dreulio'r dydd yng nghwmni ceffylau. Pan ddaeth y Rhyfel Byd Cyntaf ymunodd â'r Royal Horse Artillery, a dyma Lenny arall yn mynd ar draws y sianel i ymladd ar yr un ochr â Ffrainc. Mae gen i lun du a gwyn maint A4 o 29 o swyddogion ac NCOs 'D Battery, 98th Brigade, Royal Field Artillery' gyda tad-cu yng nghanol y rhes gefn – llun a dynnwyd yn Aldershot yn 1915 cyn iddynt groesi'r dŵr. Hanner canrif yn ddiweddarach, pan oedd e'n hen ŵr a Mam-gu newydd farw, daeth Tad-cu atom i fyw am flwyddyn olaf ei oes. Rwy'n cofio eistedd gyda fe yn edrych ar lun y milwyr. 'Dim ond fi a fe,' meddai, gan bwyntio at un milwr arall, 'dim ond ni'n dau ddath 'nôl.' O fewn wythnosau i'w dynnu, roedd pawb arall sy'n syllu'n fud o'r llun yn farw, gan gynnwys y *buglars* un-ar-bymtheg oed sy'n eistedd ar y llawr o flaen y swyddogion. Os buodd trin ceffylau ar fferm ym mherfeddion Sir Gâr fel nefoedd i Dad-cu, fe brofodd uffern o weld dynion a cheffylau'n cael eu chwythu'n rhacs mewn rhyfel.

Dim ond ar Ddydd y Cofio y byddai'n gwisgo'r Pabi Coch: dydd y Cadoediad, dydd rhoi diwedd ar yr ymladd. Wn i ddim beth ddywedai heddiw am y tueddiad afiach o ramanteiddio'r rhyfel erchyll a brofodd ef, a bod darlledwyr a chyfranwyr teledu'n gorfod gwisgo'r pabi coch am wythnosau cyn Dydd y Cofio.

Daeth Charlie Lenny yn ôl o'r rhyfel i Frechfa, a phriodi Margaretta Jones, un o hen deulu Cae Pandy. Er mai mewnfudwr oedd Tad-cu, roedd gwreiddiau Mam-gu yn nwfn yn nhir Dyffryn Cothi. Aethant i fyw i'r Tŷ Mawr, adeilad hynafol sydd heddiw'n westy moethus, ond oedd bryd hynny wedi'i rannu'n dri chartref, ac wedi gweld dyddiau gwell. Roedd yno ardd fawr ar lannau Afon Marlais, a bwyd i'r teulu o bedwar o blant o'r ardd a'r afon, heb angen trwydded bysgota gan fod 'Wncwl Dafi Cipar' yn frawd i Mam-gu ac yn troi llygad ddall!

Ym Mrechfa y ganwyd a magwyd Andrew Lenny, cyn-Lywydd Undeb yr Annibynwyr a wnaeth ymddeol yn 2017 ar ôl dros 30 mlynedd fel gweinidog yn Seion, Heol-y-Popty, Aberystwyth, lle bu ei wraig Rosemary hefyd yn weithgar. Oherwydd y cyfenw anghyffredin, mae pobol yn aml yn dweud wrtha i 'Buodd eich brawd yn pregethu gyda ni Sul diwethaf.' Byddaf yn gorfod esbonio taw cefnder yw Andrew – yr unig gefnder sydd gen i, cofiwch. Mae'n chwith meddwl nad oes yr un Lenny ar ôl ym Mrechfa ers marw fy Anti Iris, chwaer fy nhad, yn 2015, a hynny wedi cyfnod o dros ganrif, ac taw lleiafrif sy'n siarad Cymraeg mewn pentref oedd bron yn uniaith Gymraeg pan ddaeth Tad-cu yno.

Ond tra bod rhai wedi'n gadael, mae eraill wedi ymuno â'r teulu Lenny. Fe drodd cyfenw Ann o Williams i Lenny pan wnaethom briodi ym Medi 1978 yng nghapel Bethania, Caerfyrddin, gyferbyn â'r ysbyty lle cefais fy ngeni. Erbyn hyn, mae'r capel wedi cau ac yn eiddo i'r gymuned Fwslimaidd, sydd â mosc drws nesaf, ond sydd â pherthynas gyfeillgar iawn gydag eglwys Annibynnol y Priordy i lawr y stryd. Ein gwas priodas oedd Hywel Emrys, oedd bryd hynny wedi dyweddïo gyda fy chwaer Eleri. Ymhen blwyddyn neu ddwy fe wnaeth y ddau wahanu a phriodi eraill ymhen amser. Cafodd Eleri ysgariad flynyddoedd lawer yn ôl, ac yn dilyn marwolaeth drasig Liz, gwraig Hywel, mae'r ddau yn ffrindiau ar ôl bwlch o 35 mlynedd.

Ac mae Lennys bach yn dal i ddod i'r byd! Mae gan ein mab Rhun ac Elin ei wraig ddwy ferch fach, Megan a Maia, sy'n byw ar draws parc y dref i'n cartref ni, er mawr lawenydd i Ann a minnau. Mae fy mrawd Ceri, ei wraig Lisa a'u mab ifancaf, Ieuan, yn byw pum milltir i fyny'r ffordd yn Rhydargaeau, ac mae eu mab hynaf hwy, Sam, yn byw ym Manceinion gyda'i bartner, Carmel, a'u mab bach, Enzo Alfred Lenny –sef enwau'r ddau dad-cu. Ymhen tua hanner canrif arall efallai bydd cangen gref o'r Lennys yn y ddinas honno hefyd.

Un ffaith fach ogleisiol i gloi. Fel un sy'n dwyn y cyfenw Lenny, mae hawl gen i wisgo tartan y Buchanan, ac un lliwgar ydyw hefyd – melyn, coch a gwyrdd. Ond gyda choesau fel fy rhai i, *no chance*!

Ym mreichiau Mam tu fas i Efail-
y-banc, gyda fy nhad, Mam-gu
(Nana) a Tad-cu. Haf 1954.

'Newid olwyn' Austin 7 fy nhad. Roedd
disgwyl i fi weithio'n gynnar!

Ar wyliau yng Nghaernarfon ddeng
mlynedd cyn yr Arwisgo.

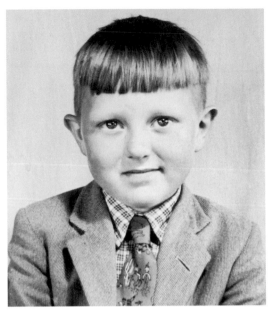

Dyddiau ysgol gynradd. Tei cowboi, a steil gwallt *Peaky Blinders*.

Diwrnod priodas fy rhieni, Alfred a Menna. Mae Charlie a Margreta Lenny (Tad-cu a Mam-gu Brechfa) ar y chwith, a Mai a Tom Evans (Nana a Tad-cu Efail-y-banc) ar y dde.

Tad-cu Brechfa yn Aldershot yn 1915 cyn ymuno â'r Rhyfel Mawr. Mae 30 o swyddogion ac NCOs yn y llun llawn. Fe laddwyd pawb ond dau o fewn ychydig fisoedd.

Daeth Tad-cu o Lundain i Frechfa i weithio â cheffylau ar fferm. Gwelir clochdy'r eglwys y tu ôl iddo.

Dyma drysor teuluol mawr. Hanes y clan Lenny mewn llyfr a gyhoeddwyd yn Glasgow yn 1723.

Teulu Efail-y-banc yn 1977. Fy nhad, Eleri fy chwaer, Mam, fi a'm brawd Ceri.

Gwersyll yr Urdd Glan-llyn 1973, gyda fi â'r mandolin ac Eifion Daniels a Ronw Protheroe a'u gitârs.

Talcen Crych: Fi, Mike Harries, y diweddar Byrnan Davies, Ronw ac Eifion.

Talcen Crych 2: Fi â'r gitâr 12-tant, Austin Davies yn y canol, a Clive Jones yn chwarae'r banjo.

Ail record Talcen Crych: 'Angharad'. Yn ogystal ag Austin, Ronw, Eifion a fi, fe glywir Colin Owen a John Davies (aelodau o Eliffant wedyn) a Geraint Lövgreen. Beth ddigwyddodd iddo fe, tybed?

Castell Aberystwyth 1976. Llun gan Ann, oedd yn astudio Celf Gweledol yn y Brifysgol.

'Byw yn y wlad, byw yn rhydd…', 1977.

Y grŵp Cadno, tua 1982. Ro'n i'n chwarae gitâr fas erbyn hynny. Clive Jones yn canu, qyda'r diweddar Warner Evans, oedd yn feistr heb ei ail ar y gitâr flaen.

Fy rheini ar achlysur pen-blwydd priodas.

Rhieni Ann: Nora a Dai Williams. Bu farw ei thad yn 1981 a'i mam yn 2018.

Ann a fi mewn priodas yn 1977.

Ann yn 21 oed.

Diwrnod ein priodas yng nghapel
Bethania, Caerfyrddin, ym mis Medi
1978. Mae'r capel bellach wedi cau, a'r
Mwslemiaid lleol wedi prynu'r adeilad.

Ym mis Ebrill 1978 fe ail-briododd Nana,
a fu'n weddw ers rhai blynyddoedd,
gydag Edgar Gealey, hen lanc 70 oed.
Nid pawb all ddweud iddo briodi yr un
flwyddyn â'i fam-gu!

Mared a Rhun yng ngardd Heol-y-delyn.
Cyfnod hapus plentyndod.

Fe welodd Ann tua mil o briodasau drwy
lens y camera yma.

Margaret Mathews (chwith) yn cyflwyno rhodd i
Mam ar ddiwedd ei chyfnod fel Llywydd Merched
y Wawr, Rhanbarth Caerfyrddin 1995–97.

Gydag Andrew Davies a Ioan Hefin (logi) ar daith seiclo o'r Gelli Gandryll yn ôl i Landeilo. Sylwer ar
y *wing mirror* ar fy Raleigh 3-speed. Teg dweud nad oedd un ohonom yn Geraint Thomas.

Ysgol Sul Bwlch-y-corn tua 1987. Mae Rhun gyda'i gitâr ar y chwith, Mam yn y canol yn y cefn a fi ger y piano.

Teulu ochr Ann: ei brawd Ieuan gyda Rhun; Mathew a Bryn, meibion Ieuan, a'i wraig Jane yn y rhes flaen, gyda'i merch Sian, Mared, Ann a fi.

Fy ochr i o'r teulu gyda fy rhieni, gan gynnwys fy chwaer Eleri a'i dau fab Ben a Tristan; Ceri a'i wraig Lisa a'u meibion Sam a Ieuan.

Mared (Swci Boscawen) yn canu gyda Rufus Wainwright ar lwyfan Canolfan y Mileniwm yn fuan cyn iddi gael ei tharo gan y cancr. Ar y dde mae Gerry Leonard, gitarydd David Bowie gynt.

'Lliwia fi'n llon' oedd enw un o arddangosfeydd Mared (Swci Delic) – yn llythrennol!

Ar daith bleser mewn hofrennydd o Hwlffordd i gyfeiriad Penrhyn Dewi.

Mared yn cwrdd â'i harwres Debbie Harry (Blondie) am goffi a sgwrs hir mewn *diner* yn Efrog Newydd yn 2016.

Mared yn gwneud hwyl ar ben ei thad druan ar noson agor ei harddangosfa yn Y Galeri, Caernarfon ym mis Mawrth 2019. Achlysur llawen iawn.

Mared ac Alex Dingley ar draeth Llansteffan, lle maent yn byw, ar ôl eu priodas ym Mhant-yr-athro yn 2015.

Mared a Rhun ar ddiwrnod y briodas.

Priodas Elin Price a Rhun yn 2013, gyda Mared, ei darpar ŵr Alex, Ann a fi. Gwasanaeth ym Mwlch-y-corn a'r brecwast ym Mhant-yr-athro.

Rhun yn garddio yn Efail-y-banc, gan ddilyn ôl traed fy nhad a'i dad yntau, oedd yn arddwyr brwd iawn – yn wahanol i fi!

Yng nghastell Llangain, Sir Henffordd, yn edmygu llun hynafol o Owain Glyndŵr – neu felly yr honnwyd.

Diaconiaid Bwlch-y-corn yn 2017. Gyda mi yn y pulpud mae Delyth John a Geraint Evans. Islaw mae Alun Jones, fy mam, y Parchg Ddr Edwin Courtney Lewis (cyn-weinidog), Eric Lloyd a'n Trysorydd Dorian Williams – cyfaill oes sydd hefyd yn gynghorydd sir dros yr ardal.

Paratoi i fedyddio ein hwyres, Megan Alaw, yn yr heulwen tu fas i Efail-y-banc yn 2015. Ar y chwith mae fy nghyn-weinidog a'm cyfaill ffyddlon y Parchg Ken Williams.

Aelodau'r teulu a ffrindiau agos ar ôl y bedydd, gyda'r ddwy hen fam-gu ar y blaen.

Megan gyda'i chwaer fach newydd, Maia Lili, yn 2018.

Rhun yn perfformio gyda Zabrinski yn Tafwyl 2019, ar lwyfan gafodd ei greu gan Mared.

Mam-gu a Tad-cu gyda Maia.

Yr g ngardd ein cartref, Porth Angel, yn haf 2019.

(Llun: Aled Llywelyn)

Yr Wyrth Fach Ddyddiol

MAE 'NA DDAU fath o newyddiadurwyr, sef y rhai sy'n treulio dyddiau neu hyd yn oed wythnosau yn ymchwilio i straeon, a'r rhai fel fi oedd yn disgwyl am y digwyddiad dyddiol. Byddwn yn byw o'r llaw i'r genau, yn dal llygoden a'i bwyta hi. Roedd hynny'n golygu bod yn barod i fynd lle bynnag oedd y stori, heblaw bod rhywbeth fel adroddiad o gyngor sir neu lys barn wedi'i drefnu'r noson cynt. Rhan amlaf, byddwn yn dechrau'r dydd gyda llechen lân, ac erbyn diwedd y pnawn byddwn gyda'r criw ym mast Blaenplwyf, Crymych, neu le bynnag, yn anfon y lluniau a'r cyfweliadau, ynghyd â thrac llais, i lawr y lein i'r BBC yn Llandaf o'r cyswllt syml mewn blwch haearn bychan ar fur allanol adeilad y trosglwyddydd. Waeth beth bynnag y tywydd a rhwystrau eraill, doedd dim methu i fod. A hyn ddydd ar ôl dydd. Dyma'r gamp wnaeth fy hen gyfaill a'r cymeriad mawr David Alan, gohebydd Radio Wales yn Sir Benfro, ei alw yn 'the little daily miracle'. Ac fe oedd yn wyrthiol yn aml, wrth i ni yrru ffwl pelt o lefydd fel Llandrindod neu Lanfyllin a chyrraedd Blaenplwyf gyda munudau i sbario.

Pan oedd stori newyddion go fawr, byddai'r fan las SNG (Satellite News Gathering) yn dod o Gaerdydd er mwyn i mi fedru cyflwyno'r eitem fideo yn fyw ar y rhaglen, ac wedyn cael fy nghyfweld gan y cyflwynydd am funud neu ddwy gyda'r manylion diweddaraf. Roedd hyn yn aml yn yr awyr agored, haf neu aeaf, glaw neu hindda. Pan oedd Newyddion am 8.30pm, byddai'r dydd gwaith yn gorffen ar ôl y darllediad byw lle bynnag yr oeddem, boed hynny ar gae uwchben Y Drenewydd, ar y doc yn Aberdaugleddau, neu mewn neuadd bentref yn Llangeitho. Dros gyfnod o chwarter canrif, rwy'n amcangyfrif i mi baratoi tua 7,000 o eitemau teledu, a miloedd yn fwy o eitemau radio.

Mae yn oer, fe ddaw yn eira

Pallodd yr hen Land Rover gychwyn, a dyma fi'n rhegi a rhwygo heb ddeall bod y disel wedi dechrau troi'n jeli am ei bod hi mor oer. Mis Ionawr 1982 oedd hi, pan syrthiodd y tymheredd i - 23C gyda'r eira'n lluwchio i uchder o ugain troedfedd neu fwy yn y bryniau o gwmpas tref Caerfyrddin.

Profiad corfforol poenus oedd gohebu yng nghanol oerfel mawr y gaeaf hwnnw. Doedd gennym ni ddim mo'r dillad mynydda sydd mor gyffredin heddiw. Dim Gortex na *fleeces* na menig thermal. Fy nghot gynhesaf oedd un Gannex o wlân brown, gyda chetyn coler ffwr ar ei gwar. Dyma'r got a wnaed yn enwog gan y Prif Weinidog Harold Wilson. Anrheg gan fy nhad, oedd wedi'i chael hi'n ail-law, oedd hi. Gwisgais ddau bâr o sanau a welingtons, sy'n werth dim mewn tywydd rhewllyd.

Pan gawsom rybudd fod eira mawr ar ddod, cefais orchymyn gan y golygydd, Deryk Williams, i hurio Land Rover i dywys y criw o gwmpas. A dyma fynd lawr y ffordd o'n cartref yng Nghwmduad at Henry Jones, gwerthwr ceir oedd â garej yng Nghynwyl Elfed. Roeddwn yn gyfarwydd iawn â Henry, ac yn mwynhau ambell sgwrs. 'Chi'n gwbod,' meddai wrtha i sawl tro, 'Mae mwy o broffit mewn potel o bop na sydd mewn galwn o betrol!' Yn anffodus, roedd y Gwasanaethau Brys eisoes wedi hurio bron pob cerbyd gyriant pedair olwyn. Ond ym mhen isaf iard y cerbydau ail-law roedd yna Land Rover segur, ac yn ôl ei golwg, bu'n segur ers tro. Gorweddai gorchudd cynfas brown dros gefn y cerbyd glas ac olion llwydni arno. Ar ôl cryn ymdrech llwyddwyd i'w dechrau, gyda Henry'n datgelu mai £30 y dydd fyddai'r ffi, sef dros £100 yn arian heddiw. Bron na fyddai'n rhatach i'w phrynu! Doedd fawr o hwyl arna i pan yrrais y ddwy filltir adref yn y cerbyd cyntefig, drud. Aeth pethau o ddrwg i waeth pan gefais bregeth gan Deryk am dalu cymaint. Ni fu'r berthynas rhyngom yn un gynnes erioed. Dwi ddim yn gwybod pam, yn union. Ni fu Deryk yn ohebydd yn y maes, a theimlwn nad oedd yn deall yr anawsterau. Neu, efallai taw fi oedd yn ifanc ac yn meddwl mod i'n gwybod y cyfan. Tebyg bod ychydig o'r ddau beth yn wir.

Erbyn bore drannoeth, roedd yr eira cyntaf wedi disgyn. Ni allwn wasgu cyflymdra o fwy na 30 milltir yr awr o'r Land Rover ar y ffordd lawr o Gwmduad i Gaerfyrddin, nid oherwydd yr eira ond am mai hynny oedd *top speed* y creadur. Roedd lluwchfeydd yn y dref ei hun, oedd yn olygfa anghyffredin. Ar ôl ffonio'r swyddfa cefais orchymyn i fynd i gyrion Arberth i nôl Tomi a Tony oedd wedi llwyddo i gyrraedd cylchfan Penblewyn yn eu Volvo. Dyna awr arall o daith yn y Land Rover, ei sŵn yn fy myddaru a'm *fillings* bron â syrthio allan oherwydd ei gryndod. Fe wnaeth y ddau achwyn na chefais well cerbyd, tan i mi fygwth eu gadael ar ochr yr hewl yn Hendy-gwyn!

Buom yn ffilmio ar y ffordd, a chael cyfweliadau gyda ffermwyr hwnt ac yma oedd wedi gorfod cludo'u llaeth mewn tanciau bychain i gwrdd â'r lorri laeth ar y ffordd fawr. Heddiw, mae gan ffermwyr a chontractwyr beiriannau anferth fyddai'n clirio'r ffordd mewn dim o dro. Fe orffennwyd ffilmio erbyn canol y pnawn, ond doedd dim modd cludo'r ffilm i Gaerdydd. Roedd yr A48 ar gau, yn ogystal â rhannau o'r hyn oedd yn bodoli bryd hynny o'r M4. Gorchymynnodd Deryk i mi ddod lan i'r brifddinas yn Land Rover hynafol Henry. Esboniais y byddai hynny'n cymryd tua teirawr, hyd yn oed petai'r ffordd ar agor a minnau heb farw o oerfel rhywle rownd Port Talbot. Cytunodd, gan gwyno, y dylwn wneud darn dros y ffôn.

Yn y cyfamser, roedd Rhun, oedd yn naw mis oed, wedi mynd yn sâl. Doedd dim modd i Dr Parry Williams, y meddyg teulu, ddod y deng milltir i Gwmduad drwy'r eira mawr. Cynigodd cymydog caredig, Eifion Jones, fynd ag Ann a Rhun i gartref mam Ann yn Hafod Cwnin, ergyd carreg o ysbyty Glangwili. Yn ogystal â bod yn saer coed, adeiladwr ac ymgymerwr, Eifion oedd y dyn llaeth lleol, ac fe aeth â nhw i Gaerfyrddin yn ei *pick-up* gyda chadwynau ar yr olwynion. Eifion a'i dad-yng-nghyfraith Verdun a adeiladodd Hendre, y byngalo lle'r oeddem yn byw. Roeddent yn gymdogion ardderchog. Trychineb oedd i Eifion golli ei wraig Evelyn i gancr, pan oedd eu meibion Endaf ac Emlyn yn blant ifanc. Pan godwyd byngalo newydd y drws nesaf, daeth Carol a Roger Ayres i fyw yno. Bu Carol gynt yn aelod o Berlau Taf, ac yng Nghwmduad y ganwyd eu mab, Ian. Mae eu merch, Catherine, yn actores adnabyddus iawn bellach. Ond er bod y gymdogaeth yn un gynnes, lle oer ar y naw oedd Cwmduad ei hun, ar waelod rhiw serth ar y briffordd tua hanner ffordd rhwng Castell Newydd Emlyn a Chaerfyrddin. Prin y byddem yn gweld yr haul yn y gaeaf. Yn 1982, roedd thermometer mawr ar fur garej Carl a Gwyneth yn y pentref yn dangos ei bod hi'n -23C.

Ar ôl i Ann a Rhun gyrraedd Hafod Cwnin, fe gerddodd Dr Parry Williams tua milltir drwy'r eira i weld y baban. Bron bod angen doctor ar Tomi, Tony a fi erbyn hynny. Ar ôl oriau yn ffilmio mewn oerfel mawr, roeddem yn grintachlyd dros ben. Fe adewais y bois yng Ngwesty'r Falcon a mynd 'nôl yn y Land Rover at y teulu yn Hafod Cwnin. Roedd hi mor oer yn y tŷ'r noson honno nes i'r dŵr rewi mewn padell olchi llestri yn y gegin fach. A thrannoeth, roedd y Land Rover yn gwrthod cychwyn unwaith eto. Eisteddais yno, fel petai mewn rhewgell, yn damnio, wrth geisio cocsio'r peiriant cyntefig. Erbyn hynny roedd tuag awr wedi mynd heibio, a'r tymheredd wedi codi rhyw ychydig, gan ei bod hi'n fore heulog. Haleliwia! Fe daniodd y peiriant, a bant â ni i ffilmio'r golygfeydd prydferth oedd yn achosi dioddefaint sylweddol i ddyn ac anifail ar ffermydd y fro. Ar ôl cael digon o luniau a chyfweliadau, dyma wynebu'r broblem o gael y ffilm i Gaerdydd. Trwy lwc, rown i'n dipyn o ffrindiau gyda Norman Harries, oedd yn gyrru ffilm i HTV, a chanddo swyddfa yng Nghaerfyrddin lle mae clwb y Quins nawr. Cytunodd Norman yn llawen i roi lifft i mi i Gaerdydd. Er bod ganddo Range Rover newydd, bu'n daith digon anodd. Dim ond un lôn o'r M4 oedd ar agor, a chael a chael oedd hi i gyrraedd Llandaf mewn pryd i brosesu a golygu'r ffilm. Chwarae teg i'r hen Norm, roedd yn gymeriad hoffus, ac i'w weld ar ôl gwaith yn y Golden Lion gyda bois HTV neu yn y Ceffyl Du gyda'r ffermwyr a'r myfyrwyr, cyn marw'n ddyn cymharol ifanc tua 1992.

Cafwyd eira o bryd i'w gilydd ers 1982, ond fyth mor drwm â hynny ac erbyn hyn mae peiriannau mawr i glirio'r ffyrdd a graeanu'n gyson. Pan ddaeth yr oes ddigidol doedd ond angen cyrraedd y *video inject point* yn nhref Caerfyrddin, Preseli neu Flaenplwyf i drosglwyddo'r lluniau i'r BBC yng Nghaerdydd. Erbyn hyn, fe'i hanfonir dros 4G o gar y dyn camera. Chwyldro yn wir.

Y Tanwyr

Daeth yr alwad gyntaf yn 1989 yn fuan ar ôl hanner nos, a minnau newydd fynd i gysgu. Pan atebais y ffôn wrth ochr y gwely rhwng cwsg ac effro, dywedodd llais ar ben draw'r lein, 'This is the Welsh Republican Army.' Tybiais i ddechrau mai ffrind oedd yn ffonio o dafarn leol i chwarae tric arna i, ond buan y sylweddolais fod y dyn oedd yn galw o ddifri. Dywedodd i'r mudiad blannu bomiau tân mewn nifer o swyddfeydd arwerthwyr tai. Ceisiais ofyn cwestiwn yn Gymraeg, ond cefais fy anwybyddu ac ar ôl gorffen ei neges fer, terfynwyd yr alwad. Am ychydig funudau ni wyddwn beth i'w wneud, ond yna fe ffoniais yr heddlu. Roedd hi'n amlwg mod i'n cael fy nefnyddio fel *middle man* i hysbysu'r awdurdodau a'r cyhoedd am yr ymosodiadau, heb fod unrhyw ffordd i olrhain o le ddaeth yr alwad nac adnabod y llais oedd yn galw. Ar ôl rhannu'r manylion yn frysiog â'r heddlu, fe ffoniais y gohebydd ar ddyletswydd dros nos yn y BBC, gwisgo amdanaf a galw Ken Davies a Guto Orwig i ddod ar frys i ffilmio un o'r ymosodiadau ar swyddfeydd yn Hwlffordd.

Yn dilyn hyn, cefais fy nghyfweld gan aelod lleol o'r CID, ac ychydig ddyddiau wedyn daeth Arolygydd o Heddlu Gogledd Cymru i'm holi ymhellach. Yr unig beth allwn ddweud wrtho oedd bod yr alwad yn swnio fel petai'n dod o giosg, yn ôl y clic pan roddwyd y ffôn i lawr. Roedd y person yn swnio'n nerfus iawn hefyd, a thybiais mai rhywun oedd yn cydymdeimlo â'r ymgyrch, yn hytrach na'r bobol fu'n gyfrifol, oedd yn pasio'r neges ymlaen i mi.

Erbyn hynny, roeddwn wedi gohebu ar nifer sylweddol o danau gan Feibion Glyndŵr. Roedd ganddom berthynas agos â'r swyddogion tân, a'r bois wastad yn barod i gael eu cyfweld, diolch yn rhannol i gyfeillgarwch personol Ken â Ronnie King, Prif Swyddog Gwasanaeth Tân Dyfed-Powys. Weithiau, byddai'r tŷ haf yn wenfflam a'r frigâd dân yn pwmpio dŵr yn ofer cyn i'r to syrthio. Fe fyddai lluniau da, a stori arall ar gyfer y radio'n y bore ac i'r teledu'n yr hwyr. Bryd arall, byddai'r frigâd wedi cyrraedd mewn pryd i gyfyngu'r tân i du fewn y tŷ. Fe fyddai'r mwg wedi staenio'r muriau a'r carpedi a'r celfi i gyd yn ddu. Dyna'r sefyllfa mewn ail gartref ger Brynhoffnant, lle'r oedd y tŷ i weld yn o lew o'r tu allan. Cyrhaeddodd y perchennog yn ystod y bore, dyn oedd yn debyg i uwch-swyddog yn y fyddin a dywedodd wrth Ken, Guto a fi, 'Oh. It doesn't look too bad.' Aeth i mewn i'r bwthyn, a phan ddaeth allan pum munud wedyn, poerodd un gair, 'Bastards!'

Ymosodiad arall sy'n aros yn y cof yw'r un ar dŷ sylweddol ei faint ar gyrion coedwig Llethrmawr ger Mynachlog Ddu. Roedd ei hanner wedi llosgi'n ulw, a diffoddwyr tân wrthi'n ceisio arbed yr hyn oedd yn weddill. Trwy ffenest y rhan nad oedd wedi'i difrodi, fe welsom ddyfais cynnau tân y tu ôl i'r gwydr – condom wedi ei lanw â hylif yn gorwedd ar wely cemegol ar blât bach. Hyd y gwn i, dyma'r unig dro erioed i ddyfais o'r fath gael ei ffilmio yn ystod yr ymgyrch losgi. Tad a mab oedd yn byw gerllaw wnaeth alw'r Frigâd Dân, ac fe wnes i gyfweld y ddau gydag arwydd y tu ôl iddyn nhw'n darllen: 'Forestry. Caution – do not start fires.' Fe aeth y mab i hwyl wrth ddisgrifio sut gychwynnodd y tân, 'Condom o'dd e, yntife, Dad?' Atebodd hwnnw, 'Paid â siarad am condoms. Bydd dy fam yn gweld hwn!' Roedd hyn, cofiwch, 'nôl yn y dyddiau cyn Aids pan oedd y fath air yn dabŵ.

Roedd map gen i ar y wal adref, a phin i nodi lleoliad pob stori, gyda phinnau gwahanol liw ar gyfer tanau tai haf. Wrth i'r ymgyrch a'r blynyddoedd basio, roedd hi'n amlwg bod patrwm yn y gorllewin. Roedd clwstwr o binnau mewn tair ardal – o Langadog i lawr at Frechfa, o Fynachlog Ddu lan at Langrannog, ac o Dregaron lan hyd at gyrion Machynlleth. Roedd hynny'n awgrymu bod o leiaf tair cell ar waith, pobl leol mwy na thebyg, wedi eu hyfforddi yn ganolog o bosib. Nid oedd yr heddlu wedi dwyn neb i gyfrif am y tanau, ac fe allai person lleol ymddangos fel petai'n yn gyrru'n ôl o'r dafarn gyda'r hwyr heb gael ei amau.

Breuddwyd pob gohebydd oedd canfod pwy oedd Meibion Glyndŵr. Un noson, cefais alwad ffôn gan fy nghyfaill a'm cyd-weithiwr, Hefin Edwards, yn wreiddiol o Lanuwchllyn, a fu'n gohebu i Radio Cymru o Gaerfyrddin am flynyddoedd. Gofynnodd am gyfarfod â fi yn y Plume of Feathers, tafarn fechan ynghlwm â'r Guildhall yng Nghaerfyrddin. Yno, dros beint yn y Lolfa, gyda neb yn gwrando, dywedodd iddo gael awgrym am enw un o Feibion – neu'n hytrach un o Ferched – Glyndŵr. Ond roedd hefyd wedi cael ei rybuddio 'bod y rhain yn bobl ffyrnig' ac i beidio â mynd â'r peth ymhellach. Dwi ddim yn gwybod a oedd rhywun yn tynnu ei goes. Yn sicr, doedd e ddim am fynd at yr heddlu, ond roedd am rannu ei brofiad gyda rhywun. Ni chefais yr enw, a bu Hefin druan farw yn 39 oed, ddim yn hir ar ôl gadael y BBC i weithio fel Swyddog y Wasg i Gyngor Sir Gâr. Yn berson tenau a heini iawn, byddai'n aml yn tynnu fy nghoes am beidio â bod yn fwy ffit. Sioc iddo yntau a phawb arall oedd clywed ei fod yn dioddef o nam ar y galon, ac ar ôl llawdriniaeth ac ymddangos fel petai'n gwella, syrthiodd yn farw wrth fynd i weld gêm griced yn Abertawe.

Ym 1990 cefais alwad hwyrol arall gan y Welsh Republican Army i ddweud i ddyfeisiau cynnau tân gael eu gosod yn swyddfeydd y Blaid Geidwadol mewn trefi ar hyd y Gororau. Unwaith eto, galwad fer ydoedd gan ddyn yn siarad yn Saesneg ag acen gogledd Cymru. Cefais fy nghyfweld am yr alwad ar gyfer Newyddion BBC 1, a'r Ysgrifennydd Gwladol, Kenneth Baker, yn rhan o'r un eitem.

Tua deuddydd wedyn, cefais alwad ffôn rhyfedd gan ddyn oedd yn dweud ei fod yn awyddus i siarad â mi am yr 'arson attacks'. Doedd e ddim am ddweud ei enw, ond roedd hi'n amlwg yn ôl ei acen taw Sais ydoedd. Ar ôl fy ngweld ar newyddion y BBC byddai'n hoffi cwrdd â mi i rannu gwybodaeth. A fyddai'n bosib i mi fynd i Abertawe? Heb wybod pwy oedd y dyn, na beth oedd ei fwriad, gwyddwn y byddai'n rhaid cwrdd mewn lle cyhoeddus ac fe awgrymais y Cricketer's Arms, tafarn boblogaidd i newyddiadurwyr oedd yn gohebu ar achosion Llys y Goron gerllaw. Cytunodd yntau i gwrdd yno drannoeth am dri o'r gloch.

Ffoniais Gwilym Owen i ddweud wrtho am yr alwad a'r trefniant. 'Rhaid i chi fynd at yr heddlu,' meddai, 'mae'n rhy beryglus i chi fynd yno heb gysylltu â nhw.' Fe ffoniais Dai Davies, Swyddog y Wasg gyda Heddlu Dyfed Powys, a pherson rown i'n delio ag e bron yn ddyddiol. O fewn munud neu ddwy, cefais alwad yn ôl gan Alan Pugh, y Prif Gwnstabl Cynorthwyol, a chyn-gymydog i deulu Ann. Trefnwyd mod i'n cwrdd â'r Uwch-arolygydd Deryk Davies ym maes parcio Leeks yn Cross Hands. Rown ni'n gyfarwydd iawn â Deryk, gan i mi ei holi droeon yn dilyn amryw droseddau. 'Dere i ni gael cerdded rownd y *car park* am funed i'r bois gael dy nabod di,' meddai. 'Y bois' oedd aelodau'r CID mewn dau gar cyffredin, un coch ac un llwyd, yn y maes parcio prysur.

Wrth i mi yrru lawr yr M4 tuag at Abertawe, sylwais fod y ddau gar yn dilyn tua hanner canllath y tu ôl i mi, gydag un yn pasio'r llall o bryd i'w gilydd ac yn amrywio'r pellter. Roedd hi'n amlwg eu bod nhw'n cymryd hyn o ddifri. Yn ôl y cyfarwyddyd, fe arhosais yn y car am tua chwarter awr ar ôl cael lle i barcio mewn stryd gerllaw'r Cricketer's ac yna es i mewn i'r dafarn heb syniad beth i'w ddisgwyl. A hithau'n ganol y pnawn, roedd y lle'n dawel. Eisteddai dyn barfog gyda'i beint wrth y bar yn darllen papur, gydag *attache case* yn ei gôl, ac yn y cornel pellaf dyn ifanc a dybiais ei fod yn fyfyriwr yn darllen llyfr. Mewn cornel arall, eisteddai dyn tua 60 oed â diod ar y bwrdd o'i flaen. Edrychodd hwnnw arna i, ac amneidio iddo fy adnabod. Ar ôl prynu hanner peint o Guinness, es i eistedd wrth ei ochr. Y peth cyntaf wnaeth e oedd dangos hen lun du a gwyn i mi ohono fe ac un o'r brodyr Kray, y *gangsters* ffyrnig a fu'n rheoli strydoedd dwyrain Llundain am flynyddoedd. Doeddwn i ddim am ddangos fy mod yn *impressed*. 'That's you,' meddais i 'who's the other one?' 'That's Ronnie Kray!' atebodd yn swrth, gan synnu mod i mor dwp siŵr o fod. Trodd y sgwrs at Feibion Glyndŵr a'r ymgyrch losgi. Ond yn fuan fe ddaeth hi'n amlwg mai ceisio cael gwybodaeth gen i oedd ei nod. Yn naturiol, ni allwn ddweud mwy na'r hyn oedd yn gyhoeddus, ond fe ddaeth hi'n amlwg hefyd nad oedd e'n gwybod hanner hynny hyd yn oed. Teimlwn yn ddig i'r dyn hwn fy nhwyllo i ddod i Abertawe am ei fod, mwy na thebyg, yn gobeithio cael gwybodaeth i'w roi i'r heddlu a allai arwain at ddal y llosgwyr a hynny er mwyn iddo allu hawlio'r wobr o £85,000.

Ar ôl ffarwelio, gyrrais 'nôl yn syth i bencadlys yr heddlu yng Nghaerfyrddin i gwrdd ag Alan Pugh. Datgelodd mai plismyn oedd y 'myfyriwr' a'r dyn wrth y bar, a bod recordydd tâp yn yr *attache case* gyda meicroffon hir wedi ei anelu atom ni'n dau i recordio pob gair. Dywedodd hefyd fod y dyn y bues i'n siarad â fe yn berson hynod beryglus oedd wedi bod mewn carchar droeon ac oedd allan ar fechnïaeth yn disgwyl mynd o flaen llys ar gyhuddiad o *blackmail*. 'Bydd gennych chi stori dda i'w dweud rhyw ddydd,' meddai Gwilym Owen wrtha i, a nawr rwy wedi ei hadrodd. Yr unig drueni oedd na fedrwn ei ddarlledu ar y pryd!

Ffermwyr Ffyrnig Ffrainc 1

Pan mae'n dod i drefnu protest, does neb fel y Ffrancod – yn enwedig y ffermwyr. Un bore braf o hydref cynnar yn 1991 bu Guto Orwig a mi yn ffilmio protest anferth trwy ganol Paris gan 200,000 o ffermwyr. Edrychai'r ddinas ar ei gorau, y dail yn dechrau troi lliw ac amaethwyr y gwahanol ranbarthau yn eu gwisgoedd traddodiadol, gan gynnwys miloedd o Lydäwyr o dan eu baneri du a gwyn a ffermwyr o lethrau gorllewinol yr Alpau yn eu *lederhosen* a'u clychau. Yno i ddangos cefnogaeth oedd y cyn Arlywydd Valéry Giscard d'Estaing, Jean-Marie Le

Pen o'r National Front, a'r cyn-brif weinidog Jacques Chirac. Roedd Chirac yn eilyn i'r dorf, ac wrth ei weld yn dod tuag atom penderfynwyd gwneud darn i gamera cyflym. Pwysais fy llaw chwith yn gadarn ar ysgwydd Guto i'w helpu rhag cael ei wthio drosodd wrth i Chirac a'r haid o'r wasg oedd yn dynn o'i gwmpas ymwthio heibio bob ochr i ni. Mewn sefyllfa fel'na, doedd dim cyfle am *take two*!

Ymestynnai cannoedd o faniau'r CRS, heddlu terfysg Ffrainc, i lawr y strydoedd cefn. Gyda deng mil o blismyn ychwanegol ar ddyletswydd, roedd hi'n amlwg eu bod nhw'n barod am drwbl. Gadawodd yr orymdaith swnllyd y Place de la Nation mewn hwyliau da. Ond wrth gyrraedd y Place de la Bastille, rhedodd ffermwyr penboeth Provence at y bariwns, a godwyd ar hyd ymyl y sgwâr anferth, i herio'r heddlu y tu ôl i'r rhwystrau. O fewn dim, roedd cymylau o nwy dagrau yn drifftio ar draws y Place de la Bastille. Cawsom dacsi i fynd â ni i stiwdio'r BBC yn un o strydoedd y Champs-Élysées. Esboniais i'r ferch oedd yn gyfrifol am anfon y VT mai Gwyndaf Owen oedd enw'r cynhyrchydd oedd wedi bwcio'r lein i Gaerdydd. Gofynnodd hi, 'This Gwyndaf, is it a man or a woman?' Yn naturiol, cawsom dipyn o hwyl am hynny. Bu'r cyfan yn brofiad, ond nid mor gyffrous â'n stori amaethyddol o Ffrainc y flwyddyn ganlynol.

Ffermwyr Ffyrnig Ffrainc 2

Daeth fan las dywyll yn gyflym drwy'r tywyllwch at y fan lle'r oedd Guto Orwig, Huw Davies a fi yn eistedd yn VW Jetta GT du Guto. Arhosodd o'n blaen, a neidiodd dau blisman allan. Anelodd un olau fflach lamp tuag atom ac fe ryddhaodd y llall ei wn o'i *holster*. 'O, mam fach' ebychodd Guto Orwig o sedd y gyrrwr wrth f'ochr. 'Gall dy fam ddim helpu ni nawr,' atebais, 'mas â ni gan bwyll bach o'r car.' Chwech o'r gloch y bore oedd hi, a'r dydd heb wawrio tu fas i'r lladd-dy ar gyrion Poitiers yn ne-orllewin Ffrainc. Roeddem yno i ohebu ar ymgyrch ffermwyr Ffrainc yn erbyn mewnforion cig oen o wledydd eraill y gymuned Ewropeaidd, ymgyrch a welodd losgi lorïau oedd yn cludo cig ac oen byw o Gymru. Roedd rheswm da gan y plismyn i fod yn nerfus, am fod nifer o ffermwyr arfog gyda gynnau dwbwl-baril a bariau haearn wedi herwgipio a llosgi lorri gig o Gymru yn yr union fan wythnos ynghynt. Yn dilyn hynny, fe gwynodd llywodraeth Prydain nad oedd plismyn Ffrainc wedi arestio neb. Bu'n rhaid i ni esbonio wrth y plismyn mewn Ffrangeg bratiog mai criw BBC oeddem, ac fe arhosodd un yno tra bod y llall yn mynd â'n pasborts i'w fan i wneud galwad dros y radio.

Poitiers oedd pen draw taith oedd wedi dechrau yn Calais yn Hydref 1992, o'r lle y buom yn dilyn dwy lorri gig a yrrwyd gan ddau Gymro Cymraeg o Gaernarfon a Llanfair Caereinion. Fc barciwyd y lorïau drwy'r dydd yn Rungis, y farchnad fwyd fwyaf yn y byd ar gyrion Paris sydd fel ffair ddydd a nos. Pan mae criw yn byw ar yr hewl, rhaid llyncu bwyd pryd a lle bynnag mae ar gael. A hithau'n tynnu at hanner nos, aethom i le *pizza* anferth, lle'r oedd popeth yn cael ei baratoi o flaen eich llygaid, a'r *pizza*'n cael ei roi i mewn i'r ffwrn glai ar raw bren hir. Teg dweud taw dyna'r *pizza* gorau i mi ei fwyta erioed. Yn anffodus, roedd hefyd yn hallt iawn, ac o fewn awr roedd y tri ohonom yn eistedd yn y car yn sychedig dros ben. Mae wastad annibendod mawr yng nghar dyn camera, a buom yn trwmblo'n ofer yn chwilio am botel ddŵr. Y cyfan a ganfuwyd oedd potel o wisgi Cutty Sark *duty free* – nid y gorau i dorri syched! Trwy lwc, roedd gan y Cofi oergell yn ei lorri (yn ogystal â matras a'i 'fodan'), ac fe gawsom dri can o Coke ganddo.

Ar ôl gadael Rungis yn yr oriau mân fe yrrwyd ar gyflymdra i lawr y dollffordd dawel i Poitiers. Methodd y lorïau â chael mynediad i'r lladd-dy, gan nad oedd y staff yn barod i agor am awr arall. Oherwydd yr hyn ddigwyddodd i'r lorri gig o Gymru'r wythnos flaenorol, dywedodd Dewi, y gyrrwr o Lanfair, ei fod am fynd i guddio'i gerbyd mewn ystad ddiwydiannol gyfagos tan fod y lle'n agor. Yn fuan wedyn cyrhaeddodd yr heddlu, a arhosodd yno tan fod y lorïau'n cael mynediad i'r lladd-dy.

75

Fe wnaethom fynd i westy Campanile rhad cyfagos er mwyn cael awr neu ddwy o gwsg cyn gyrru 'nôl i Baris. Ar y daith gyflym o Rungis, roeddem wedi trwco gyrwyr i bawb gael awr o gwsg yn sedd gefn y Jetta yn ein tro. Yn anffodus, wrth aros ar y llain galed i gyfnewid gyrwyr, fe neidiodd Huw allan o'r cefn yn hanner effro a dal ei droed chwith o dan olwyn ôl y car, oedd heb stopio'n iawn. Cafodd sgathrad gas i'w droed, ac ar ôl cyrraedd y gwesty cytunwyd y byddai'n syniad da arllwys ychydig o wisgi dros y clwyf i'w lanhau cyn rhoi bandej o'r blwch cymorth cyntaf bychan amdano. Gwyddem y byddai'n llosgi'n arw, ac fe wnaeth Guto eistedd ar ben Huw ar y gwely tra rown i'n arllwys y ddiod dros ei droed. Naw o'r gloch y bore oedd hi, ac wrth i Huw sgrechian mewn poen, fe ddaeth un o'r glanhawyr i mewn yn cludo llwyth o ddillad gwely glân. Edrychodd y ferch ifanc mewn sioc ar y tri dyn ar y gwely, cyn datgan, 'Ooh la la, monsieurs' a gadael ar frys. Doedd dim pwynt mynd ar ei hôl i esbonio!

Ar ôl rhai oriau o gwsg, fe deithiwyd ychydig yn fwy hamddenol yn ôl trwy ganol Ffrainc i Baris a chanfod gwesty ar gyfer y noson honno. Drannoeth, roeddem mewn cynhadledd newyddion a drefnwyd ar y cyd rhwng yr NFU ac undebau amaethyddol Ffrainc, gyda sawl criw camera arall a nifer o'r wasg yn bresennol. Geraint Davies o Drewyddel, Sir Benfro oedd llefarydd yr NFU, a rhaid taw dyna'r tro cyntaf i rywun ofyn cwestiwn yn Gymraeg mewn cynhadledd newyddion ym Mharis, a chael ateb yn Gymraeg!

Creu'r Farchnad Sengl ysgogodd brotestiadau ffermwyr Ffrainc bryd hynny. Y drefn honno agorodd y drws i ffermwyr defaid Cymru allforio miliynau o ŵyn i Ffrainc bob blwyddyn. Mae'n anodd deall pam fod cymaint o ffermwyr wedi pleidleisio dros Brexit, ac i adael y drefn fasnachu rydd a fu'n gynhaliaeth iddynt am dros chwarter canrif. Rhaid bod rhywun wedi llwyddo i dynnu'r gwlân dros eu llygaid, i drosi'r ymadrodd Saesneg!

Galwad Sydyn 1

Fel gohebydd roeddwn ar alwad 24/7 a byddai galwadau'n dod ar amserau hollol annisgwyl, fel yr un am dri o'r gloch ar fore Nadolig 1988. Ken Davies oedd ar y ffôn, 'Ma tân yn Llanelli a chwpwl o bobol wedi marw,' meddai, 'wyt ti am ddod draw gyda fi, boi?' Roedd Guto Orwig, ci ddyn sain, wedi mynd adref i'r gogledd dros yr ŵyl a byddai angen i fi gario'r peiriant tâp trwm a'r meicroffon blewog, yn ogystal â pharatoi adroddiad am y trychineb.

Roedd Rhun a Mared wedi mynd i'r gwely'n gynhyrfus iawn, wrth ddisgwyl Siôn Corn, felly sleifiais yn dawel o'n cartref yn Heol-y-delyn a cherdded i ben draw'r stryd i gwrdd â Ken, oedd yno o fewn munudau. Ofnaf fod y Quattro gwyn wedi deffro ambell i blentyn wrth i ni ruo trwy Pontiets a Phumyp Heol heb dalu fawr o sylw i'r arwyddion 30 milltir yr awr.

Roedd y tân mewn tŷ ar stryd yn Llanelli. Roedd peiriannau'r frigâd dân y tu fas a'r pibellau melyn yn ymestyn i mewn trwy ddrws y ffrynt. Roedd y prif swyddog wastad yn hawdd i'w ffeindio yn ei helmed wen. Wrth roi'r hawl i fynd mewn i ffilmio, esboniodd eu bod wedi canfod gŵr a gwraig wedi marw lan llofft. O'r tu allan, doedd fawr ddim i'w weld o'i le ar y tŷ, ar wahân i un neu ddwy ffenest wedi chwalu. Ond tu mewn roedd y cyfan yn ddu. Roedd y ddau a fu farw wedi dod adref ar ôl bod yn dathlu, wedi rhoi sosban tships ar y tân, ond wedi'i hanghofio a mynd i'r gwely. Ymhen amser, fe ffrwydrodd yr olew a rhoi'r lle ar dân.

Roedden nhw hefyd wedi rhoi'r twrci yn y ffwrn yn barod i'w goginio ar gyfer cinio Nadolig. Mae'n amlwg bod y dynion tân, wrth ruthro mewn i'r gegin fach, wedi taro yn erbyn y ffwrn a'r twrci wedi syrthio allan. Rwy'n cofio syllu ar y twrci ar lawr, yr unig beth gwyn y tu mewn i dŷ oedd wedi troi'n ddu.

Ni fuom yno'n hir, a llithrais yn ôl yn dawel i'r gwely cyn chwech o'r gloch. O fewn dim roedd y plant wedi codi ac yn llawenhau wrth rwygo'r papur lapio lliwgar oddi ar eu teganau.

Ond roedd darlun y twrci yn fy meddwl blinedig i o hyd, a thynged y ddau o Lanelli aeth i'w gwely ar ôl dathlu Nadolig na fyddent yn byw i'w weld.

Galwad Sydyn 2

Saif tafarn y Stag & Pheasant ym Mhont-ar-sais ar brif hewl yr A485 o Gaerfyrddin i Lambed. Bu'n un o dafarnau enwocaf Cymru 'nôl yn y dyddiau gwyllt, pan oedd Madge a'i merched yn cadw'r lle. Fe welwyd Cayo Evans a chriw'r FWA mewn lifrai gwyrdd yma'n aml, yn torri syched ar ôl diwrnod caled ar *manoeuvers*, a phrin bod yr un o sêr pop Cymru heb fod yma yn canu neu'n aros ar y ffordd rhwng y de a'r gogledd. Dyma fy nhafarn leol i hefyd, yn mentro ambell hanner peint o *mild* o dan oed. Ugain mlynedd yn ddiweddarach, y Stag oedd fy *local* unwaith eto yn 1993 pan wnaethom symud fel teulu i fyw yn Rhydargaeau. Roedd ein byngalo yn edrych allan dros weundir a bryniau pert ac yn nefoedd yn yr haf, ond yn y gaeaf yn lle braidd yn llaith a diflas. Ar ôl tair blynedd, aethom 'nôl i'r dref i fyw.

Ar bnawn Sul braf yng Ngorffennaf 1994, roedd Ieuan, brawd Ann, a'i deulu wedi dod lawr o Wolverhampton, ac fe aethom i'r Stag am ginio. Rown yn eistedd ar bwys y ffenest, a newydd orffen cinio, pan glywais sŵn clychau injan dân yn nesáu. Wrth i'r peiriant fynd heibio ar ras, gwelwn mai un o Lambed ydoedd. Dyna phryd dechreuodd y clychau ganu yn fy meddwl innau hefyd. Rhaid bod rhywbeth mawr wedi digwydd cyn bod injan dân Llambed yn bwrw am Gaerfyrddin, bum milltir i lawr y ffordd. Esgusodais fy hun, a mynd ar y ffôn i'r BBC. Roedd adroddiadau'n dod i law am ffrwydrad mawr ym mhurfa olew Texaco ar lannau aber afonydd Cleddau. A allwn i fynd yno'n syth?

O fewn yr awr roeddwn i'n cwrdd â Dave Owen a'i gamera ar gyrion tref Penfro, gan anelu at y burfa ar lannau deheuol yr aber ger pentref Rhoscrowther. Cawsom ein hatal gan yr heddlu tua dwy filltir oddi yno. Doedd neb i fynd o fewn golwg i'r burfa, am fod perygl y gallai ffrwydrad arall ddigwydd. Roedd gen i rif adref i Eifion Pritchard, y Prif Gwnstabl Cynorthwyol, ac fe ffoniais ef yn syth. Cytunodd y gallem fynd i ffilmio'r burfa'n llosgi, ond i ni ddeall taw'r BBC fyddai'n gyfrifol petai rhywbeth yn digwydd. Cawsom orchymyn gan yr heddlu i agor ffenestri'r car, er mwyn lleihau'r siawns o gael ein niweidio gan wydr yn chwalu petai ffrwydrad arall.

Golygfa frawychus oedd gweld y rhan ganolog o burfa olew Texaco, un o'r mwyaf yn Ewrop, yn llosgi, gyda mwg a fflamau'n codi gan troedfedd i'r awyr. Bu 130 o ymladdwyr tân dewr yn ceisio rheoli'r fflamau ar y cychwyn, ond oherwydd y perygl o ffrwydrad arall, fe'u gorchymynnwyd i symud 'nôl a gadael y tân i losgi allan. Fe gymrodd hi ddeuddydd i hynny ddigwydd. Fe siarsiais Dave i beidio â mynd yn nes nag oedd angen, ac fe aethom o fewn tua thri llath i'r tân. Tra ei fod yn ffilmio cefais alwad i ddweud bod y ffrwydrad wedi achosi difrod yn nhref Aberdaugleddau, dwy filltir dda ar draws yr aber o'r burfa. Ar ôl gorffen ffilmio aethom yn ôl ar draws Bont Cleddau i'r dref honno. Prin y gallwn gredu'r olygfa. Roedd ergyd y ffrwydrad wedi chwalu ffenestri siopau mawr fel Woolworth yn y brif stryd, ac roedd gwydr ar lawr ymhobman. Mae'n debyg i bobol oedd yn byw 40 milltir i ffwrdd glywed y glec.

Ar ôl ffilmio'r cyfan, cyfweld prif swyddog criw tân Crymych, llunio sgript a recordio trac llais, cefais wybod bod fan SNG (Satellite News Gathering) ar y ffordd o Gaerdydd. Byddai modd i ni ddefnyddio'r lloeren i anfon y deunydd fideo i'r BBC i'w olygu, ac aros yno i wneud darn byw i Newyddion am saith o'r gloch. Arhosodd y fan ym maes parcio'r burfa, ond ar lefel is, y tu ôl i *bund* a fyddai'n ei chysgodi petai ffrwydriad arall – er, o weld y difrod dwy filltir bant yn Aberdaugleddau, doedd hynny'n fawr o gysur.

Trefnwyd i ffilmio cyfweliad byw rhyngof i a chyflwynydd y rhaglen o fewn golwg i'r burfa, oedd yn dal i losgi'n ffyrnig. Fe osododd Dave y camera yn barod ar y treipod, cyn dod 'nôl i gysgod y *bund* tan i ni glywed *sig tune* y rhaglen. Hon, wrth gwrs, oedd y brif stori ac fe ddringodd y ddau ohonom i'r tir agored i wneud y cyfweliad dramatig gyda'r fflamau'n dal i godi o'r burfa y tu ôl i mi. Yn syth ar ôl clywed y geiriau, 'Alun Lenny, diolch yn fawr i chi,' fe gydion ni yn yr offer a rhuthro'n ôl i ddiogelwch cymharol. O fewn munudau, roeddem yn gyrru o leoliad y stori ddaeth i'm sylw dros ginio dydd Sul yn y Stag.

Roeddem 'nôl yno drannoeth. Rhan amlaf, byddem yn crafu i gael siaradwr Cymraeg yn y fath sefyllfa, ond y tro hwn roedd Simon Moffett, rheolwr cynhyrchu'r burfa ar gael. Mae Simon yn berson galluog a gwylaidd iawn sydd wedi dysgu Cymraeg yn rhugl, ac mewn blynyddoedd mwy diweddar, fe ddaeth ef a'i deulu yn ffrindiau teuluol da i ni. Er i 26 o bobol gael eu hanafu yn y ffrwydriad, chafodd neb ei ladd. Rhan amlaf, byddai'r ffreutur a chwalwyd gan y ffrwydriad yn llawn o weithwyr yn cael cinio'r adeg yna o'r dydd, ond roedd hi'n wyrth mai dydd Sul ydoedd, a neb yno.

Galwad Sydyn 3

Yng nghlwb y Jiwbili yng Nghaerfyrddin yr oeddwn un amser cinio ar *day off* yn 1992. Roedd hi'n ddiwrnod poeth o haf, a minnau ar fin cymryd y llwnc cyntaf o'm hail beint o lager oer pan ddaeth galwad gan y BBC. Dridiau ynghynt roedd tri dyn ifanc wedi mynd ar goll mewn cwch bach o bentref glan môr Pentywyn, ac er chwilio mawr, ofnwyd eu bod nhw wedi boddi. Ond, yn wyrthiol, roedd y cwch, gyda dau o'r bechgyn yn dal yn fyw, wedi dod i'r lan ar Ynys y Gwair (Lundy) ymhell i'r de ar draws aber Afon Hafren, tua deuddeg milltir oddi ar arfordir Dyfnaint. Er nad oeddwn i fod yn gweithio'r diwrnod hwnnw, a allwn i fynd yn syth i Gaerdydd i fynd ar hofrenydd i'r ynys bellennig. Rhoddais y peint lawr bron heb ei gyffwrdd, a bwrw am yr M4.

Bu'n rhaid hurio hofrenydd o dde-orllewin Lloegr, gan fod angen hofrenydd â dau beiriant i hedfan dros fôr. Byddai'n costio £1,200 ond roedd BBC Llundain yn barod i dalu hanner y gost, ond iddynt gael y lluniau 'nôl erbyn 5.30 y pnawn hwnnw.

Doedd y peilot ddim yn gwybod lle'r oedd y BBC yn Llandaf, ac fe gafodd gyfarwyddyd i ddilyn yr afon tan ei fod yn gweld adeilad mawr gyda choed o'i gwmpas. Roedd H gwyn mawr ar y llawr tu ôl i glwb y BBC yn dynodi'r lle i lanio. Wrth iddo lanio, fe redais i, Guto Orwig a'i gamera, a Jonathan Hawker, gohebydd *Wales Today*, tuag ato a neidio i mewn yn syth. O fewn dwy funud roeddem yn yr awyr ac yn anelu at Ynys y Gwair tua 70 milltir i ffwrdd.

Roedd tu mewn yr hofrenydd yn debyg i gar, ond ei fod yn swnllyd iawn, gyda ni'n tri yn eistedd yn y seddau cefn y tu ôl i'r criw o ddau. Trwy'r meicroffon am fy ngwddf fe waeddais ar y peilot i roi ei droed lawr, a chwarae teg fe wnaeth ymateb trwy ostwng trwyn yr hofrenydd, agor y throtl a mynd â ni ar gyflymdra o 120 milltir yr awr tuag at yr ynys.

Trwy lwc, roedd e'n gyfarwydd iawn ag Ynys y Gwair gan iddo fod yno'n gweithio ar *Treasure Hunt*, y rhaglen hynod boblogaidd oedd yn enwog am y camera'n dilyn Anneka Rice yn ei *jumpsuit* tynn wrth iddi ddatrys cliwiau wrth fynd o un lleoliad i'r llall mewn hofrenydd.

Tair milltir o hyd yw'r ynys, ac roedd y cwch wedi dod i'r lan gerllaw'r goleudy yn y pen gorllewinol. Wrth reswm, roedd y ddau fachgen mewn ysbyty erbyn hyn yn dioddef o losg haul a phrinder dŵr, ond roedd ceidwad y goleudy yn barod i gael ei gyfweld.

Glaniodd yr hofrenydd ar dir gwastad tua dau ganllath i ffwrdd o'r goleudy islaw, gan gadw'r peiriant i redeg. O fewn llai na hanner awr roeddem wedi cael cyfweliad, wedi gwneud darn i gamera, ac wedi hedfan dwywaith o gwmpas yr ardal i gael lluniau, cyn bwrw 'nôl fflat owt i Gaerdydd.

Bues i'n cydweithio â Jonathan Hawker am gyfnod pan oedd e'n ohebydd *Wales Today* yn y Canolbarth, a gwyddwn ei fod yn dioddef o'r fogfa. Hanner ffordd 'nôl i Gaerdydd dros Aber Afon Hafren fe ddechreuodd deimlo'n fyr ei anadl, gan gofio'n sydyn bod ei bwmp asma ym mhoced ei got yn y Stafell Newyddion. Diolch i'r drefn, fe basiodd y pwl, a chyn bo hir roeddem ni o fewn golwg i Gaerdydd. Oherwydd y coed uchel o

81

gwmpas y BBC, dywedodd y peilot y byddai'n rhaid iddo fwrw'r *air brakes* a glanio at i lawr fel carreg. Gan weiddi diolch iddo wrth neidio allan, edrychais ar fy oriawr a gweld ein bod wedi curo *deadline* BBC Llundain o ddeng munud. Mae adrenalin yn gyffur pwerus ac mae'n hawdd i ddyn fynd yn gaeth iddo.

Golchwyd corff y trydydd llanc i'r lan rhai dyddiau'n ddiweddarach. Roedd wedi boddi wrth geisio nofio'n ôl pan fethodd peiriant y cwch bach. Y cyfan oedd yn bod ar y peiriant oedd bod cap y tanc petrol yn rhy dynn. Mae'n frawychus i rywbeth mor syml gostio bywyd dyn ifanc.

Gwerth y Gymraeg 1

Dyna'r cinio dydd Sul rhyfeddaf i mi ei gael erioed: *baguette*, caws a gwin coch ar fwrdd picnic bren ar lôn gyflym yr A1 rhwng Paris a Lille yn haul Gorffennaf 1992. Na, doedd dim perygl, gan fod blocâd o 150 o lorïau ar y darn yna o'r draffordd, rhai milltiroedd i'r de o Lille, a neb wedi gyrru ar y ffordd ers dyddiau. Roedd gyrwyr lorri Ffrainc ar streic ac wedi defnyddio'u cerbydau i gau'r traffyrdd mewn tua 200 o leoliadau. Y dagfa ar yr A1 oedd un o'r mwyaf, a hynny ar un o ffyrdd pwysicaf Ffrainc, a dyna pam roedd Guto Orwig a fi yno'r Sul hwnnw.

Gan fod y lorïau fel corcyn anferth yn blocio'r draffordd, bu'n rhaid i ni fynd ar hyd yr hewlydd cefn, ac yna ar draws hewl ffarm trwy ddau gae i gyrraedd y Gwasanaethau lle'r oedd y gyrwyr wedi ymgynnull. Ar y ffordd, fe wnaethom gwrdd â Matthew Amroliwala a chriw'r BBC o Lundain. Dywedodd iddynt gael amser caled gan y gyrwyr oedd yn ddig o weld criw camera o Loegr yn cyrraedd, a'u bod wedi cipio eu camera am gyfnod, cyn ei roi yn ôl. Ac i ganol yr haid anghroesawgar yma yr oedd Guto a minnau nawr yn mynd. Y flaenoriaeth amlwg i ni fyddai esbonio nad Saeson oeddem!

Roedd y gyrwyr yn sefyll ac yn eistedd o gwmpas yn yr haul, yn smygu ac yn sgwrsio. Fe wnaethom bwynt o siarad â'n gilydd yn uchel yn Gymraeg wrth ddynesu tuag atynt. Ar ôl cyfarch cwpwl ohonynt yn Ffrangeg, fe esboniais mai Cymry oeddem, nad oeddem yn siarad llawer o Ffrangeg – 'Je parle un peu Français' – ond ein bod yn siarad rhywfaint o Saesneg. Cawsom groeso, a chyfweliad parod ar gamera gan yrrwr a esboniodd yn bwyllog mai bwriad y llywodraeth i gyflwyno system o roi pwyntiau ar drwyddedau am droseddau gyrru oedd testun y brotest. Wnaeth e hyd yn oed siarad â ni yn araf, yn ei Saesneg prin, gan gredu mai bach iawn o'r iaith honno oedd gennym ninnau hefyd!

Wrth i Guto ffilmio'r rhesi hir o lorïau llonydd, fe ddaeth gyrrwr mawr boliog atom a'n gwahodd am damaid o fwyd. A dyna sut y gwnaethom fwynhau'r cinio dydd Sul mwyaf hynod erioed. Ar ôl llyncu'r lluniaeth a diolch i'r gyrrwr caredig, es i giosg yn y Gwasanaethau i wneud cyfweliad byw gyda Gareth Bowen i Radio Wales. Bu ei fab, Jeremy, mewn llefydd anghymharol o beryglus na fues i erioed, ond fe gafodd ei dad dipyn o fraw o glywed yr helynt swnllyd yn y cefndir yn ystod y cyfweliad. Cyrhaeddodd gyrrwr ar gefn beic modur gan ganu ei gorn a gweiddi bod yr heddlu terfysg ar y fford. Gwyddwn fod rhai cannoedd ohonynt i fyny'r draffordd yn disgwyl ers tro. Neidiodd un gyrrwr i ben bin, ac yna i ben y ciosg plastig tra mod i'n siarad â'r genedl yn Saesneg, gan neidio i fyny ac i lawr i geisio cael gwell golwg o'r draffordd. 'What is that commotion we hear?' holodd Gareth. Esboniais y sefyllfa yn gyflym, a dweud bod yn rhaid i mi fynd. 'Thank you and take care,' meddai.

Cyrhaeddodd trichant o heddlu terfysg CRS. Fe gloiodd y gyrwyr eu hunain yn eu lorïau, ond defnyddiwyd tanc i'w lusgo naill ochr yn ddiseremoni, gan rwygo'r echel oddi ar o leiaf un lorri. Chwalwyd ffenestri lorïau eraill gyda bôn dryll, a chwistrellwyd nwy dagrau i'r cab. Ymateb y gyrwyr oedd symud, ond gyrru ar gyflymdra o ddwy filltir yr awr i fyny'r draffordd. Yn y cyfamser, fe ruthrodd Guto a fi i ganolfan ddarlledu ranbarthol Lille i anfon lluniau a llais i Gaerdydd ar gyfer prif stori'r noson honno. Ond ar ôl cyrraedd, canfuwyd fod y cynhyrchydd yn Llundain oedd fod trefnu'r lein i Matthew

Amroliwala a ninnau wedi bwcio'r lein o Lyon! O ganlyniad, methwyd cael y stori ar newyddion chwech o'r gloch y BBC. Ail-drefnwyd lein o Lille ar gyfer saith, ond roedd Newyddion S4C yn cael ei ddarlledu am 7.10, felly ni fyddai amser i olygu'r VT yng Nghaerdydd.

Am i Guto ddechrau ei yrfa fel golygydd fideo, fe benderfynon ni olygu'r VT a recordio'r llais ar frys cyn anfon yr eitem barod i Gymru, a derbyn y byddai'n dipyn o wyrth. Buom yn rhedeg i lawr coridorau gwag yr adeilad cyn dod o hyd i swît golygu. Hyd heddiw, dwi ddim yn gwybod sut ar y ddaear y llwyddodd Guto mewn pryd, gan ddefnyddio offer dieithr mewn dinas dramor. Ond o fewn yr awr, roedd gennym eitem dwy funud gyda lluniau trawiadol o'r heddlu yn ymosod ar y lorïau, cyfweliad, darn i gamera a thrac llais. Anfonwyd yr eitem i Gaerdydd am saith o'r gloch. Dywedodd y golygydd ar ben draw'r ffôn y byddai'n rhedeg â'r tâp i'r peiriant darlledu yn syth. Yna, wrth i'r rhaglen fynd ar yr awyr, cefais fy nhrosglwyddo o'r galeri i Aled Huw, y cyflwynydd y noson honno. Clywais Aled yn dweud bod 'Alun Lenny yn fyw ar y ffôn o Ffrainc. Alun, beth yw'r sefyllfa ddiweddaraf?' Sylweddolais yn syth nad oedd Aled na'r cynhyrchydd yn gwybod bod yr eitem ar fin mynd i'r peiriant darlledu yn y galeri, a phetawn i'n dechrau siarad dim ond adroddiad ffôn fyddai ar y rhaglen. Felly, atebais i ddim, a rhoi'r ffôn lawr gan weddïo y byddai'r cynhyrchydd yn sylweddoli bod yr eitem wedi cyrraedd ac yn barod i'w ddarlledu. Ar ôl chwysu am ddeng munud, ffoniais Ann a chael gwybod bod yr eitem gyflawn gyda'r holl luniau cyffrous wedi eu darlledu ar Newyddion S4C, oedd yn golygu ein bod wedi llwyddo i wneud hynny cyn iddynt ymddangos ar raglenni newyddion y BBC. *Stressed? Moi?*

Gwerth y Gymraeg 2

Cyn mynd i wlad arall, byddwn yn ceisio dysgu ychydig o'r iaith frodorol, sy'n fwy nag y mae sawl un o'r staff yn *checkout* Tesco Caerfyrddin yn ei wneud, ond awn ni ddim ar ôl hynny nawr.

Yn anffodus, roedd y rhybudd yn rhy fyr i allu dysgu rhywfaint o iaith Twrci pan ofynnwyd i mi fynd yno ddechrau Chwefror 1991. Roedd *Operation Desert Storm* newydd ddechrau, gyda lluoedd y gorllewin yn ymosod yn ddidrugaredd ar fyddin Irac oedd wedi goresgyn Kuwait bum mis cyn hynny. Roedd Twrci wedi caniatáu i awyrennau rhyfel America ddefnyddio'i meysydd awyr, ond roedd llawer o'i dinasyddion Mwslemaidd yn anfodlon iawn. Ar ben hynny, roedd mudiad Cwrdaidd y PKK yn ffrwydro bomiau mewn mannau cyhoeddus ac yn saethu plismyn. Ymateb Twrci oedd lladd miloedd ar filoedd o bobol gyffredin,ac arestio ac arteithio miloedd eraill.

Er bod Guto Harri yn gohebu gyda lluoedd y cynghreiriad i'r de o Irac, tybiodd Aled Glynne, cynhyrchydd Newyddion S4C, y byddai'n braf cael cwpwl o adroddiadau o Dwrci hefyd. Roedd gen i barch mawr at Aled fel cynhyrchydd a chyfaill ac fe ddaeth â chyfeiriad newydd a ffres i'r rhaglen. Felly, fe wnes i a Tomi Owen baratoi i adael ar dipyn o frys. Trefnwyd tocynnau i ni gan gwmni teithio yn Llandaf, a hynny gyda Swiss Air, gan taw dim ond nhw ac awyrennau Twrci oedd yn hedfan i Gaer Cystennin (Istanbul). Hefyd, cawsom £600 o *cash advance* gan y BBC a phecynnau AIDS, nodwyddau ac ati i'w defnyddio petaen ni'n cael anaf. Ni fu'n daith hawdd. Fe drodd y glaw rhewllyd yn eira wrth basio Swindon ac fe gymrodd hi bum awr i ni gyrraedd Heathrow a bwcio mewn i westy. Bore drannoeth, roedd y maes awyr mawr o dan eira, a bu'n rhaid i'r awyren Swiss Air oedd fod mynd â ni ar y cam cyntaf i Zurich droi'n ôl heb lanio. Fe lwyddom i adael ar yr ail fore, newid awyren yn y Swistir, a glanio yn Istanbul i dreulio'r nos. Roeddem yn gorfod cario'r holl offer ffilmio, wrth gwrs, sy'n dipyn o faich i ddau berson.

Drannoeth, cawsom wybod bod mudiad y PKK wedi ffrwydro bom yn llysgenhadaeth Ffrainc yn y ddinas, a bant â ni yn syth mewn tacsi i'w ffilmio. Ar ôl gwneud darn i gamera o flaen yr adeilad, daeth plisman eithaf blin yr olwg draw atom, gan weiddi a chwifio'i wn awtomatig. Deallais fod angen *pass* arnom i ffilmio, ac fe'n hebryngwyd i orsaf heddlu cyfagos i ofyn am un. Daeth plisman mawr, surbwch gyda mwstás trwchus i holi beth oeddem yn ei wneud yn Istanbul. Roedd hi'n amlwg nad oedd e'n deall llawer o Saesneg, ac esboniais mewn iaith syml taw criw BBC Cymru oeddem. 'Ingiliz?' holodd braidd yn wawdlyd. 'Na,' atebais, 'Welsh'. Edrychodd yn syn am funud, ac yna dywedodd 'A! Ian Rush!' Newidiodd y naws yn syth, ac fe aeth i nôl dau bas a'u stampio. Diolch i John Charles, Ian Rush, Ryan Giggs a Gareth Bale, mae wastad un arwr mawr ym mhob cyfnod sy'n rhoi llais i Gymru yn iaith ryngwladol pêl-droed.

Wrth deithio mewn tacsi i'r maes awyr i ddal awyren i Ankara, cawsom ein stopio gan filwyr â gynnau awtomatig mewn dau neu dri *checkpoint*. 'Iraqi problem,' esboniodd y gyrrwr tacsi. Bu eira ymhob man yn ystod ein taith dros y ddeuddydd diwethaf, ac nid oedd Ankara yn eithriad. Roedd yn ddiwrnod cymylog a thywyll, a'r eira ar hyd strydoedd digymeriad, llwyd a phrysur prifddinas Twrci wedi ei dduo gan fygdarth miloedd o gerbydau. Cafwyd llety yn yr Hotel Buyuk, gwesty digon moethus yn yr un stryd â sawl llysgenhadaeth, cyn mynd ati i ffilmio yn y ddinas. Roedd sawl siop ar gau, a nifer o bobol wedi gadael y ddinas, gan ofni y byddai Saddam Hussein yn tanio taflegrau Scud gyda chemegau gwenwynig tuag at Ankara, er ein bod rhai cannoedd o filltiroedd o Irac. Roedd y gwesty mawr bron yn wag a dim ond Tomi a mi oedd wrth y bar y noson honno.

Bore drannoeth, wrth ffonio'r stafell newyddion yng Nghaerdydd, cefais wybod bod dirprwyaeth o'r Aifft yn Nhwrci i drafod y rhyfel. Gyda miliwn o Eifftiaid yn byw yn Irac, oedd yn cael ei bomio'n ddidrugaredd gan America a'i chynghreiriaid, roedd pwysau mawr ar yr Arlywydd Mubarak. Aeth Tomi a minnau lawr i frecwast, a chanfod bod neb yn y stafell fawr ar wahân i grŵp o ddynion mewn siwtiau o gwmpas bwrdd mawr yn y cornel pellaf. Sylwais fod clwstwr o faneri bychain Twrci a'r Aifft ar ganol y bwrdd crwn. Dyma'r cyfarfod! Holais a fyddai'n bosib ffilmio'r achlysur, ond 'na' oedd yr ateb.

Roeddem wedi trefnu cwrdd â Thelma Yorukan, merch o

Gaernarfon a fu'n byw yn Nhwrci ers 1968 ac oedd yn cyfrannu i raglenni Radio Cymru o bryd i'w gilydd. Wrth i Tomi a fi eistedd yn *foyer* fawr, gwag y gwesty, gwelsom fenyw mewn cot ffwr lliw cadno gyda het gyffelyb yn camu'n hyderus tuag at y drysau gwydr. Thelma oedd hi, a chafwyd sgwrs fywiog yn Gymraeg cyn y cyfweliad teledu. Ar ôl gorffen, dywedodd fod llawer yn gofyn iddi pam ei bod hi, fel Cymraes, yn byw mor bell o gartref. 'Rwy'n dweud wrthyn nhw bod fy mhobol i, y Celtiaid, yn byw yma pan oeddech chi'r Twrciaid yn byw mewn pebyll yr ochr draw i'r Urals!' meddai. Roedd hi'n iawn, wrth gwrs. Ankara (Angorfa) oedd prif ddinas y Galatiaid am ganrifoedd lawer. Yr un ystyr sydd i'r enw 'Gâl' a 'Celt', ac fe geir Llythyr Paul at y Galatiaid yn y Testament Newydd. Y tro nesaf y bydd rhywun o ochr draw Clawdd Offa yn dilorni'r Cymry, gofynnwch lle mae sôn am ei dylwyth ef neu hi yn y Beibl?

Charles, Diana a fi

Cardiau ar y bwrdd. Mae'r syniad o frenhiniaeth mewn oes gyfoes yn wrthun i mi am sawl rheswm. Fel cenedlaetholwr Cymreig, mae'n cynrychioli'r drefn Seisnig a orchfygodd ein gwlad trwy greulondeb mawr ac sy'n dal â'i dwrn anweledig yn dynn amdanom. Credaf fod pob person yn gyfartal, ac na ddylid dyrchafu neb ar sail eu hynafiaid. Mae plygu pen i berson dynol yn groes i'm daliadau fel Anghydffurfiwr yn nhraddodiad yr Annibynnwr hwnnw o dras Gymreig, Oliver Cromwell – nid y byddwn am dorri pen neb, cofiwch. Nid eiddigedd yw hyn, oherwydd er gwaethaf holl gyfoeth y teulu brenhinol, hoffwn i ddim trwco lle â nhw. Er i bob baban brenhinol gael ei eni â llwy aur yn ei geg, mae hefyd yn wynebu oes o garchar dyletswydd a sylw cyhoeddus.

Tra bod rhai pobol yn barod i aros am oriau i gael cipolwg ar aelod o'r teulu brenhinol yn y cnawd, fel newyddiadurwr, byddai fy nghalon yn suddo o orfod mynd i ohebu ar un o'u hymweliadau. Prin y byddai stori go iawn yno, dim ond adrodd beth wnaeth yr ymwelydd a chael ymateb rhywun oedd wedi torri gair gyda fe neu hi. O ganlyniad, y straeon sy'n aros yn y cof yw'r troeon trwstan ddigwyddodd yn ystod yr ymweliadau hyn.

Un tro, yn 1983, fe ddes i o fewn trwch blewyn i fod yn rhan o'r stori. Clywais, gan gyfaill o'r heddlu, fod y Tywysog Siarl yn bwriadu dod i Gaerfyrddin drannoeth i hela. Roedd hyn yn stori ddiddorol gan nad oedd y Dywysoges Diana, yn ôl pob sôn, yn hoffi hela ac yn grac bod ei gŵr yn dal i ymuno mewn helfeydd i erlid yr hen Siôn Blewyn Coch. Pan oeddwn yn fachgen buodd Tad-cu â fi yn 'dilyn cŵn' ac rwy'n deall dicter ffermwr sy'n colli ŵyn bach neu berchennog ffowls pan fo llwynog yn gwneud lladdfa yn eu plith. Ar y llaw arall, mae'n drist bod rhai pobol yn mwynhau gweld cadno'n cael ei rwygo'n ddarnau gan gŵn, ac yn cuddio tu ôl i esgus 'traddodiad gwledig'.

Ond 'nôl â ni at ymweliad y Tywysog. Fe gwrddais i â'r criw camera, Tomi a Tony, y tu fas i'r Inn on the Hill, tafarn newydd, boblogaidd yng Nghaerfyrddin. Gan fod helwyr o Sir Gâr a Sir Benfro yn ymgynnull yno ar gefn eu ceffylau, roedd hi'n amlwg bod rhywbeth mawr ar droed. Dim o gwbl, meddai Meistr yr Helfa, ond gwyddwn wrth ei wên fach slei nad oedd e'n dweud y gwir. Wrth i'r marchogion garlamu i ffwrdd, fe neidiais i'm Vauxhall Chevette coch, a gyda'r criw yn eu Volvo yn dilyn aethom ar ôl yr helfa. Ond o fewn ugain llath, tynnodd lorri *low loader* ar draws y ffordd o'n blaen, gan esgus gwneud *three point turn* yn araf, araf. Fe wnes i adnabod y teithiwr yn y lorri yn syth – ditectif ydoedd! Roedd hi'n amlwg mai dyfais oedd hyn i'n rhwystro rhag dilyn yr helfa i'r lle y byddent yn cwrdd â'r Tywysog.

Tybiais fod yr helfa yn bwrw i gyfeiriad yr ardal wledig ger tafarn y Plough and Harrow, felly dyma droi rownd, mynd 'nôl trwy ganol y dref, i fyny Heol y Coleg heibio i le mae'r Egin S4C nawr ac ar hyd yr hewl droellog heibio i fferm Nantybwla. Ar dro siarp fe ddaeth Ford Granada du i gwrdd â mi. Bu'n rhaid i mi ac yntau frecio'n galed ac fe ddaethom i stop o fewn tua dwy droedfedd i'n gilydd. Rhegais y gyrrwr arall o dan fy anadl am yrru'n rhy gyflym, gan sylwi ei fod yn gwisgo siaced ddu a sgarff wen heliwr am ei wddf. Sylwais hefyd, yn y drych, fod Tomi yn bacio'n gyflym i ddarn mwy llydan o'r hewl y tu ôl i ni. Dyna pryd y sylweddolais mai Ei Uchelder Brenhinol, Siarl Tywysog Cymru ei hun, oedd y gyrrwr cyflym ddaeth i gwrdd â mi. Rhoddais y car yn *reverse* a baco 'nôl i fwlch cyfagos. Chwarae teg, fe gododd ei law arna i i ddiolch wrth fynd heibio, ac fe godais innau fys i gydnabod hynny. Dychmygwch petaen ni wedi cael damwain, a minnau'n gorfod llanw'r ffurflen yswiriant gydag 'Enw'r gyrrwr arall'! Roedd hyn, wrth gwrs, ddegawdau cyn helynt damwain enwog ei dad.

O leiaf, roeddem yn gwybod nawr i ba gyfeiriad i fynd, ac ar ôl troi rownd dyma gyrraedd clos fferm Pentrehydd, lle bu'r Tywysog yn mwynhau'r *stirrup cup* cyn i'r marchogion yn eu cotiau cochion ddianc o olwg y camera ar draws caeau cyfagos. Yn hwyrach yn y dydd, cefais alwad ffôn i ddweud bod y Tywysog wedi disgyn oddi ar ei geffyl, ac iddo gael ei weld yn gadael Caerfyrddin gyda'i fraich mewn sling. Tybed sut dderbyniad gafodd e gan Diana ar ôl cyrraedd adref?

Profais enghraifft o bŵer y frenhiniaeth yn ystod ymweliad y Tywysog Siarl â Phrifysgol Llambed tua 1985. Roedd yr Eglwys yng Nghymru yng nghanol dadl ddiddiwedd ynglŷn ag ordeinio merched yn ffeiradon. Erbyn hyn, mae gennym ferch yn Esgob Tyddewi a nifer yn offeiriaid, a da o beth yw hynny, meddaf i, fel Annibynnwr sy'n hen gyfarwydd â merched yn weinidogion. Ond 'nôl yn y 1980au roedd y testun yn bygwth rhwygo'r Gymuned Anglicanaidd. Wrth gerdded ar hyd rhes o fyfyrwyr diwinyddol yn yr awyr agored, fe oedodd y Tywysog i ofyn i fyfyrwraig a oedd hi'n credu mewn ordeinio merched. Roedd y cyfan wedi'i recordio gennym ar fideo, ac yn sydyn roedd gennym stori dda i'w darlledu ar y Newyddion a *Wales Today*. Ond cyn i'r VT gyrraedd Caerdydd hyd yn oed, daeth gorchymyn o'r Palas i'r Pennaeth Newyddion yn dweud nad oeddem i ddarlledu'r cwestiwn. Cafodd y stori ei gollwng yn syth – yr unig dro erioed i mi brofi sensoriaeth o'r fath gan y sefydliad.

Cynyddodd fy niflastod am ymweliadau brenhinol pan gyflwynwyd trefn i roi pob gohebydd a chriw camera mewn rhyw fan arbennig yn ystod yr ymweliad. Gan fy mod yn adnabod yr heddlu yn dda, rown i'n tueddu i fynd lle mynnwn, ond cefais fy nal mewn sefyllfa letchwith unwaith. Roedd y Dywysoges Diana wedi dod i agor ward blant newydd yn Ysbyty Glangwili, ac wrth iddi hi a'i gwarchodlu gerdded tuag at brif fynedfa'r ysbyty, fe sleifiais i mewn o'u blaen. Yn y dderbynfa ar y chwith, roedd rhestr o bobol bwysig yn aros i gael eu cyflwyno i'r Dywysoges. Cefais fy hun yn sefyll ar fy mhen fy hun ar y dde. Daeth Diana trwy'r drws a throi tuag ata i gan dybio, mae'n debyg, mai fi fyddai'n ei chyflwyno i'r bobol hyn. Edrychom ar ein gilydd am eiliad, cyn i mi droi i ffwrdd ac edrych mas drwy'r ffenest!

Doedd hynny ddim yn gymaint o embaras â'r hyn ddigwyddodd i Dave Roberts, cyn-ohebydd yr *Evening Post* yng Nghaerfyrddin, a hynny eto yn Ysbyty Glangwili. Hen ymadrodd Sir Gâr am rywun lletchwith, yn yr ystyr *clumsy*, yw 'person llibin', ac un felly oedd Dave, druan. Un tro, roedd Dug Caeredin yn ymweld â Glangwili, ac roedd Dave yn sefyll lle na ddylai fod. Daeth y Dug rownd cornel coridor â'i ddwylo tu ôl i'w gefn, yn sgwrsio gyda swyddog o'r ysbyty. Sylwodd e ddim ar Dave yn gwasgu ei hun yn erbyn wal y coridor tan iddo sefyll ar ei droed. Edrychodd y Dug arno'n ddig, fel petai'n faw ci ar ei esgid, a chyfarth, 'Get out of my way, you oaf!' Byddai Dave yn brolio o bryd i'w gilydd bod Dug Caeredin wedi siarad â fe unwaith. Gohebydd arall ddatgelodd wrtha i beth oedd cynnwys y sgwrs fer honno.

Nid wyf yn cofio lle glywais i y stori olaf hon am y Tywysog Siarl. Mae'n bosib mai gohebydd arall adroddodd yr hanes, neu efallai mai chwedl ydyw. Roedd y Tywysog yn ymweld â'r ysbyty sy'n dwyn ei enw ym Merthyr Tudful, ac yn ôl yr arfer roedd yna bobol leol yno mewn rhes i'w gyfarch. Wrth gwrdd â'r werin bobol, dau gwestiwn stoc sydd gan aelodau'r teulu brenhinol: 'Have you come far?' a 'What is it you do?' Fe ofynnodd Siarl i ddyn ifanc yn y rhes a oedd e wedi dod ymhell. 'No Sir,' atebodd hwnnw, 'just down from the Gurnos estate,' sy'n ystad anferth o dai cyngor â phroblemau cyffuriau a thorcyfraith sylweddol. Ond o glywed y gair 'estate' daeth Balmoral, Sandringham ac yn y blaen i feddwl y Tywysog, a dywedodd, 'You live on an estate. How fascinating. Tell me, do you have any shooting?' Atebodd y dyn ifanc, 'Sometimes, but it's not so bad as it used to be.'

Y Streic Fawr 1984–5

Yn y flwyddyn y ganed Mared ni, fe aeth y glowyr ar streic. Rwy'n dal i gredu taw ffolineb ar ran yr NUM oedd galw streic ar ddechrau'r gwanwyn, pan fyddai yna lai o alw am lo a digonedd yn y storfeydd. Cofiaf deimlo trueni dros y cymunedau glofaol fyddai'n wynebu cyfnod hir o galedi os na fydden nhw'n ildio i Lywodraeth Thatcher trwy fynd yn ôl i'r gwaith.

Roeddem newydd symud o Gwmduad i fyw yn Heol-y-Delyn, *cul-de-sac* o dai *semi-detached* ar fryn uwchben Caerfyrddin, a stryd ddiogel i fagu plant bach gan fod sawl teulu ifanc yn byw yno bryd hynny. Erbyn i'r streic dorri yn nechrau 1985, byddwn yn gadael y tŷ am 4.15 bron bob bore a cherdded i ben draw'r stryd dywyll i gwrdd â'r criw camera. Byddai Tomi a Tony wedi gadael Abergwaun awr ynghynt, er mwyn i ni fod yn y Betws, Cynheidre neu Abernant cyn i'r rhai oedd wedi mynd 'nôl i'w gwaith fynd drwy'r llinell biced ar gyfer y shifft fore. Dyma'r adeg y newidiwyd o ffilm i fideo, oedd yn caniatáu i ni ffilmio'r helyntion ar y llinell biced heb ormod o olau.

Ar ôl gorffen ac anfon y ffilm neu'r fideo i'r BBC gyda Huw, byddem ni'n tri'n cael awr o gwsg yn Volvo cynnes Tomi cyn mynd am frecwast i gaffe lleol. Ac wedyn, wrth i staff uned Newyddion ddod i'w gwaith byddai disgwyl i ni fynd i Aberdaugleddau neu Aberystwyth, Llambed neu Lanfyllin ar gyfer ail eitem y dydd. Ambell noson, ar ôl bod wrthi'n gweithio am bymtheg awr, ac wedi teithio dros gan milltir neu fwy, byddwn bron yn rhy flinedig i ddod mas o'r car ar ôl cyrraedd adref. Ac fe aeth hyn ymlaen, bron bob dydd, am gwpwl o fisoedd y gaeaf hwnnw.

Doedd hynny, wrth gwrs, ddim i'w gymharu â chaledi teuluoedd y glowyr. Sdim rhyfedd bod cymaint o ddicter tuag at y 'scabs' aeth 'nôl i'r gwaith. Un bore wrth fynedfa glofa'r Betws ar bwys Rhydaman rown i'n cael sgwrs ddigon cyfeillgar gyda rhai o'r picedwyr a phennaeth yr heddlu yn Rhydaman, y diweddar Uwch Arolygydd Delme Evans a fu wedyn yn Geidwad y Cledd yn yr Eisteddfod Genedlaethol. Ond pan wnaeth bws gyrraedd a dyrnaid o'r 'scabs' arno, fe drodd y sefyllfa'n gas ar unwaith. Chwalwyd ffenestr flaen y bws yn yfflon gan garreg, ac rwy'n cofio hyd heddiw'r olwg o sioc a braw ar wyneb y gyrrwr yng ngolau lampiau'r camerâu.

Ar fore oer, 7 Ionawr 1985, daeth Arthur Scargill i annerch glowyr gorllewin Cymru yn Neuadd Pontyberem. Rown i eisoes wedi treulio awr a mwy mewn cesair ac oerfel ofnadwy tu fas i lofa gyfagos Cynheidre cyn y wawr, gan golli pob teimlad yn fy nhraed. Roedd torf fawr o lowyr a gwragedd yn llanw'r brif stryd ym Mhontyberem a'r naws yn gas iawn, gyda'r streicwyr wedi chwerwi'n arw ar ôl Nadolig anodd. Roedd yr hen Scargill mewn hwyliau da yn cyrraedd, ac fe gawsom gyfweliad ganddo yn llawn tân a hyder. Ond tu ôl i ddrysau caeedig y neuadd, roedd hi'n amlwg ei fod yn cael amser anodd. Cawsom ein gwahardd rhag mynd i mewn ond roedd y gweiddi a'r bwio achlysurol i'w clywed yn blaen o'r tu fas. Pan ddaeth Arthur Scragill allan, roedd ei wyneb fel mellten, ac fe wrthododd wneud yr un sylw wrth gael ei hebrwng i'w gar gan ei yrrwr, dyn anferth na fyddem yn dewis dadlau ymhellach â fe. O fewn ychydig wythnosau, roedd y streic drosodd ac ymhen ychydig flynyddoedd roedd maes glo mawr De Cymru yn rhan o hanes. Er gorfod aros yn ddiduedd, fe wnaethom fel criw camera fwynhau perthynas dda gyda'r glowyr yn y pyllau lleol, gyda'r NUM yn barod iawn i mi ddefnyddio'r ffôn yn ei swyddfa yng Nghynheidre. Ond roedd atgasedd cyffredinol tuag at y wasg, gan fod y papurau newydd Seisnig bron i gyd ar ochr Thatcher. Yr unig dro yr ymosodwyd ar gamera Tomi Owen oedd y tu fas i Gynheidre ar y bore pan aeth y glowyr i gyd yn ôl i'w gwaith. Fe wnaeth un o'r glowyr weiddi, 'Cer o 'ma, 'nei di!' a chymryd *swing* tuag at Tomi gyda'i fag, oedd yn cynnwys bocs bwyd caled, a gleisiodd y llaw oedd yn dal y camera. Roedd hi'n hawdd deall y rhwystredigaeth.

Bu'n ymdrech aruthrol ar ran y gwragedd i gynnal eu teuluoedd drwy gasglu arian a pharatoi parseli bwyd wythnosol, ac i weithredu'n gyhoeddus. Fe wnes i gyfweld Siân James droeon ar y llinell biced tu fas i bwll glo Abernant – mam a gwraig i löwr, a gafodd ei hysbrydoli gan rôl y merched yn ystod y streic, gan fynd ymlaen trwy brifysgol ac i fod yn aelod seneddol Llafur Dwyrain Abertawe am ddeng mlynedd.

Fe wnaeth y streic wneud tipyn i uno'r pentrefi diwydiannol a'r cymunedau gwledig yn Sir Gâr. Aeth ffermwyr, oedd hefyd yn dioddef oherwydd y cwotâu llaeth newydd, â llond tanceri llaeth i lefydd fel Rhydaman, gan wahodd gwragedd y glowyr i helpu eu hunain am ddim i'r llefrith. Bu Cymdeithas yr Iaith yn codi arian i gronfeydd y glowyr, ac fe gerddodd grŵp o lowyr, gan gynnwys Dorian Davies a fu'n gyd-aelod â mi yn Talcen Crych, o Gynheidre i faes yr Eisteddfod Genedlaethol yn Llambed, a chasglu arian mewn bwcedi'r holl ffordd. Rwy'n argyhoeddedig bod hyn wedi cyfrannu tuag at newid agweddau gwleidyddol trigolion y cymoedd glo cynt, gan arwain at gyfnod pan fyddai dwyrain Sir Gâr yn gadarnle i Blaid Cymru mewn Senedd a Chynulliad.

Y Fenyw o Haearn

Yr unig dro i mi gwrdd â Margaret Thatcher oedd pan ddaeth hi i Ddoc Penfro ar ddiwrnod heulog yn 1990. Roedd gŵr busnes lleol, Govan Davies, wedi buddsoddi arian mawr i droi'r hen Ddoc Brenhinol yn borthladd modern lle allai llongau mawr fwrw angor. Gan fod hyn wedi creu 200 o swyddi parhaol mewn ardal o ddiweithdra uchel, roedd y Prif Weinidog am ddod yno i agor y doc yn swyddogol.

Wrth iddi aros yno yn ei gwisg las arferol, gyda phwysigion lleol yn gwenu ar gyfer y wasg, fe ofynnais iddi beth oedd gwerth gwario arian mawr ar ddenu masnach i Ddoc Penfro pan oedd yr hewlydd i dde Penfro mor wael. Atebodd mai mater i'r Cyngor Sir oedd gwella'r hewlydd. Na, mater i'r Swyddfa Gymreig ocdd y priffyrdd, atebais. Ond anwybyddodd fy sylw, ac fe'i tywyswyd i gar mawr du i'w chymryd i dderbyniad posh yn rhywle lle allai pawb ganu clodydd ei gilydd yn bell o olwg y wasg.

Dri mis yn ddiweddarach roedd llun ohoni ar glawr pob papur newydd, yn ei dagrau mewn car mawr du arall yn gadael 10 Downing Street i wneud lle i John Major. 'O'n i'n ffrindie mowr gyda Mrs Thatcher,' meddai Syr Eric Howells, Cadeirydd Cymreig y Ceidwadwyr wrtha i mewn cyfweliad y bore hwnnw, gan ychwanegu yn frysiog, 'Cofiwch chi, fi'n ffrindie mowr â John Major hefyd!'

Alan Bach

Prin y bu'r un Aelod Seneddol dros Gaerfyrddin yn fwy o darged i ddicter y dorf ar noson etholiad na Dr Alan Williams ers i rywun daflu carreg at John Jones, Ystrad, a'i daro ar ei ben ar ôl etholiad 1831. Cyfansoddwyd caneuon dychanol am 'y bradwr mor uffernol' gan Dafydd Iwan a'r dyn nad oedd am 'werthu ffagots' ym marced Caerfyrddin, fel ei fam, gan Eryr Wen. Yr hyn wnaeth ennyn cymaint o ddicter tuag at Dr Alan oedd ei safiad o blaid Education First, mudiad oedd yn gwrthwynebu polisi Cyngor Dyfed o ddysgu plant trwy gyfrwng y Gymraeg yn nifer o ysgolion cynradd y sir.

Bues i'n paratoi adroddiadau di-ri am yr helynt am bum mlynedd tan 1994, pan ddyfarnodd y Llys Apêl nad oedd polisi Dyfed yn anghyfreithlon, a dyna ddiwedd ar Education First. Bu un o'r adroddiadau hynny'n destun achos enllib, yr unig dro i hynny ddigwydd yn ystod fy ngyrfa. Holi Dr Alan a'r Cynghorydd A D Lewis, Cadeirydd Pwyllgor Addysg Dyfed yr oeddwn, a hynny ar y cyd mewn stafell yn Neuadd y Sir. Wrth i Guto Orwig a Huw Davies osod eu hoffer ar gyfer recordio'r cyfweliad i deledu a radio, dywedodd Dr Alan yn gymodol, 'Gobeithio wnawn ni ddim cwmpo mas nawr, Mr Lewis.' Atebodd A D, 'Ie, gobeithio ddim yn wir, er eich lles chi. O'n i'n bencampwr bocsio yn yr RAF slawer dydd, a ma dal i fod *right hook* peryglus 'da fi!' Dyna osod y naws ar gyfer un o'r cyfweliadau mwyaf bywiog i mi ei wneud erioed. Fe barodd am 12 munud, ac rwy'n credu i Radio Cymru ddefnyddio'r cyfweliad bron ar ei hyd, cymaint y diddordeb cenedlaethol yn y stori a thân y ddadl.

Reit ar ddiwedd y cyfweliad anarferol o hir yma, fe awgrymwyd fod un ysgol yn gweithredu polisi 'English Not'. Fe wnaeth Undeb yr Athrawon UCAC ddwyn achos enllib ar ran staff yr ysgol, a gan taw'r BBC oedd wedi darlledu'r peth, bu'n rhaid talu rhywfaint o gostau ac iawndal. O gofio'r diddordeb mawr ymhlith y rhai oedd yn gwylio ac yn gwrando, mae'n bosib iddo fod yn werth y gost.

Erbyn 1992, roedd y ffrae fawr am iaith addysg yn ei hanterth, ac yn taflu cysgod dros yr ymgyrchu yng Nghaerfyrddin yn ystod yr Etholiad Cyffredinol ym mis Ebrill y flwyddyn honno. Roedd y cyfrif yn Neuadd Ddinesig San Pedr, gyda phlatfform wedi'i godi ar sgaffald tu fas i lawr cyntaf yr adeilad. Fe wnaeth Dr Alan ddal ei afael ar y sedd gyda mwyafrif o ychydig llai na thair mil dros ymgeisydd y Blaid, Rhodri Glyn Thomas. Roedd torf swnllyd iawn o rai cannoedd y tu allan, a phan geisiodd Dr Alan siarad ar ôl cyhoeddi'r canlyniad fe waeddwyd pethau digon amharchus ato. Rown i yng nghyntedd y neuadd yn gwylio'r dorf trwy'r drysau gwydr pan glywais lais yr AS yn gweiddi dros y meicroffon, 'Racism is alive and well and living in Plaid Cymru!' Fe wnaeth hynny, wrth gwrs, gythruddo'r dorf yn fwy fyth. Pan ddaeth Dr Alan i lawr y grisiau i'r cyntedd, mi es ato i ofyn am gyfweliad. Roedd ei wyneb fel y galchen a dywedodd, 'Arnoch chi'r jawled yn Es Fôr Sî ma'r bai am hyn!'

Ond, chwarae teg, fe gytunodd i wneud cyfweliad yn fyw o oriel neuadd y cyfrif, a oedd erbyn hynny fwy neu lai yn wag. Bu'n ddigon cymedrol a grasol, ond yn syth ar ôl diffodd y camera, aeth i gefn yr oriel lle'r eisteddai Rhodri Glyn yn disgwyl i gael ei gyfweld, a dechrau bytheirio, 'Call yourself a minister of religion? You should be ashamed of yourself.' Eisteddai hwnnw gyda gwên ar ei wyneb, tra bod un o gefnogwyr Dr Alan yn tynnu ei fraich ac yn dweud, 'Come on, Alan. Leave the Nazis alone, Alan.'

Ie, hwyl noson etholiad yn nhref Caerfyrddin, ac yn anffodus yr olaf i'w chynnal yno, gan i'r hen etholaeth gael ei rhannu'n ddwy erbyn 1997. Fe wnaeth Dr Alan, oedd yn gymeriad digon hynaws ar lefel bersonol, golli ei sedd i Adam Price yn Etholiad Cyffredinol 2001. Nid wyf wedi cwrdd â fe ers hynny, a phe bawn i'n cael punt am bob tro mae pobol yn holi, 'Ble mae Dr Alan Williams nawr?' byddwn yn ddyn cyfoethog.

...a'r Bwystfil Mawr

Y 'Big Beast' oedd ffugenw Kenneth Clarke, y gwleidydd Ceidwadol gorau na fu'n Brif Weinidog erioed, a Changhellor mwyaf llwyddiannus ei gyfnod. Tra y bu yn y swydd honno, fe dorrwyd y Ddyled Genedlaethol (sydd bellach tua £2,000 biliwn) o £50b i £15b, a bu gostyngiad mewn chwyddiant a diweithdra. Yn ei siwt lwyd a sgidiau swêd brown, gyda sigâr yn un llaw a pheint yn aml yn y llall, roedd Clarke fel fersiwn cynnar o Nigel Farage, ond gyda mwy o allu yn ei fys bach na fydd gan Farage fyth. Mae'n ddyn hawddgar a rhesymol, sy'n dal i wneud safiad ac areithiau pwerus iawn, fel y gwnaeth eleni yn erbyn Brexit a chael ei ddiarddel fel Aelod Seneddol Ceidwadol gan Boris Johnson.

Ar drothwy Etholiad Cyffredinol 1997, pan wnaeth Tony Blair a Llafur Newydd ysgubo i bŵer, cefais fy nanfon i Hwlffordd ar gais BBC Llundain i holi Ken Clarke am ei safiad ar Drefn Ariannol Ewrop. Roedd pedwar cwestiwn penodol i'w gofyn. Wrth yrru i leoliad, byddwn yn defnyddio'r amser i feddwl am siâp y stori a'r hyn i'w holi. Ond, am unwaith, rown i'n falch o'u cael ar bapur, cwestiynau ar destun dyrys na wyddwn fawr amdano i'w gofyn i Ganghellor Trysorlys y Deyrnas Unedig!

Cynhaliwyd y gynhadledd i'r wasg yng ngwesty'r Castell yng nghanol Hwlffordd, gyda ffotograffwyr y papurau newydd am gael lluniau o Ken Clarke yn tynnu peint y tu ôl i'r bar. Yna, cawsom ni ohebwyr gyfle i eistedd ar draws y bwrdd i'w holi – bwrdd *pitted copper* fel oedd yn boblogaidd, y fath o fwrdd oedd yn anodd iawn i'w gadw'n lân. Wrth osod fy narn papur ar y bwrdd, fe sticiodd yn niferion olaf cwrw stâl y noson cynt. Ymddangosai Clarke fel wncwl hawddgar na fyddai fyth yn flin 'da chi, golwg serchog ar ei wyneb a bagiau parhaus o dan ei lygaid. Ar ôl sicrhau bod David Owen, y dyn camera, yn 'rhedeg' dyma edrych i fyw'r llygaid hynny a cheisio holi'r pedwar cwestiwn anodd gydag awdurdod. Wedi cael atebion y tybiais fyddai wrth fodd cynhyrchwyr radio a theledu, diolchais iddo. Yna, gofynnodd merch o'r *Western Telegraph* ei chwestiwn astrus hi. 'When were you last in Pembrokeshire, Mr Clarke?' Cyfaddefodd na fu yn y sir erioed o'r blaen. Dychmygais y pennawd ar y dudalen flaen, 'Chancellor's Shock Admission: My First Time In Pembrokeshire!' Efallai y byddai hynny'n creu mwy o ddiddordeb na fy nghwestiynau cymhleth i.

Aethom allan wedyn i haul y gwanwyn ar y sgwâr yn Hwlffordd, lle bu Ken Clarke, â'i *rosette* glas mawr a'i warchodlu yn ei ddilyn, yn siglo llaw ac yn sgwrsio â'r bobol. Wrth sefyll yno gyda Dave yn ffilmio'r olygfa, clywais sgwrs rhwng dwy wraig ganol oed oedd yn sefyll ar y chwith i mi. 'Who's that then?' holodd un o'r gwragedd am un o wleidyddion enwocaf Prydain ar y pryd. 'That's the Chancellor!' atebodd y llall, fel petai'n synnu bod ei ffrind wedi holi'r fath gwestiwn twp. Tawelwch. Yna cwestiwn arall, 'The Chancellor of Haverfordwest, you mean?' Ar ôl dod dros bwl o chwerthin mewnol, meddyliais beth ar y ddaear oedd pwynt holi Ken Clarke am faterion ariannol dyrys os mai dyna oedd safon dealltwriaeth rhai pobol am wleidyddiaeth a gwleidyddion? A dyna gyfrinach Nigel Farage a'i debyg wrth droi yr Undeb Ewropeaidd yn fwch dihangol i holl broblemau pobol. Mae'r sloganau bachog a'r addewidion

syml, waeth mor gelwyddog ydynt, yn ddealladwy i'r wraig
(neu'r gŵr) ar y stryd yn Hwlffordd.

Byncer Niwclear Caerfyrddin

Am fod stafell foethus a *cocktail cabinet* gan Gadeirydd Cyngor
Dyfed, roedd Cyngor Dosbarth Caerfyrddin yn teimlo y dylent
hwy hefyd gael parlwr tebyg mewn adeilad newydd. Ond sut
oedd cyfiawnhau'r gost? Cafodd rhywun y syniad gwych o roi
byncer niwclear o dan yr adeilad, gan y byddai'r grant i godi
hwnnw yn talu am y cyfan. 1985 oedd hi a'r Rhyfel Oer yn
dechrau poethi gyda llywodraeth Margaret Thatcher yn annog
cynghorau i adeiladu llochesau niwclear. Yn anffodus, pan
ddechreuodd y gwaith o dyllu ym maes parcio'r Cyngor, fe
aeth y gair ar led am wir bwrpas seler y parlwr.

Dyma gyfnod y protestio mawr gan CND yn erbyn cynllun yr
Arlywydd Reagan i leoli taflegrau crŵs yng Nghomin Greenham,
a phan glywodd aelodau lleol am bwrpas y gwaith adeiladu ym
maes parcio'r Cyngor, fe drodd eu sylw at Gaerfyrddin. Cefais
alwad ffôn un noson yn dweud ei bod hi'n fwriad i feddiannu'r
safle cyn y wawr drannoeth. Mae gwesty'r Llwyn Iorwg drws
nesaf i'r maes parcio, a chawsom stafell yn edrych lawr ar
y safle adeiladu. Ar ôl gosod y camera yn barod i ffilmio, fe
wnaeth Ken ac Andrew Davies a fi gymryd ein tro i wylio'r lle
dros nos tra bod y ddau arall yn ceisio cysgu. Yna, am chwech
o'r gloch y bore, clywid chwiban uchel a sŵn protestwyr yn dod
dros y ffens diogelwch o gwmpas y twll mawr a'r seiliau concrit
yn y maes parcio. Meddiannwyd y safle, ac ymgasglodd torf o
gefnogwyr oedd yn cynnwys y Parchedigion Aled ap Gwynedd,
Rhodri Glyn Thomas, Guto Prys ap Gwynfor a'i wraig Sian.

Codwyd ffens haearn uchel a chyflogwyd swyddogion
diogelwch i warchod, ond unwaith eto fe lwyddodd y
protestwyr i ddringo dros y ffens finiog a'r wifren bigog trwy
daflu sachau drostynt. Cawsant eu llusgo'n ddiseremoni
o'r safle, ac fe gollodd un ferch ei bys bach, a ddaliwyd yn y
ffens haearn, wrth i swyddog diogelwch ei thynnu i lawr. Fe

ffilmiwyd y cyfan o stafell y gwesty, cyn mynd lawr i gyfweld y bobol. Ar ddydd Llun y Pasg 1986, daeth tua 7,000 o gefnogwyr CND i Gaerfyrddin i orymdeithio a ffurfio cadwyn ddynol hir o gwmpas y strydoedd yn amgylchynu safle'r byncer. Ni lwyddodd y protestwyr i rwystro'r gwaith, ond oherwydd y gost ychwanegol sylweddol ni adeiladwyd parlwr y cadeirydd!

Ym mis Medi 2017 fe fues i yn y byncer yn cael fy nghyfweld gan Will Mallard ar gyfer y rhaglen *Hidden Wales* a ddarlledwyd ar BBC Cymru a BBC4. Tua maint byngalo mawr deuddeg troedfedd ydyw, ac roedd chwe modfedd dda o ddŵr drewllyd ynddo. Roedd gan y criw camera ddyfais i fesur nwyon, ac ar ôl i ni fod ym mhen draw'r byncer am bum munud fe ddechreuodd hwnnw flîpio i'n rhybuddio i adael. Wedi gweld tu fewn y byncer rwy'n credu y byddai'n well gen i gilio i'r cwtsh dan stâr petai yna ryfel niwclear. Bu diddordeb rhyfeddol yn y stori ar *Hidden Wales*, a dyna'r unig dro i fy llun ymddangos ar wefannau'r *Sun* a'r *Daily Mail*!

Bwystfil Brechfa

Un noson dywyll a stormus yng ngaeaf 1983, cefais alwad ffôn gan Nansi Caepandy, cyfnither fy nhad, mewn braw mawr. Dywedodd fod creadur ffyrnig wedi torri mewn i sied ar ei thyddyn ar gyrion Fforest Brechfa ac wedi lladd ci defaid – yn fwy na hynny, wedi ei rwygo'n ddarnau. Roedd terier bach yn y sied hefyd, meddai, ac roedd hwnnw'n rhedeg o gwmpas fel rhywbeth gwyllt. Aeth y stori ar led yn fuan bod cath fawr, debyg i biwma neu banther, yn byw yn y goedwig. Bathwyd yr enw 'Bwystfil Brechfa' a dros y ddwy neu dair blynedd nesaf cafwyd adroddiadau am ŵyn bach a hyd yn oed llo yn cael eu lladd gan rywbeth oedd yn dipyn mwy o faint na chadno.

Fforest Brechfa yw'r fersiwn fodern o hen Fforest Glyn Cothi, tir hela (dyna ystyr gwreiddiol y gair fforest) oedd yn ymestyn dros ardal eang iawn o fryniau gogledd Sir Gâr ac yn cynnwys pymtheg o bentrefi bychain. Bu'n guddfan i wrthryfelwyr a herwyr yn yr Oesoedd Canol, ond fe dorrwyd y coed llydanddail a phlannwyd coed pîn yn eu lle yn nechrau'r 20fed ganrif. O ran maint, mae'n 16,000 erw, sef 25 milltir sgwâr, gyda'i chymoedd dwfn a'i bryniau uchel yn drysor o guddfannau i anifail gwyllt, â'r ŵyn bach ar y caeau anghysbell ar gyrion y coed yn brydau bwyd parod i'r fath greadur.

Roedd gan y wasg ddiddordeb anghyffredin ym Mwystfil Brechfa, neu'r *Beast of Brechfa* fel y'i galwyd gan bapurau newydd Lloegr. O bryd i'w gilydd, byddwn yn cael galwad ffôn yn dweud bod rhywun wedi gweld y creadur. Tyngai Harold Felin Brechfa iddo weld cath fawr oren yn eistedd yn yr haul ar hewl unig gerllaw ei gartref.

Daeth y stori i ben ar ddiwrnod heulog o haf 1986. Rhaid ei bod hi'n dawel iawn o ran newyddion, oherwydd cefais alwad i ffilmio stori am Gyngor Dinefwr yn cadw tai bach Brechfa ar glo. Erbyn cyrraedd, canfuwyd taw *fake news* ydoedd, ac fe es i siop Bryn Stores i brynu potel o bop. 'Ti yma i ffilmio'r Beast, glei?' holodd cwsmer yno. 'Pam, beth sy wedi digwydd nawr?' gofynnais. Esboniodd fod Dic Evans, oedd yn ffermio i gyfeiriad Pencarreg, wedi saethu'r creadur yn farw ac yn bwriadu'i gladdu, gan fod dyn â JCB yn mynd yno i dorri cwteri. Cefais afael yn rhif ffôn Dic a rhedais i gartref Wncwl Bob ac Anti Margaret i'w ffonio. Oedd, roedd e wedi saethu'r creadur – ci anferth – ond heb ei gladdu eto. Cytunodd i ohirio'r angladd tan ein bod ni'n cyrraedd ei fferm.

Aethom yno ar frys dros y bryniau a chanfod Gelert o gi yn gorwedd yn gelain gyda thwll mawr yn ei fron. Gerllaw, gorweddai hanner dwsin o ŵyn a laddwyd ganddo. Aeth Dic â ni lan i'r cae lle'r oedd wedi gweld y ci'n lladd y defaid, a gyda'i hen wn hela un-baril yn ei law, fe ddisgrifiodd sut y bu iddo ddilyn y ci am gryn bellter cyn saethu ato a'i glwyfo. Roedd y ci wedi troi rownd a rhedeg ato, yn sgrechian yn ffyrnig. Ail-lwythodd y gwn a'i saethu'n farw pan ddaeth o fewn ugain llath. Esboniodd taw dyna ei getrisen olaf!

Ar ôl gweld y ci ar fideo yng Nghaerdydd, barnodd arbenigwr mai croes rhwng Bleiddgi Gwyddelig a chi hela ydoedd, a'i fod tua wyth mlwydd oed. Fe ffilmion ni'r JCB yn torri twll dwfn a'r creadur yn cael ei lusgo i'w fedd. Ar ôl hynny, ni fu sôn am ymosodiadau gan Fwystfil Brechfa, felly rwy'n ffyddiog taw ci mawr ydoedd.

Rwy'n amau a fyddai'r eitem yn cael ei darlledu heddiw, oherwydd ei fod yn dangos clwyfau erchyll y ci. Mae eitemau newyddion yn cael eu saniteiddio er mwyn peidio ypseto'r gwylwyr, yn enwedig adroddiadau am fomio a lladd mewn gwledydd fel Irac, Afghanistan a Syria. Petai rhaglenni newyddion Prydain yn dangos y darnau cyrff a'r perfedd ar y strydoedd, efallai y byddai'r farn gyhoeddus yn fwy cadarn yn erbyn ymuno'n y fath ryfeloedd.

Henwr Llewitha

Ni wnaeth John Evans, Llewitha ger Abertawe, ddim byd nodedig yn ei fywyd erioed – ar wahân i lwyddo i gadw corff ac enaid gyda'i gilydd tan ei fod yn 112 oed. Ac yn wyrthiol, roedd ei feddwl yn glir a'i farn yn gadarn tan y diwedd.

Am bum mlynedd olaf ei oes hir, bues i'n ffilmio cyfweliad gyda fe ar ei ben-blwydd ym mis Mehefin. Profiad rhyfeddol oedd sgwrsio â dyn oedd wedi cael ei eni yn 1877, ac wedi ymddeol o'i waith fel glöwr yn 1947 ar ôl cyrraedd oed yr addewid. Bu'n sôn wrtha i am ei waith cyntaf fel bachgen 12 oed, yn eistedd yn nhywyllwch y pwll glo yn Oes Fictoria, yn tynnu rhaff i agor y drysau wrth i'r dramiau fynd 'nôl ac ymlaen o'r ffas lo.

Yn werinwr diwylliedig, bu John Evans yn mynd i'r Eisteddfod Genedlaethol ar ei thrydedd ymweliad ag ambell dref. Byddai'r tŷ yn orlawn o ohebwyr, ffotograffwyr a chriwiau camera ar achlysur ei ben-blwydd, ac roedd hi'n fy ngwylltio braidd pan fyddai gohebydd yn dweud, 'Give us a song, Mr Evans.' Gwyddwn fod John yn dilyn y newyddion yn ddyddiol ar Radio Cymru a rown i wastad yn gofyn beth hoffai weld yn digwydd yn ystod y flwyddyn. Atebodd un tro, 'Gweld mesur iaith Dafydd Wigley yn mynd drwy'r Senedd.' Roedd John yn Gymro pybyr a phan ddaeth Maer lleol i'w longyfarch ar ei ben-blwydd, a dechrau siarad yn Saesneg – gan wenu ar y camerâu ar yr un pryd – dyma John yn torri ar ei draws, 'Ydych chi'n siarad Cymraeg?' Ydoedd. 'Wel siaradwch Gymraeg, ddyn.' A dyma'r henwr yn dechrau adrodd cerdd am 'Pan oedd Llywelyn gynt yn gwaedu...' Doedd y Maer druan ddim yn gwybod lle i edrych! Byddai'n mynnu mynd i'r orsaf bleidleisio yn bersonol mewn pob etholiad. Fe'i cofiaf yn mynd, am y tro olaf, gan gerdded wrth ei ddwy ffon o'r car i'r orsaf i fwrw'i bleidlais yn etholiad 1987.

Bob blwyddyn, byddai gohebwyr yn gofyn yr un hen gwestiwn, sef beth oedd i gyfrif am ei hirhoedledd. Roedd ateb John yn swnio'n well yn Saesneg gyda'i acen Gymraeg drom, 'No smoking, no drrrinking and no currrsing!' Pan roddodd e'r ateb i ohebydd un tro yn y parlwr gorlawn, fe wnaeth hen foi wrth fy ochr roi pwt i mi a sibrwd, 'Sylwa – so fe'n gweud dim byd am fenwod!'

Roedd ei fab, Amwel, a'i wraig yntau, Beti, yn ofalus iawn o John, ac ar drothwy ei ben-blwydd yn 110, gofynnodd Amwel os hoffai wneud rhywbeth arbennig i ddathlu. Atebodd ei dad na fuodd e yn Llundain erioed, a bod chwant arno fynd yno. Ac felly, dyma British Rail yn trefnu seddau Dosbarth Cyntaf o Abertawe i Paddington, gyda Tomi, Tony a fi mewn tow. Wrth gyrraedd platfform Paddington roedd y wasg yno'n ei ddisgwyl. Iddyn nhw, y rhyfeddod oedd i rywun fyw yn Abertawe am dros ganrif heb fynd i Lundain! Gan i John gael ei wthio oddi ar y trên mewn cadair olwyn, rhaid eu bod nhw'n credu ei fod e'n anabl. Ond er mawr syndod i'r *paparazzi*, fe gododd o'r gadair, tynnu ei het a bowio i'r camerâu.

Cafodd ei gludo o gwmpas y senedd cyn i Norris McWhirter, ar ran y *Guinness Book of Records*, gyflwyno tystysgrif iddo. Roedd hi'n swyddogol: John Evans, y Cymro Cymraeg a'r cyn-löwr o Lewitha, oedd y dyn hynaf yn y byd.

Llofruddiaeth Llanddewi

PEINT O SEIDR a gêm o ddraffts, tynnu ar ei bibell a chael sgwrs: dyna bleserau syml John Williams ar nos Sadwrn yn y New Inn yn Llanddewi Brefi. Ar y Sul, byddai'n marchogaeth dros y bryn i ymuno â'r dyrnaid o ffyddloniaid yn Soar y Mynydd. Yn ddyn mawr o gorff a thyner ei natur, yr hen lanc 61 oed oedd ysgrifennydd y capel bach yn unigrwydd maith bryniau Elenydd. Tyngodd 'na fyddai'r capel fyth yn cau tra fod fy llygaid i ar agor'. Dyn y bryniau oedd John, yn ffermio'r tir fu'n eiddo i'w dad a'i daid o'i flaen.

Wrth adael y dafarn ar nos Sadwrn, 22 Ionawr 1983, prin y dychmygai John druan na welai ei annwyl Soar fyth eto. Ffarweliodd â'r New Inn am hanner nos a gyrru yn ei fan Morris 1000 werdd saith milltir i fyny'r hewl gul oedd yn gorffen ar glos Brynambor, ei gartref unig. Yno'n y tywyllwch, roedd dihiryn a dryll yn aros amdano. Saethwyd John Williams bump o weithiau gyda'i wn dwbwl-baril ei hun.

Ben bore Llun llwyd a gwlyb, ar ôl clywed am y llofruddiaeth, galwais y criw camera o Abergwaun i Landdewi Brefi. Yn Swyddfa'r Post fe holais lle'r oedd Brynambor, a chanfod cwpwl o bobol leol oedd bron mewn gormod o sioc i siarad. Fe adewais fy nghar cwmni, Vauxhall Chevette coch, yng nghanol y pentref a neidio i sedd gefn gysurus Volvo Tomi Owen. Dyna hoff gar bron pob dyn camera bryd hynny. Rhai gwyn, glas a llwyd llachar oedd gan griwiau camera HTV, gyda'r tair llythyren yn fras ar eu drysau, oedd yn gwneud hi'n amhosib sleifio'n dawel i bentref cefn gwlad heb dynnu sylw pawb. Ond gan fod Tomi'n berchen ar ei gar ei hun, doedd dim byd ar y modur lliw madarch i ddangos mai criw camera oeddem. Profodd hynny'n fanteisiol iawn wrth gyrraedd ambell sefyllfa lle nad oedd wastad groeso i'r wasg, fel llinell biced neu leoliad trosedd.

Profiad iasol oedd dilyn llwybr taith olaf John Williams. Mae'n saith milltir hir iawn o Landdewi, gyda'r hewl yn rhedeg ar hyd glannau Afon Brefi, yn dringo trwy ganol coedwig coed pîn dywyll, cyn disgyn i lawr cwm Afon Pysgotwr Fawr i Frynambor yng nghanol yr unigeddau. Daethom ar draws tri phlisman a chŵn yn cerdded y tir o gwmpas y býngalo, a chlywed bod y llofrudd yn dal i fod a'i draed yn rhydd, yn arfog ac yn hynod beryglus. Cawsom ein siarso i gymryd gofal wrth ffilmio'n y moelydd unig ac ar gyrion y coedwigoedd tywyll. Bydd pawb sydd wedi gwylio cyfres deledu *Y Gwyll* yn deall sut all tirwedd moel fagu natur bygythiol a sinistr yn y fath sefyllfa. Er ein bod fel criw yn dri o ddynion digon cryf a heini, prin y byddem yn ffansïo taclo llofrudd â dryll, felly ni fyddem yn mentro'n bell oddi wrth y criwiau bychain o blismyn oedd yn chwilio'r uchelderau eang. Petai'r fath drosedd yn digwydd heddiw, byddai heddlu arfog yn eu harfwisg *bullet proof* du a'u drylliau *semi-automatic* Heckler & Koch yn drwch ar hyd y bryniau, fel rhyw filwyr o *Star Wars*. Bryd hynny, heddlu arfog oedd plisman â *revolver* ym mhoced ei got fawr.

Wedi ffilmio'r plismyn a recordio darn i gamera ger Brynambor, aethom i'r fferm agosaf, Brynglas, oedd hanner milltir dda i ffwrdd. Ar ôl curo'r drws a galw, 'Helô. Oes 'na bobol?' dyma ffermwr yn datgloi'r drws gyda dryll 12-bôr o dan ei gesail. Cawsom fynediad a deall mai fe – Islwyn Roberts – ynghyd â dau ddyn arall oedd wedi canfod corff John y diwrnod cynt. Fe'n gwahoddwyd mewn i barlwr Brynglas, stafell gysurus gyda chloc tad-cu a chelfi esmwyth. Y fath o stafell fyddai'n cael ei chadw gynt ar gyfer ymweliad y gweinidog. Yng nghludwch parchus y parlwr, dros gwpaned o de, cawsom glywed y stori erchyll gan Islwyn. Ofnwyd fod rhywbeth o'i le y diwrnod cynt pan aeth Morlais Pugh i Frynambor i nôl dafad, a methu cael ateb gan John. Yn hwyrach y Sul hwnnw, a hithau wedi nosi, dychwelodd Morlais gyda'i frawd Eurig ar ôl galw am Islwyn ym Mrynglas. Doedd dim trydan ym Mrynambor, ac yng ngolau *lighter* y canfuwyd corff John Williams ar lawr ei stafell wely. Aethant ar eu hunion i dorri'r newyddion erchyll i'r plisman lleol, PC Owen Lake. Erbyn bore drannoeth, byddai'r helfa fawr am y llofrudd yn cychwyn. Byddwn i a'r criw yn treulio wythnos yn yr ardal lle roedd y tywydd llwyd a gwlyb mor ddiflas â'r achlysur.

Cafodd y llofrudd ei enwi bron yn syth gan yr heddlu. 'An unemployed 33-year-old loner and survival expert' oedd y disgrifiad cyntaf o Richard Gambrell. Yn enedigol o Swydd Caint, buodd e'n byw yng nghanolbarth Cymru ers rhai blynyddoedd. Ac roedd ganddo *form*. Roedd wedi torri mewn i gartref John Williams chwe blynedd cyn hynny ac wedi dwyn ei ddryll. Pan ganfuwyd e mewn ffermdy gwag ger Rhandirmwyn, fe anelodd y gwn at y plismyn. Un o'r plismyn hynny oedd Jeff Thomas a fyddai, ymhen 30 mlynedd, yn gyd-gynghorydd sir gyda mi am bum mlynedd dros ward De tref Caerfyrddin ac yn enw Plaid Cymru. Erbyn hynny roedd Jeff wedi hen ymddeol o'r heddlu ar ôl cyrraedd safle Prif Uwch-Arolygydd ac yn Bennaeth CID Dyfed-Powys. Ond sarjant ydoedd pan wnaeth e a dau blismon gilio i bellter lled-ddiogel i gadw llygad ar Richard Gambrell yn y ffermdy tan i'r heddlu arfog gyrraedd a'i arestio.

Cafodd Gambrell ei ddedfrydu i bedair blynedd o garchar. Ar ôl cael ei ryddhau yn 1980, fe dorrodd mewn i dŷ cwpwl oedranus yng Ngheredigion a'u bygwth â llafn pladur. Cafodd ei garcharu eto am bedair blynedd, ond roedd yn ôl yn yr ardal erbyn diwedd 1982. Fyth ers yr achos cyntaf, bu John Williams yn ofni y byddai Gambrell yn dial arno am roi tystiolaeth ynglŷn â'r dryll yn ystod yr achos llys. A dyna ddigwyddodd. Torrodd i mewn i Frynambor, dwyn yr un dryll yr eilwaith a'i ddefnyddio i ladd John druan.

Pwysleisiodd yr heddlu fod Richard Gambrell yn ddyn hynod beryglus a mwy na thebyg yn arfog o hyd. Am ei fod wedi lladd unwaith, doedd ganddo ddim i'w golli trwy ladd eto, meddent. Cynghorwyd ffermwyr a'u teuluoedd i gloi eu drysau ac i beidio â mynd mas ar ôl iddi nosi. Er gwaethaf presenoldeb nifer go dda o blismyn, roedd yr awyrgylch arswydus yn amlwg dros ardal wledig eang. Am wythnos ar ôl y llofruddiaeth, byddai Islwyn Roberts a'i wraig Elizabeth yn gadael ei fferm 600-erw gyda'r hwyr ac yn teithio 10 milltir i Dregaron i dreulio'r nos gyda'i fam. Bues i a'r criw yn aros yn y Talbot yn Nhregaron a thros beint wrth y bar gyda'r hwyr, byddem yn clywed mor boblogaidd oedd John Brynambor ac yn profi dicter chwerw pobol leol am ei ddiwedd erchyll. Er na wnes i gwrdd â John Williams erioed, fe ddes i adnabod ei gymeriad trwy eiriau ei ffrindiau.

Pennaeth CID Dyfed-Powys, y Prif Uwch-Arolygydd Pat Malloy, oedd yn arwain yr ymchwiliad. Gwyddel o Cork oedd Pat, plisman di-lol oedd yn hoff iawn o Guinness. Flynyddoedd yn ddiweddarach, ar ôl ymddeol o'r heddlu, ysgrifennodd lyfrau gwerthfawr am hanes yr heddlu yng Nghaerfyrddin a Therfysgoedd Merched Beca. Fe wyddai Pat union werth y wasg a'r cyfryngau mewn sefyllfa fel hon. Argraffwyd 5,000 o bosteri â wyneb Richard Gambrell arnynt i'w dosbarthu'n eang ond byddai'r sylw mawr mewn papurau 'cenedlaethol' ac ar y teledu yn llawer mwy effeithiol. Agorwyd canolfan ymchwil yn neuadd Llanddewi. Trefnwyd cynhadledd newyddion ddwywaith y dydd, a byddai Pat yn gofalu bod yna 'lein' newydd ar ein cyfer bob tro.

Erbyn dydd Mawrth, cyrhaeddodd gohebwyr papurau Fleet Street. Bryd hynny, roedd gan y papurau dyddiol ohebwyr staff yng Nghymru. Cefais y fraint o adnabod mawrion fel John Christopher o'r *Express*, Brendan Berry o'r *Press Association* a Tim Jones o'r *Times* yn dda. Tri hollol wahanol, ond oll yn ohebwyr proffesiynol heb eu hail, oedd â dawn llaw-fer cyflym. Dyn mawr trwm, canol oed oedd John, a roedd Brendan yn dal a thrwsiadus. Un o'r Bermo oedd Tim Dee Jones, un tywyll ei wallt a'i wedd. Cafodd yr enw canol am ei fod yn ddisgynnydd i John Dee, cynghorwr enwog Elizabeth 1af, a oedd o dras Cymreig, fel y Frenhines bengoch ei hun. Graddiodd drwy'r *Cambrian News* i'r *Western Mail* ac yna'r *Times*. Yn chwaraewr chess o fri, bu'n gohebu ar y frwydr enwog rhwng Boris Spassky a Bobby Fischer yn 1972. Yn dilyn pedair blynedd helbulus yng Ngogledd Iwerddon, lle cafodd ganmoliaeth aruchel Syr Max Hastings am ei waith, bu Tim yn ohebydd Cymru am ddegawd. Bu farw yn 2015, ac yn y deyrnged iddo yn y *Times* adroddwyd sut y byddai'n gwrando ar Radio Cymru i ganfod straeon! Dysgais dipyn gan y gwroniaid yma o fyd print wrth eu gwylio'n holi cwestiynau mewn cynadleddau newyddion neu'n chwilio am lygaid-dystion i lofruddiaethau; sut i ofyn cwestiynau treiddgar mewn ffordd fonheddig, i beidio â rhuthro wrth gymryd manylion ac i sicrhau cywirdeb uwchlaw popeth arall.

Ond merch y *Daily Mail* wnaeth greu'r argraff fwyaf ar fois Llanddewi. Fe'i gwelaf hi nawr yn cyrraedd y pentref yn ei Golf GTi du gyda'i olwynion *alloy* aur. Daeth y benfelen dal a thenau allan o'r car wedi'i gwisgo mewn siaced a throwsus lledr du tynn. Er bod y fath gymeriadau yn gyffredin yn Llanddewi Brefi ddychmygol *Little Britain* bellach, roedd merch y *Daily Mail* yn greadures egsotig ac yn destun siarad yn 1983!

Achlysur cyffrous yn ystod y chwilio mawr dros ardal eang oedd dyfodiad hofrenydd yr heddlu. Mae'r hofrenyddion cyfoes yn costi miliynau o bunnau, gyda chamerâu ac offer *infra red* sy'n 'gweld yn y tywyllwch', yn ogystal ag offer sy'n canfod gwres corff person. Nid hofrenydd felly ddaeth i Landdewi. Un cyntefig iawn oedd hofrenydd Heddlu Gorllewin Mercia gyda *cockpit* persbecs crwn a'r peiriant y tu ôl iddo yn bwlis ac yn feltiau i gyd, y tu fewn i fframyn o bibelli dur. Nid oedd yn ennyn hyder bod yr hofrenydd ddiwrnod yn hwyr yn cyrraedd am iddo dorri lawr y diwrnod cynt! Dim ond lle i ddau oedd yn y *cockpit* plastig, a gan mai PC Owain Lake oedd y bobi lleol, cytunwyd mai fe ddylai fynd fyny gyda'r peilot i chwilio am Gambrell. Ŵyr iddo yw Ben Lake, y dyn ifanc wnaeth gipio Ceredigion i Blaid Cymru yn Etholiad Cyffredinol 2017. Pan wnes i gwrdd â Ben am y tro cyntaf, yn fuan ar ôl yr etholiad, adroddais rai straeon am ei dad-cu wrtho, gan gynnwys yr un yma. Cas beth PC Lake oedd pobol yn yfed yn hwyr mewn tafarnau. Cofiwch nad oedd hawl gweini diod ar ôl 10.30 bryd hynny, ac roedd pawb i fod mas o'r dafarn erbyn 11.00. Teg dweud nad oedd rhyw barch mawr tuag at yr oriau yfed mewn tafarnau gwledig a chlywais sôn am PC Lake yn dod mewn trwy'r ffenest i ddal pobol yn yfed ar ôl *stop tap*. Dwi ddim yn gwybod a oedd hynny'n wir, ond rhaid bod rheswm pam fod yr ardal rhwng Tregaron a Llambed yn cael ei alw'n Lakeland! Ac felly i fyny â PC Lake mewn contrapsiwn digon bregus yr olwg gyda pheilot Heddlu Gorllewin Mercia. O feddwl, petaen nhw wedi dod ar draws y llofrudd mas yn yr unigeddau, a bod hwnnw'n tanio 12-bôr atynt, dwi ddim yn gwybod faint o obaith fyddai gan y peiriant o aros yn yr awyr.

Nid y dydd yn unig oedd yn fyr yr adeg yna o'r flwyddyn. Rhaid oedd gorffen ffilmio erbyn tri y pnawn, sgriptio darn a recordio fy llais ar dâp ¼ modfedd er mwyn cael y deunydd i Gaerdydd mewn pryd. Byddem yn rhoi'r tâp a'r ffilm i Huw Davies, y gyrrwr, i'w ruthro i lawr y ffordd hir i Landaf – pellter o tua 90 milltir. Yno, byddai'r ffilm yn cael ei brosesu a'i olygu ar gyfer ei ddarlledu ar *Newyddion Saith*. Yn nyddiau cynnar S4C, roedd hyd at 100,000 yn gwylio'r rhaglen.

Ar ôl ffilmio'r hofrenydd yn diflannu dros y gorwel i gyfeiriad Abergwesyn, a Huw yn diflannu lawr y ffordd i gyfeiriad Caerdydd, diflannais i a'r criw i'r New Inn. Roedd tafarnau i fod i gau am deirawr am dri o'r gloch y pnawn. Er ei bod hi'n tynnu tuag at hanner awr wedi tri, roedd Pat Malloy a chwpwl o uwch-swyddogion eraill yr heddlu yn dal i fod wrth y bar gyda gwydrau gwag. O weld yr amser ar y cloc, trodd un o'r ditectifs at Malloy a gofyn, 'Is it OK to call another round, Sir?' Trodd yntau ata i a holi, 'Is PC Lake still up in the helicopter?' Atebais ei fod. 'Good. I'll have another pint of Guinness.' Cymaint oedd y sôn am PC Lake bod hyd yn oed y Prif Uwch Arolygydd Pat Malloy, Pennaeth CID Heddlu Dyfed-Powys, am wneud yn siŵr ei fod allan o'r golwg cyn galw rownd ar ôl amser!

Ar y trydydd dydd, symudodd y chwilio i dref fach Llanwrtyd, ar yr ochr mwy Seisnig ei hiaith i Fwlch Abergwesyn. Aethom i gynhadledd newyddion yno, lle datgelwyd fod Richard Gambrell wedi aros mewn gwesty lleol am ddwy noson yn dilyn y llofruddiaeth. Tra roedd chwilio mawr yn ardal Tregaron, roedd y llofrudd yn ei wely saith milltir i ffwrdd o Frynambor. Tyngodd llygad-dyst iddi weld dyn tebyg iddo fore Mawrth ar drên 11.50 lein y Canolbarth o Lanwrtyd i Lanfair-ym-muallt. O ystyried yr holl sylw gafodd yr achos ar y cyfryngau ac yn y wasg, mae'n anhygoel i'r llofrudd fod yn yr ardal cyhyd cyn dianc.

Yn y dyddiau cyn *pagers*, heb sôn am ffônau symudol, byddem yn cadw mewn cysylltiad gyda'r stafell newyddion trwy ffonio o giosg neu ffôn tafarn tua amser cinio. Aethom i'r Neuadd Arms, y gwesty mawr yng nghanol Llanwrtyd, a dyma Gareth Knowles, gohebydd *Wales Today*, yn ffonio'r BBC ar ein rhan ni'n dau. Dechreuodd gynhyrfu. Roedd newyddion wedi cyrraedd Caerdydd bod heddlu arfog wedi amgylchynu gwesty lleol. Yr awgrym oedd bod Richard Gambrell yno. 'They say that armed police have sealed off the Neuadd Arms,' meddai Gareth. 'Do you know where that it?' Atebais ein bod ni'n sefyll yng nghyntedd y Neuadd Arms! Yr unig heddlu a welwn i trwy ddrws agored y bar oedd ditectifs yn eistedd ger y tân yn mwynhau cinio hamddenol a bobi beint. O holi'r plismyn, cawsom wybod mai'r cyfan ddigwyddodd oedd i swyddogion fforensig archwilio'r stafell lle treuliodd Gambrell y nos Sul flaenorol. Dyna sut mae straeon newyddion ffug yn tyfu.

Gwawriodd dydd angladd John Williams gyda'r llofrudd yn dal â'i draed yn rhydd. Yn naturiol, roedd hynny'n ychwanegu at y tyndra. Yn ystod fy ngyrfa, daeth galw droeon i ffilmio cynhebrwng. Yn ddieithriad, naill ai person enwog neu rywun oedd wedi marw trwy drais neu ddamwain oedd yr ymadawedig. Roedd hi'n haws o lawer ffilmio angladd rhywun enwog. Yn wir, byddai'r teulu'n aml yn disgwyl y fath sylw ac ar brydiau roedd dyn yn teimlo ei bod hi'n fraint bod yno. Achlysur felly oedd angladd Caitlin Thomas, gweddw Dylan, ym mynwent eglwys Talacharn yn 1994. Rown i'n teimlo bod rhywfaint o hawl personol gyda fi i fod yno, gan i mi gwrdd â Caitlin yn 1986, a'i holi am lyfr newydd a gyhoeddwyd am hanes ei bywyd, *Caitlin: Life with Dylan Thomas*. Mae gen i gopi o'r llyfr, wedi ei arwyddo gan Caitlin a'i merch Aeronwy yn y Brown's Hotel ar ddyddiad pen-blwydd Dylan.

Mewn angladdau eraill, lle mae pobol gyffredin yn y newyddion oherwydd marwolaeth dreisgar neu drasig, does dim cymaint o groeso i'r wasg. Yn y fath sefyllfa, rown i'n teimlo'n anghysurus iawn ac yn cadw pellter parchus. Achlysur felly oedd yr angladd yn Aberaeron yn 1992 pan saethwyd Aerona a Jenkin James yn farw gan Leslie Bowen, cariad eu merch Janice, cyn iddo yntau ladd ei hun. Roedd Jenkin James yn ymgymerwr ac yn Ysgrifennydd capel Presbyteraidd mawr y Tabernacl ger yr harbwr. Ar ddydd yr angladd fe lwyddais i gael y sedd olaf ond un yn y cefn, lan llofft yn y galeri, er mwyn clywed teyrnged y gweinidog. Eisteddai'r dorf lawn mewn tawelwch llwyr am awr hirfaith cyn i'r gwasanaeth ddechrau. Prin i mi fod mewn angladd mwy trasig erioed.

Rhyw gymysgwch o'r ddau oedd angladd John Brynambor. O ddod i adnabod cymaint o'r bobol leol, a chlywed cymaint am John, ni allwn lai na chydymdeimlo. Ond eto rown i'n ymwybodol iawn bod eraill ddim am weld y wasg yno. 'Ma'r *vultures* 'ma heddi 'to,' dywedodd un dyn wrtha i'n sur. Esboniais, yn llipa braidd, y gallai'r sylw parhaus fod yn help i ddal y llofrudd gan fod Gambrell yn parhau i fod ar ffo wrth i'r cannoedd ymgasglu yn y glaw yn Llanddewi ar gyfer y gwasanaeth yng nghapel Bethesda. Yn ei deyrnged, dywedodd y Parchedig Tom Roberts fod John Williams, gŵr caredig, cynnes a Christnogol, wedi 'syrthio'n aberth i drais ein cyfnod'. Lled awgrymodd mai'r holl drais a welwyd ar y teledu oedd yn gyfrifol. Pwysleisiodd mor bwysig oedd Soar y Mynydd i John, gan erfyn ar bobol i sicrhau y byddai'r 'fflam yn dal i losgi ar allor Soar'.

Daeth y chwilio am Richard Gambrell i ben ar Chwefror 11, a hynny 200 milltir i ffwrdd yn ardal y New Forest, lle treuliodd ei blentyndod. Roedd wedi ffonio ei gyn-brifathro i ofyn am gael cwrdd mewn lle anghysbell. Pan gadwodd yr oed, roedd plismyn arfog yn disgwyl amdano ac fe yrrwyd Gambrell yn ôl i orsaf yr heddlu yng Nghaerfyrddin, lle cafodd ei holi am ddeunaw awr. Cyfaddefodd wrth Pat Malloy iddo ladd John Williams, ond mai amddiffyn ei hun wnaeth e. Gan amlaf, roedd Malloy yn blisman craff. Ond bron i'w benderfyniad i ddod â Richard Gambrell 'nôl i ffau'r llewod yn Llambed i'w gyhuddo'n ffurfiol mewn llys ynadon brofi'n drychinebus. Mae'r llys wedi hen gau, ond arferai fod yn y brif stryd, gyferbyn â'r Black Lion. Roedd y fynedfa trwy ddrws ochr oddi ar lôn gul, o dan fwa oedd yn rhan o'r adeilad. Ymgasglodd torf o tua 200 o bobol tu allan i'r llys. Yn eu plith, roedd wynebau cyfarwydd ffermwyr a llanciau Llanddewi a'r cylch. Ar ôl treulio wythnos yn yr ardal, roeddwn yn adnabod nifer, a buom yn sgwrsio wrth aros yn yr oerfel ar y stryd. Trefnais gyda Tomi a Tony i ddilyn car yr heddlu o dan y bwa at ddrws y llys er mwyn ffilmio'r llofrudd. Daeth y Ford Granada atom o gyfeiriad gorsaf yr heddlu ym mhen draw'r stryd, ond wrth i ni gamu'n gyflym i'w ddilyn o dan y bwa, fe ruthrodd y dorf i'r un cyfeiriad gan ruo eu dicter. Gwelais Cayo 'FWA' Evans yn ymwthio heibio i'r heddlu a dod o fewn modfeddi i gael gafael yn yr *handcuffs* rhwng un o'r plismyn a Gambrell. Petai wedi llwyddo, rwy'n siŵr y byddai rhai o'r dorf wedi hanner lladd y llofrudd. Ymwthiais yn ddigon ddiseremoni trwy'r dorf i gyrraedd drws y llys, a llwyddo i gael mynediad cyn iddo gael ei gau'n glep a'i gloi gan y plismyn.

Lan llofft, roedd hi'n hynod dawel a'r tensiwn yn amlwg. Fe glywn sŵn murmur y dorf fawr y tu fas, fel petai mewn golygfa o ffilm gowboi. Bron nad oeddwn yn disgwyl carreg drwy'r ffenestr unrhyw eiliad. Eisteddai Richard Gambrell yn y doc gyda golwg welw a hynod nerfus ar ei wyneb. Byr iawn fu'r achos. Fe wnaeth Gambrell gadarnhau ei enw, ac fe gytunodd yr ynadon â chais yr erlyniad i gadw'r diffynnydd yn y ddalfa tra bod yr heddlu'n parhau â'u hymchwiliadau. Y broblem nawr fyddai mynd â'r diffynnydd yn ddiogel 'nôl i'r car i'w hebrwng i'r carchar yn Abertawe. Ar ôl dod lawr y grisiau, roeddwn i'n dynn tu ôl i'r plismyn a'r carcharor wrth adael y llys. Anghofiaf i fyth mo'r foment pan agorwyd y drws, a wynebau'r dorf yn troi tuag atom. O weld Gambrell, trodd yr wynebau'n bictiwr o gasineb. Llwyddwyd i'w wthio i mewn i'r car, ond cael a chael oedd hi, gyda Pat Malloy ei hun a'r plismyn eraill mewn sgarmes gorfforol i rwystro'r dorf rhag cael gafael ynddo. Fe neidiodd rhai o'r llanciau ar fonet y car, tra bod eraill yn curo'r ffenestri a'r to gyda'u dyrnau, yn gweiddi ac yn rhegi. Rhuodd y Granada i ffwrdd, gan adael ambell un ar ei hyd ar lawr. Ni welais y fath olygfa erioed. Ar wahân i ambell un mwy gwyllt fel Cayo, pobol barchus cefn gwlad oedd y mwyafrif o'r dorf. Beth oedd wedi eu hysgogi i ymddwyn fel *lynch mob*? Rhaid cofio bod John Williams yn ddyn poblogaidd dros ben yn ei filltir sgwâr, yn Gymro hynaws, diwylliedig ac yn Gristion ffyddlon. Dyn dŵad oedd Richard Gambrell, o gefndir hollol wahanol. Bu llofruddiaeth dyn diniwed yn ymosodiad ar werthoedd cymuned glos, a'r prynhawn hwnnw yn Llambed roedden nhw am ei waed. A daethant o fewn dim i'w arllwys.

Cynhaliwyd yr achos llawn yn Llys y Goron Caerdydd y flwyddyn ganlynol. Er ei fod yn cydnabod iddo saethu a lladd John Williams, plediodd Richard Gambrell yn ddieuog i lofruddiaeth, gan honni ei fod yn amddiffyn ei hun. Roedd Gambrell yn byw mewn fflat yn Aberystwyth ar y pryd, ac yn yfed yn aml yn nhafarnau'r Angel a'r Farmers. Arferai grwydro bryniau Ceredigion, ac fe dorrodd i mewn i Frynambor cyn i John Williams ddod adref gyda'r bwriad o gysgu'r nos. Roedd e'n meddwl bod neb yn byw yno. Honnodd i sgarmes ddigwydd ar ôl i John Williams ddychwelyd am hanner nos, a'i fod wedi ceisio amddiffyn ei hun, 'He burst in through the door roaring and yelling in Welsh.' Cyfaddefodd iddo saethu John gan beri iddo syrthio ar y gwely. Ail-lwythodd Gambrell y gwn a'i saethu eto. Llithrodd oddi ar y gwely a gorwedd yno'n ochneidio. Yna, fe'i saethodd unwaith eto. Honnodd yr erlyniad taw celwydd oedd fersiwn Gambrell o'r hyn ddigwyddodd. Credwyd i John Williams gael ei saethu'n ei gefn wrth ddod mewn i'w stafell wely. Nid oedd arwydd o unrhyw ysgarmes. Prin awr gymrodd hi i'r rheithgor ei gael yn euog. Datgelwyd yn y llys i Gambrell gael ei fabwysiadu, ac iddo ymosod ar ei fam gan beri bod angen 200 o bwythau ar ei phen. 'Mae'n amlwg eich bod yn ddyn deallus,' meddai'r Barnwr Michael Davies wrtho, 'ond mae'r un mor amlwg eich bod yn ddyn peryglus iawn.' Anfonwyd Richard Gambrell i garchar am oes, gydag argymhelliad ei fod yn aros o dan glo am o leiaf 20 mlynedd. Y tro diwethaf glywais i amdano, roedd yn uned seiciatryddol Broadmoor.

Ond nid dyna diwedd y mater. Ar ôl iddo gael ei arestio, datgelwyd fod gan Gambrell restr o bobl Llanddewi yn ei feddiant – *hitlist*. Yr enw cyntaf ar y rhestr oedd John Williams, a hwnnw wedi cael ei grafu allan. Hyd yn oed ar ôl i'r llofrudd cael ei ddedfrydu am oes, doedd neb o'r rhai a enwid ar y rhestr yn fodlon siarad â mi ar gamera. Terfysgwr oedd Richard Gambrell, terfysgwr oedd wedi codi arswyd ar gymuned gyfan.

Y Teithwyr Tymhorol

AMBELL NOSON YN fy ngwely, byddaf yn pendroni am bethau mawr bywyd, 'Beth ddigwyddodd i hipis?' er enghraifft. Bob blwyddyn, mor ffyddlon â'r gwcw, bydden nhw'n cyrraedd yn eu hen gerbydau rhacs mewn cymylau mawr o fwg brwnt disel. Yr aroglau a gofiaf yn bennaf. A! Aroglau hipi. Dros fwlch o 30 mlynedd a mwy mae'n dal i ddrewi yn ffroenau'r cof; aroglau baw, chwys a mwg tân coed ar gyrff a dillad, a gwynt melys sbliffs canabis. Afghan Gold a Moroccan Black oedd cyffur yr ariannog, tra bod yr hipi go iawn yn pwffian ar ganabis *home grown* o'i ardd neu'i lofft ei hun. Cofiaf hanes am un hipi o ardal Llandysul a dorrodd ei galon ar ôl i'w ddwy afr dorri mewn i'r ardd. Nid 'blodau perta'r plwy,' chwedl Crwys, oedd yn tyfu yn ei 'forder bach', ond planhigion canabis. Bwytodd y geifr y cyfan, ac yna gysgu am ddeuddydd.

Dianc o'r ddinas oedd nod y teithwyr tymhorol. Byddai nifer yn byw mewn *squats* yn ystod y gaeaf cyn anelu am fynydd-dir agored Cymru pan fyddai'r tywydd yn gwella. Ymolchent yn noeth yn y nentydd a mwynhau barbeciw cig oen, gan mai anifeiliaid gwyllt oedd yr ŵyn ar y bryniau, yn eu tyb hwy. Ac yn goron ar y cyfan roedd y madarch hud, a ddarparwyd yn rhad ac am ddim gan y Fam Ddaear ac a oedd llawn cystal â LSD drud. Arferent alw'n y swyddfa bost agosaf ar ddydd Iau i godi'r dôl a chodi braw ar y brodorion.

Mae hipis yn haeddu sylw yn fy stori i am mai hwy oedd testun yr eitem deledu gyntaf erioed i mi ei ffilmio. Yn wir, mae'n bosib iddynt fod yn help i mi gael fy swydd ar deledu! Bore tanbaid o haf yn 1981 ydoedd, a llwyth o'r giwed wedi glanio ger Llanafan a chodi tipis ar lannau Afon Ystwyth. Ers tair blynedd, bu hyd at 700 o hipis yn dod i wersyllfa yma, heb ganiatâd, gan adael llanast ar eu hôl, ac yn ystod yr ymweliadau blaenorol, fe arestiwyd tua 100 o bobol am droseddau'n ymwneud â chyffuriau. Y tro hwn, fe wnaeth perchennog y tir ei orau glas i rwystro'r mewnlifiad trwy gau mynedfeydd â cherrig mawr a thorri cwter ddofn ar draws y fynedfa i'r llain o dir caregog ar lan yr afon. Ond fe lwyddodd yr hipis, gyda chymorth carfan o Hell's Angels oedd yn eu 'gwarchod', i lanw'r gwter â boncyffion coed oedd wedi'u stacio gerllaw. Tra roedd hyn yn digwydd cafodd yr heddlu lleol eu hel oddi yno mewn cawod o gerrig. Drannoeth, dyma fi, ar fy mhen fy hunan bach, yn cyrraedd y safle. Anadlais yn ddofn cyn mentro trwy'r bwlch amrwd yn y clawdd i'w gwersyll gyda recordydd tâp Uher o dan fy nghesail. Roedd y tipis ar lannau Afon Ystwyth gyda'r coed yn y cefndir yn f'atgoffa o luniau gwersyll y Sioux ar lannau Little Big Horn, a minnau'n teimlo fel General Custer yn mynd i'w dranc.

Fe ddes i ar draws triawd o Angylion Uffern barfog mewn hen gotiau lledr yn yfed brandi o botel litr. Esboniais mai gohebydd oeddwn yn chwilio am gyfweliad. 'How do we know you're not the Old Bill?' holodd un o'r brodyr barfog a sigledig, gan rythu arna i trwy lygaid coch. 'If I was a copper, do you think I'd be daft enough to come here alone?' atebais. Er gwaetha'i gyflwr ymenyddol dryslyd, fe welodd y barfog synnwyr yr ateb ar ôl cymryd llwnc arall o'r botel. 'You'd better go and speak to Moon,' meddai, 'he's in there', gan gyfeirio at un o'r tipis. Fel mab fferm, rown i'n gyfarwydd ag aroglau anifeiliaid, ond anodd disgrifio'r drewdod pan agorais y fflap a chamu i'r tipi mawr, lle'r oedd tua phymtheg yn cysgu. Eisteddodd llanc penfoel i fyny yn ei sach gysgu i danio 'cetyn'. Ie, fe oedd Moon, ac roedd yn amlwg yn berson oedd wedi cael addysg. Efalla'i fod e'n gweithio yn y Farchnad Stoc neu mewn swyddfa barchus weddill y flwyddyn, fel 'rebel wicend' Bryn Fôn. Cytunodd i esbonio pam fod cymaint wedi heidio i ganolbarth Cymru. Y madarch hud oedd yr atyniad. Mae Psilocybin yn gyffur cryf sy'n bresennol mewn mathau arbennig o fadarch. Mae'n peri iwfforia ac yn newid amgyffred person o le ac amser, nod pob hipi werth ei halen. Mewn oesoedd cyn-hanesyddol, mae'n debyg bod pobol yn defnyddio'r cyffur naturiol yma mewn defodau crefyddol. Byddai'r hipis yn berwi'r madarch i wneud te a fyddai'n mynd â nhw o Lanafan i blaned arall. Dylwn ychwanegu bod defnyddio'r cyffur yn anghyfreithlon, felly peidiwch â gwneud hyn adref!

Wrth gyfweld Moon, ni allwn lai na sylwi bod merch ifanc fron noeth wedi eistedd lan yn ei sach gysgu y tu ôl iddo. A barnu o'r wên ar ei hwyneb, doedd hi ddim wedi dychwelyd o'r blaned bell. Cododd pen llanc ifanc o'r un gwâl. Sibrydodd mewn Ffrangeg yn ei chlust a dechrau mwytho'i bronnau. Lledaenodd y wên. Cofiaf feddwl ei bod hi'n ffodus nad cyfweliad teledu oedd hwn, wrth geisio canolbwyntio ar atebion Moon. Gorffennodd hwnnw ei getyn aromatig a daeth y sgwrs i ben. Diolchais iddo, a cherdded yn gyflym yn ôl i'm car, gan ffarwelio'n serchog â'r Angylion Uffern oedd ar eu hail litr o frandi. Gwasgais sbardun yr Alfasud hyd y bôn, a rhuo lawr y B4340 i Aberystwyth gyda'r ffenestri led y pen ar agor. Ar ôl cyrraedd y prom, fe wynebais y môr a llyncu awel heli Bae Ceredigion i waredu'r aroglau ffiaidd o'm hysgyfaint, er nid o drwyn y cof.

Es i'r stiwdio yn Cambrian Place wedyn a chanfod digon o le i barcio ar y stryd tu fas. Tebyg na fyddai mor hawdd heddiw. Ers y dyddiau hynny, mae'r stiwdio wedi symud i hen gwt y bad achub gyferbyn â chefn y Marine ac yna i fyny i'r Coleg lle mae ar hyn o bryd. Ond yn Cambrian Place oedd ei chartref bryd hynny, a Tom Evans fwstasiog yn gofalu am y lle. Ar ôl torri clipiau o ddoethinebau Moon ar y tâp ¼ modfedd gyda raser ar y peiriant Ferrograph, fe luniais sgript i newyddion Radio Cymru ac un arall i Radio Wales ar gyfer y bwletinau amser cinio.

Diolch i'r drefn, feddyliais, ni fydd raid mynd 'nôl i blith y giwed ar lan yr Ystwyth. Ond roedd y cynhyrchwyr yng Nghaerdydd wedi gwirioni ar y stori. Roedd criw camera *Wales Today* ar ei ffordd i gwrdd â mi yn Llanafan. John Higgs oedd y dyn camera a Jeff Matthews y dyn sain. Nid oedd athroniaeth ac ymddygiad y teithwyr tymhorol yn plesio John. 'Why don't these bloody hippies get a job?' oedd un o'i sylwadau uchel a llai eithafol wrth i ni fynd 'nôl i ffau'r llewod. Cawsom gyfweliad gyda chwpwl o'r hipis ar ôl rhoi pum punt iddynt brynu disel. Dylwn esbonio bod 'arian i brynu disel' wastad yn sicrhau cymorth parod unrhyw hipi. Faint o'r arian yna welodd tll garej, ni wn. Ar ôl ffilmio lluniau a darn i gamera 'nôl i Aber â ni i holi un o'r Old Bill.

Darlledwyd y stori ar *Wales Today* y noson honno. Cofiaf yr achlysur yn iawn oherwydd yn syth ar ôl y rhaglen, cefais alwad ffôn gan Deryk Williams, Golygydd y rhaglen *Heddiw*. Ar ôl canmol yr eitem, dywedodd fod fy nghais am swydd fel gohebydd teledu yn y gorllewin, i olynu Sulwyn Thomas, yn llwyddiannus. 'Welcome aboard,' meddai Deryk, ac yn sgil diwedd *Heddiw* a dyfodiad *Newyddion Saith* fe hwyliais ar ddec Newyddion S4C trwy bob storm a hindda am y chwarter canrif nesaf.

Ond dewch 'nôl at yr hipis. Eu gelynion pennaf oedd ffermwyr. Doedd neb yn berchen ar y ddaear yn nhyb y teithwyr, felly roedd hawl i wersylla mewn unrhyw gae neu ar dir comin cyfleus. Yn rhy aml, byddai cŵn yr hipis yn lladd defaid. Byddai'r gwersyllwyr hefyd yn llifio pyst ffensio i'w llosgi, yn gadael clwydi ar agor ac yn stablad dros gnydau gwair a gwenith yn hytrach na dilyn llwybrau troed. Un tro, pan oeddwn yn dal i fod yn yr ysgol, fe wnaeth criw o hipis wersylla ar fynydd-dir agored Ystafflau Carn, gerllaw tyddyn fy rhieni. Er mwyn torri cornel, byddent yn cerdded ar draws y caeau fel petaen nhw'n berchen ar y lle, heb boeni llawer am gau clwydi. O ganlyniad byddai bustych fy nhad yn crwydro i gaeau eraill neu allan i'r hewl. Yn hytrach na mynd i ddadlau â nhw cafodd fy nhad, dyn cryf iawn o gorff a meddwl, syniad doethach a llawer mwy effeithiol. Pan welodd griw yn croesi'r cae aeth atynt a dweud bod croeso iddynt groesi ei dir, ond ei fod newydd brynu tarw ifanc. 'He can get very nasty when strangers come into the field, and the last thing I want is someone getting hurt,' meddai'n llawn consérn. Gan na wyddai'r hipis y gwahaniaeth rhwng tarw cas a bustach busneslyd, sy'n tueddu i redeg atoch ond sy'n hollol ddiniwed, ni welwyd yr un hipi ar ein tir fyth wedyn.

Nid pob ffermwr oedd mor hirben a chyfrwys â 'nhad wrth ddelio â'r teithwyr trafferthus. Yn 1980, glaniodd confoi o deithwyr mewn hen fysiau a cherbydau eraill mewn culfan ar yr A40 ger y Clwb Golff tua dwy filltir tu fas i Hwlffordd. Fe es i lawr gyda'r Uher i holi'r criw oedd yn arddel yr enw *mutants* ac yn ystyried eu hunain yn fwy dyrchafedig na'r hipi cyffredin. Cefais groeso yn eu gwersyll, a chael cynnig te o gwpan oedd yn gremen o faw. Esboniais yn gelwyddog nad oeddwn yn yfed te na choffi cyn cael cyfweliad a gadael.

Ond ni wnaeth y *mutants* adael am fisoedd. Dechreuodd ffermwyr lleol gwyno am y problemau arferol a threfnwyd fod llond car o amaethwyr yn gwylio'r garfan ddydd a nos o gilfan gyfagos, ger clwb golff Hwlffordd. Tyfodd cryn ddrwgdeimlad rhwng y teithwyr a'r trigolion lleol. Er gwaetha'r *vigilantes*, aeth rhai o'r *mutants* ar y cwrs golff liw nos a gwneud eu busnes yn rhai o'r tyllau. Yn naturiol, fe wnaeth hyn gythruddo'r golffwyr, yn eu plith rhai o bobol mwyaf dylanwadol Sir Benfro, yn gynghorwyr ac yn uwch-swyddogion yr heddlu, nad oeddynt yn gwerthfawrogi cael baw hipi ar eu bysedd wrth godi peli o'r tyllau. Un bore braf, dyma'r heddlu'n paratoi i symud y *mutants*. Llusgwyd eu cerbydau o'r gulfan, a daeth fflyd o loriau i arllwys cerrig anferth o faint y Maen Llog ar hyd ochr y ffordd i'w rhwystro rhag dychwelyd. Mae'r cerrig yno hyd heddiw. Ond ble byddai'r teithwyr yn mynd nesaf? Tiroedd agored y Preselau, efallai. Gyrrais i fyny'r hewl sy'n arwain yn y pen draw i Eglwyswrw. Pedair milltir tu fas i Hwlffordd, fe ddes ar draws tua ugain o ffermwyr gyda pheiriannau yn llanw culfan. *Down belowers* oedd y rhain i gyd, heb un gair o Gymraeg. Ymhen tair milltir arall gwelais griw tebyg o ffermwyr yn eistedd ar ben clawdd mewn culfan ychydig y tu fas i bentref bach Twfftwn. Roedd bron pob un o'r rhain yn medru'r heniaith. Rhywle, yn ystod y daith fer, rown i wedi croesi'r Landsker – y llinell ieithyddol anweledig sy'n rhannu Sir Benfro.

Mae dwy ochor i Sir Benfro,
Un i'r Sais a'r llall i'r Cymro;
Melltith Babel wedi rhannu
Yr hen sir o bentigili.

Mae'r rhaniad yn mynd 'nôl naw canrif, pan goncrwyd rhan o dde Sir Benfro gan y Brenin Harri'r Iaf. Sefydlwyd gwladfa o Fflemiaid yno i wladoli'r ardal ac fe godwyd rhes o gestyll ar draws y sir i'w gwarchod. Tan yn ddiweddar, roedd gan bobol de Sir Benfro dafodiaith Seisnig mor unigryw ag iaith Cymry gogledd y sir. 'We'st thee been, bei?' A byddai'n frith o ciriau fel 'balshag' (trempyn), 'skirp' (glaw mân) a 'slop' (bwlch mewn clawdd). Erbyn hyn, prin fod neb ar ôl sy'n medru'r dafodiaith hon. Nid yw addysg wastad yn fendith.

Ond y bore heulog hwnnw, ar yr hewl tua'r Preselau, roedd ffermwyr o'r ddwy ochr i'r ffin ieithyddol yn unedig yn eu bwriad i rwystro'r *mutants* rhag aros yn unman. Lle'r aethon nhw wedyn? Ni wn. Tebyg y gwasgarwyd y confoi. Ond mae ôl-nodyn i'r hanes. Mewn cwest yn Hwlffordd yn 2010, disgrifiwyd gŵr 51 oed a fu farw ar ôl cymryd gormod o gyffuriau ac alcohol fel teithiwr a ddaeth i Sir Benfro o Loegr gyda'r *mutants* a fu'n gwersylla ger Hwlffordd. Dywedwyd iddo dreulio cyfnod yn byw mewn pabell yng Nghoedwig Canaston gan weithio ar fferm leol. Nid oedd ganddo gartref parhaol. Roedd yn dal i fyw 'yn agos at natur' pan fu farw. Dyna hipi o argyhoeddiad.

Nid ffermwyr yn unig oedd yn cael trafferth gyda hipis. Ar un adeg roedd archfarchnad Tesco yng nghanol tref Caerfyrddin, ger hen fynedfa'r farchnad. Prin ei bod hi'n fwy nag ambell i siop Spar heddiw. Ar ddydd Mercher heulog yn 1984 disgynnodd haid o hipis, oedd yn cynnal gŵyl ger Llangeler, i wneud eu siopa. 'Dewch,' meddai'r proffwyd Eseia, 'dewch, er eich bod heb arian; prynwch a bwytewch.' A dyna wnaeth yr hipis; bwyta eu cinio yn syth oddi ar y silffoedd peis a bwydydd parod, yfed gwin a diodydd o far rhad ac am ddim yr *off licence*, ac ar ôl diwallu eu hunain defnyddio'r oergelloedd agored fel tai bach, a dianc yn ôl i'w gwersyll ger Llangeler cyn i'r heddlu wneud dim.

Roeddent yn hynod ffodus bod y Prif Arolygydd Ritchie Morgan ar *day off*. Drannoeth, pan ddaeth yn ôl i'w waith, bu tipyn o le. A hithau'n ddydd Iau, roedd disgwyl i'r hipis ddychwelyd i'r dref i gasglu'r dôl. Fe gododd yr heddlu *roadblock* ar y ffordd i mewn i Gaerfyrddin yn Heol Bronwydd. Roedd yr hyn ddilynodd fel golygfa o gomedi. Pan ddaeth y bws hynafol cyntaf i lawr Heol Bronwydd, camodd plisman yn fras i ganol yr hewl a dal ei law lan i'w stopio – gweithred ddewr o ystyried mor ddiffygiol oedd brêcs y fath gerbydau. Dyma ddyn bach mewn het galed a chot wen yn camu mewn i roi prawf MOT i'r bws yn y fan a'r lle. Tra roedd hwnnw o dan y cerbyd yn tapio'r peth hyn a'r peth arall gyda morthwyl bychan, daeth yr hipis allan o'r bws yn rhegi a rhwygo. Fe drodd yr awyr yn lasach fyth pan gyhoeddodd y dyn MOT nad oedd y bws yn ffit i fod ar yr hewl, a galw lorri i dowio fe bant. Gwelais gerbydau mewn gwell cyflwr ar domen sgrap.

Daeth bws arall, ac un arall, a'r un fu'r stori bob tro. Erbyn hyn roedd haid go dda o hipis hynod grac yn sefyll wrth ochr y ffordd. A dweud y gwir, roedd yr hipis yn hopio! Yna daeth car Hillman Imp brown i'r golwg. Camodd y plisman i ganol yr hewl, ond fe hwyliodd yr Hillman heibio heb arafu dim. 'Stop him!' sgrechiodd y Prif Arolygydd, a rhuodd car patrol bant â theiars yn sgrechian a seiren yn atseinio.

Ond i ddod 'nôl at y cwestiwn – i ble aeth yr hipis? I raddau helaeth, chwalwyd eu ffordd o fyw gan ddeddf gwlad a'r heddlu. Gwelais hyn yn digwydd i fyddin oedd wedi gwersylla ar y ffin gyda Lloegr, ger y Gelli Gandryll yn Hydref 1984. Darllenais ddyfyniad yn y *Western Mail* gan fachan o'r enw Dewi oedd yn un o'r hipis yma. Doedd dim ffonau symudol i gael bryd hynny, wrth reswm, a dim *landlines* mewn pabell, felly doedd dim amdani ond gyrru i'r ffin i weld a allwn ddod o hyd i Dewi'r

Hipi Cymraeg. Fe adewais fy nghar yn y Gelli a neidio i Volvo Tomi Owen i ddringo'r hewl serth sy'n arwain tuag at Lord Hereford's Knob – neu'r Twmpa, i roi iddo'i enw mwy parchus yn Gymraeg. Mae'r Twmpa'n dipyn o fynydd, yn codi i 2,250 troedfedd ac yn rhan o'r gefnen uchel sy'n fur naturiol rhwng Cymru a Lloegr. Mae'r ffordd fynydd yn dilyn y ffin am dipyn cyn disgyn trwy Fwlch-yr-efengyl i Ddyffryn Honddu, gan basio Capel y Ffin ac adfeilion abaty hynafol Llanddewi Nant Honddu. Enwau Cymraeg sydd ar nifer o ffermydd yr ardal o hyd, a hynny bob ochr i'r ffin: Cae'r Bwla, Parc y Meirch, Wern Ddu, Penywyrlod–serth, ac yn y blaen. Tua dwy filltir tu allan i'r Gelli, wrth ddod i olwg y Twmpa, mae'r cloddiau'n diflannu a'r ffordd yn croesi tir comin wrth ymyl coedwig goed pîn. Yno roedd gwersyll enfawr yr hipis.

Erbyn hynny roedd cynhyrchwyr rhaglenni yn mynnu bod gohebwyr yn defnyddio'r ymadrodd 'Teithwyr yr Oes Newydd', yn hytrach na 'hipi'. Fuodd yr un ohonynt erioed yng nghanol y giwed ddrewllyd – pobol oedd yn gallu bod yn ddigon annifyr, hyd yn oed pan nad oeddent mas o'u pennau ar gyffuriau anghyfreithlon – yr hipis, hynny yw, nid y cynhyrchwyr. Na, i fod yn deg, roedd nifer o'r teithwyr yn bobol ddigon diniwed oedd am fwynhau bywyd amgen, am rai wythnosau o'r flwyddyn ta beth.

Dyma fi, Tomi Owen a Tony Harries yn cyrraedd y tir comin yng ngolwg y Twmpa am tua un ar ddeg y bore, sy'n ganol nos i hipi. Yno roedd gwersyll anferth o bebyll o bob lliw a llun, a llinell o fysiau ar hyd ochr y ffordd gyda'r geiriau 'Peace Convoy' wedi'u paentio'n amrwd ar rai ohonynt. Suddodd fy nghalon. Os bu 'na gam-ddisgrifiad erioed... Doedd 'na ddim byd heddychlon am y casgliad yma o anarchwyr, pyncs a phobol annifyr oedd wedi ymgynnull mewn gŵyl Ganol Haf yng Nghôr y Cewri y flwyddyn honno, cyn dilyn eu trwynau ar draws gorllewin Lloegr *via* Comin Greenham ac ymuno â rhai cannoedd o deithwyr eraill oedd yn gwersylla ger Y Gelli. Tra fod y mwyafrif o hipis am gael llonydd i fyw y tu fas i'r sefydliad, roedd y Peace Convoy yn ystyried ei bod hi'n ddyletswydd arnynt i ymosod ar y sefydliad. Ac roedd y BBC, wrth gwrs, yn rhan o'r sefydliad.

Roedd y sefydliad yr un mor awyddus i ymosod ar yr hipis; trwy rym deddf gwlad ac ergyd pastwn plisman. Y flwyddyn ganlynol, rhwystrwyd confoi o hipis ar eu ffordd i ŵyl Côr y Cewri gan fyddin o 1,300 o blismyn. Ymosodwyd yn dreisgar ar y teithwyr. Dinistriwyd pob un o'r 140 o gerbydau ac fe arestiwyd 534 o bobol. Dyna'r flwyddyn pan chwalwyd pwerau'r undebau gan lywodraeth Margaret Thatcher trwy orfodi'r glowyr yn ôl i'r gwaith. Lluniwyd Deddf Trefn Gyhoeddus 1986 er mwyn torri'n llym ar hawliau sifil mewn ymateb i'r hyn ystyriwyd yn anhrefn cyhoeddus – fel picedi, ymladd mewn meysydd pêl-droed, protestiadau CND a gwyliau hipis.

Ond roedd hynny yn y dyfodol wrth i ni gyrraedd y tir comin uwchlaw'r Gelli ar y bore cymylog hwnnw yn 1984 a pharcio'r Volvo llwyd ar ochr y ffordd gul dros y tir comin. Wrth i ni gerdded ar y safle dechreuodd y cŵn gyfarth, ac roedd golwg digon ffyrnig ar ambell un. Ymddangosodd hipi blinedig yr olwg o'i babell ac fe es i drwy'r ddefod o gynnig 'pum punt am disel' er mwyn cael gwybod lle'r oedd Dewi. Cyfeiriodd at babell ym mhen draw'r safle, yn ymyl y goedwig. Yno roedd dau deithiwr wedi cynnau tân ac yn ceisio berwi dŵr. Roedd Dewi, meddai un, yn y goedwig yn gwneud beth mae eirth yn ei wneud. Ni allwn lai na sylwi bod bandej mawr gwyn am ei ben. Beth ddigwyddodd, holais? Damwain ar y ffordd i'r Gelli, atebodd. Roedd wyth ohonynt yng nghefn hen *pick-up* pan ddaeth tractor i fyny'r hewl gul. Gan nad oedd lle i'r *pick-up* fynd heibio, a dim brêcs i stopio, aeth y gyrrwr hanner ffordd i fyny'r clawdd i osgoi'r tractor. 'We were catapulted over the hedge and through a barbed wire fence,' meddai, gan rwbio ei ben yn dyner. 'Nearly bloody scalped me.' Wrth i mi gydymdeimlo â'r brawd, dyma Dewi'n ymddangos. Cytunodd i gael ei holi ar gamera. Esboniodd mai ceisio byw bywyd amgen ydoedd, cyn cyfaddef ei fod wedi cael digon o'r arbrawf erbyn hyn, a'i fod am fynd 'nôl i fflat ei fam yn Rhyl. Ar ôl cyrraedd yn ôl i'r car, arhosodd Tomi i ffilmio ychydig mwy o luniau cyn gadael. Dyna pryd ddeffrodd rhai aelodau o'r Peace Convoy. Dechreuodd merch mewn cot ledr sgrechen atom. Fe ddeffrodd hynny eraill o'r giwed gythreulig, ac fe drodd y gweiddi'n weithredu. Daeth cawod o gerrig a photeli i'n cyfeiriad. 'M.O.M,' dywedais, a hynny'n 'G.Ff.G' hefyd!

Tua wythnos ar ôl i ni ddianc ar frys o'r tir islaw'r Twmpa cefais alwad ffôn gan gyfaill o'r heddlu i ddweud eu bod nhw'n mynd i symud yr hipis gyda'r wawr drannoeth. Criw gwahanol oedd gen i y tro yma, Ken Davies ar y camera ac Andrew Davies yn ddyn sain. Gan ei bod hi'n awr a hanner dda o daith, trefnais i ni aros dros nos yn y Baskerville Arms, ym mhentref Claerwy ger y Gelli. Roedd y nofelydd Arthur Conan Doyle, creawdwr Sherlock Holmes, yn gyfaill i deulu'r Baskerville, perchnogion hen neuadd gerllaw. Yn ystod un o'i aml ymweliadau fe glywodd yr hanes am 'Gi Du Hergest'. Yn ôl y chwedl, roedd y ci'n eiddo i Syr Tomos ap Rhosier a laddwyd ym Mrwydr Banbri. Pan dorrwyd pen Syr Tomos yn syth ar ôl y frwydr, fe gydiodd y ci ffyddlon ynddo a rhedeg 'nôl yr holl ffordd i Hergest bell, yn ôl yr hanes. Bob nos, byddai sŵn y ci yn udo am ei feistr i'w glywed drwy'r fro – hyd yn oed ar ôl i'r ci ddarfod! Credir mai addasiad lleol o chwedl hynafol Cŵn Annwn yw'r stori. Dyma lle cafodd Conan Doyle y syniad ar gyfer *The Hound of the Baskervilles*, ond er mwyn arbed embaras i'r teulu, fe symudodd y stori i Dartmoor.

Bues i'n adrodd y stori hon wrth Ken ac Andrew wrth i ni eistedd yng nghar Ken yn Y Gelli am chwech o'r gloch fore trannoeth. Er bod rhuthro yn rhan o fywyd dyddiol criwiau newyddion, gall yr aros fod yn syrffedus hefyd. Doedd dim cwrcyn yn symud yn y dref fach gysglyd. A fu'n siwrnai ofer? Yna, yn y drych, gwelais oleuadau'n nesáu. Nid un neu ddau gerbyd, ond degau o gerbydau'r heddlu. Pan ymddangosodd bwlch yn y rhes hir fe sleifiodd Ken ei Range Rover gwyn i'w canol, gan ddringo'r rhiw serth tuag at y Twmpa a llwyddo i gyrraedd bron hyd at y gwersyll. Ond roedd plisman ar ddyletswydd ar ochr y ffordd, ac roedd yn digwydd adnabod Ken. Fe nabyddodd ei gar a'i stopio. Damnedigaeth! 'Well i chi aros fan hyn, bois,' meddai'r bobi hawddgar, 'ni newydd droi'r cŵn yn rhydd ar y comin i hala cŵn yr hipis bant.' Byddai hynny yn olygfa werth ei ffilmio! Daeth hanes Ci Du Hergest 'nôl i'm meddwl.

Dyddiodd, a dyma'r Uwch-Arolygydd yn caniatâu i ni fynd ar y safle, lle roedd golygfa anhygoel. Safai sawl criw o blismyn hwnt ac yma. Codais fy llaw ar rai o Aberystwyth, oedais i gyfweld arolygydd oedd yn arwain uned o Rydaman a sgwrsio â sarjant o Gaerfyrddin. Anodd credu, ond roedd bron i hanner plismyn Dyfed-Powys ar y tir comin islaw'r Twmpa y bore hwnnw. Gwawriodd arna' i i orchymyn ddod oddi uchod i chwalu'r gwersyll, mwy na thebyg o'r Swyddfa Gartref.

Profiad annifyr i nifer o'r hipis oedd cael eu dihuno gyda'r wawr. Rhaid bod deffro i ganfod cannoedd o blismyn yn eu plith yn hollol hunllefus. Mewn cyfweliad dywedodd yr Arolygydd Peter Evans o Gaerfyrddin iddo fynd i babell a chanfod hipi'n cysgu ar wastad ei gefn. 'Deffra frawd,' meddai Peter wrtho yn Gymraeg, gan gydio mewn troed a'i siglo. 'Deffra, 'achan,' meddai eto. Deffrodd y 'brawd' i sŵn iaith ddieithr, ac o weld pen Peter a thri neu bedwar bobi arall yn syllu arno drwy fynedfa'r babell yn yr hanner-tywyllwch, agorodd ei lygaid led y pen a sgrechian mewn braw! Mae'n bosib ei fod yn credu taw *bad trip* oedd y cyfan. Yn rhyfedd iawn, mae gwefan sy'n deyrnged i hoelion wyth hipiaidd y cyfnod yn cadarnhau hyn, 'Welsh plod were instructed by Special Branch to speak only in their native tongue when near hippies, in order to foil the drug enhanced hearing of the unwashed hordes.'

Yn sicr, cafodd nifer o'r *unwashed hordes* drip cas y bore hwnnw – trip mewn cyffion i orsaf yr heddlu yn Aberhonddu. Yn eu plith, roedd rhai o aelodau'r Peace Convoy, a adawodd comin y Twmpa mewn confoi gwahanol iawn i'w cerbydau arferol, rhes o fwsiau mini heddlu Dyfed Powys. Wrth i ni eu ffilmio, sgyrnygodd ambell un arnom a chodi dau fys. O gofio'r gawod o gerrig a gwydr a feltiwyd atom yn flaenorol, cefais fy nhemtio i ymateb yn yr un modd! Clywsom yn hwyrach i ddwsin o'r hipis ddod i Brydain yn anghyfreithlon, a'u bod wedi'u hanfon yn ôl i'w gwlad eu hunain.

Bu cyrch mawr arall gan yr heddlu ar wersyll hirdymor hipis Cwmdu. Mae Tipi Valley yn y bryniau i'r gogledd o Landeilo. Yma, mae'r hipis yn berchen ar y tir – tua 200 erw. Un bore braf o haf yn 1986, buom yn ffilmio'r cyrch gan blismyn oedd yn chwilio am gyffuriau yn y gwersyll. Doedd dim angen llawer o chwilio. Tyfai'r canabis fel planhigion tomatos. Aeth plismyn ati â *machetes* i'w cynaeafu, er mawr loes i ambell hipi oedd yn eu dagrau. Bu'r Uwch-arolygydd Ritchie Morgan, oedd yn trefnu'r cyfan, mewn trwbl mawr am iddo hysbysu'r wasg. Mewn gwrandawiad disgyblu gwysiwyd ein dyn camera, Ken Davies, i roi tystiolaeth, gan mai fe gafodd y *tip-off* am y cyrch ar Tipi Valley. Dyfarnwyd fod Richie Morgan wedi camymddwyn, ac fe'i diraddiwyd o uwch-arolygydd i sarjant. Yn dilyn apêl Swyddfa Gartref, cafodd gadw ei *rank*, ond bu'n rhaid iddo dalu dirwy drom. Pymtheng mlynedd yn ddiweddarach cafodd Mr Morgan, oedd wedi hen adael yr heddlu, ei garcharu am dwyll. Byddai'r hipis wrth eu bodd o glywed, mae'n siŵr.

Bu hipis Tipi Valley yno ers 1976, ac ni wnaeth cyrch yr heddlu unrhyw wahaniaeth. Maen nhw yno o hyd, er gwaethaf ymdrechion dygn a drud Cyngor Dinefwr ac yna Cyngor Sir Gâr i'w symud. Arloeswr Tipi Valley oedd dyn o'r enw Brig Oubridge, a brynodd dir Penlan Fach. Nid oedd caniatâd cynllunio ganddo i'w garafán a thair pabell, ac o 1984 ymlaen fe geisiodd Cyngor Dinefwr ei orfodi i adael, yn ofer. Yn y cyfamser, tyfodd pentref o bebyll a chabanau ar y safle. Mae llawer o fynd a dod o'r gymuned, ond mae tua 70 o bobol yn byw yno drwy'r flwyddyn a dros 120 o blant wedi cael eu geni yno. Mae'r rhan fwyaf yn mynd i ysgol cyfrwng Cymraeg Talyllychau. Bu Brig Oubridge yn aelod blaenllaw o'r Blaid Werdd ac, yn 1987, safodd fel ymgeisydd yn etholaeth Caerfyrddin. Mae'n werth gweld pa wroniaid eraill fu'n ymladd yr etholiad a beth oedd y canlyniad:

Dr Alan Williams (Llafur) 19,128
Rod Richards (Ceidwadwr) 14,811
Hywel Teifi Edwards (Plaid Cymru) 12,457
Gwynoro Jones (SDP-Rhyddfrydwyr) 7,201
G E 'Brig' Oubridge (Plaid Werdd) 481

Safodd Oubridge fel ymgeisydd rhanbarthol aflwyddiannus yn etholiadau'r Cynulliad yn 1999 a 2007. Bu'n trefnu gŵyl o'r enw The Green Gathering ar gyfer hipis parchus. Mae Linked-In yn ei ddisgrifio fel 'Independent Events Services Professional', sydd bellach yn byw yn Harrow.

Beth ddigwyddodd i weddill yr hipis – y rheini na losgwyd eu hymennydd gan LSD a marijuana? Arhosodd nifer yng Nghymru gan droi ambell adfail yn gartref i fagu teulu. Fe ddechreuodd rhai fusnesau a dod yn rhan o gymuned. I raddau helaeth, mae cymdeithas wedi symud i'w cyfeiriad hwy, gan dderbyn yr angen am fywyd mwy cynaliadwy. Mae'r hipis hwythau wedi cyfaddawdu â'r sefydliad, gyda phlant Tipi Valley yn mynd i ysgol leol Talyllychau mewn iwnifform. Pwy fyddai'n meddwl?

Y Cneifiwr

'So, ALL THIS water goes to England?' holodd yr Americanwr wrth i ni sefyll yno'n syllu ar draws dyfroedd eang Llyn Brianne. Oedais am eiliad wrth i awel ysgafn Mehefin grychu wyneb y dŵr glas. Cefais fy nhemtio i ddweud, 'Yes. Isn't it terrible? They've drowned our homes and destroyed our communities.' Ond f'ateb cloff i Jimmy Carter oedd, 'Well, actually, most of THIS water goes to Swansea.' Lledaenodd gwên yn ddannedd i gyd ar draws yr wyneb enwog. 'I guess that's OK then.' Dychmygwch y peth o ddifri: mod i'n achub cam y Saeson, a hynny gyda chyn-arlywydd yr Unol Daleithiau o bawb! Ond roedd yn ddiwrnod rhyfedd. Hollol *bizarre*.

Cefais alwad ffôn yn hwyr y noson cynt gan blisman, digwyddiad cyffredin bryd hynny. Roedd plismyn a gohebwyr yn adnabod ei gilydd yn dda, yn cwrdd dros beint yn fynych. Byddem yn cael straeon o lygad y ffynnon a nid gan ddatganiad newyddion gofalus o swyddfa'r wasg. Sgt Ifor Owen, Cardi i'r carn a hen ffrind agos i'r teulu oedd ar y ffôn. Roedd Ifor ymhlith yr olaf o blismyn pentref, y bobi oedd yn gweithio ddydd a nos ac yn adnabod pawb a phopeth lleol. Bu'n blisman yn Nhalybont, lle'r oedd y teulu'n byw 'uwchben y siop'. Ifor oedd yr olaf ond un i'w leoli yno cyn cau'r orsaf a'r llys a'u gwerthu i gwmni'r Lolfa. Fel sarjant yn *Ops Room* Dyfed-Powys fe wyddai am bob twll a chornel yn y ddwy sir. Flynyddoedd cyn dyfeisio *sat-nav*, byddai Ifor, dros y radio, yn medru cyfeirio car yr heddlu i'r man mwyaf anghysbell. 'Ble wyt ti nawr? Ar sgwâr Cwmsgwt? Ti'n gweld y ciosc 'na? Tro ar y dde ar ôl i ti baso fe, a wedyn ar y chwith ar bwys y stand la'th...' Bu ei wraig, Cassie, yn cynorthwyo Ann wrth dynnu lluniau mewn cannoedd o briodasau ar hyd a lled gorllewin Cymru.

Braint fawr oedd cael traddodi'r deyrnged i Ifor yn ei angladd yn 2012, gydag eglwys fawr San Pedr yng Nghaerfyrddin yn llawn.

Cwestiwn oedd gan Ifor y noson honno o Fehefin 1986, 'Ti siŵr o fod wedi clywed bod Jimmy Carter yn mynd i Soar-y-mynydd fory? Ma fe'n aros 'da ffrind yn Llanddewi Brefi a bydd e 'na erbyn un ar ddeg.'

Y ffrind oedd Dr Peter Bourne, dyn disglair sy'n hanu o deulu o ffermwyr o Ddyffryn Teifi. Yn wreiddiol o Rydychen, aeth i goleg yn America. Bu'n seiciatrydd yn y fyddin yn Vietnam yn trin milwyr oedd yn dioddef o straen wedi trawma – PTSD. Wrth i nifer o'r GIs droi at heroin, fe drodd Dr Bourne at arbenigo mewn trin dibyniaeth ar gyffuriau. Ac yntau'n ddarlithydd mewn prifysgol yn Atlanta cyfarfu â Jimmy Carter, Llywodraethwr Georgia bryd hynny. Daeth y ddau yn ffrindiau mawr, ac yntau oedd y cyntaf i awgrymu y dylai Carter ystyried ymgeisio am yr arlywyddiaeth. Ond yn y cyfamser, cafodd Dr Bourne ei alw i Washington gan yr Arlwydd Richard Nixon i fod yn rhan o strategaeth gyffuriau newydd. Pan etholwyd Carter ym 1976, cafodd ei gyfaill ei ddyrchafu'n *Drug Czar* gyda'r cyfrifoldeb o fynd i'r afael â'r broblem gyffuriau yn America. Ym marn Dr Bourne, nid oedd marijuana'n berygl i iechyd a bu Carter yn ystyried ei gyfreithloni. Credai fod Richard Nixon wedi targedu pobol oedd yn ysmygu'r cyffur am resymau gwleidyddol – fod yn gas ganddo'r hipis oedd â phlacard heddwch yn un llaw a *reefer* marijuana yn y llall. Beth bynnag am y dadleuon gwleidyddol, bu cyfnod Dr Bourne fel *Drugs Czar* yr Unol Daleithiau yn un llwyddiannus, gyda gostyngiad o 30% yn nifer y rhai a fu farw o effeithiau cyffuriau.

Ym 1979 cafodd Peter Bourne ei benodi'r Ddirprwy Ysgrifennydd-Cyffredinol yr UN. Dros y degawdau ers hynny bu'n chwarae rhan flaenllaw mewn mudiadau heddwch a dyngarol ledled y byd, gan gynnwys Achub y Plant a'r Hunger Project. Bu fferm Llanio Isaf gynt yn eiddo i'w deulu, ac ym 1980 llwyddodd Dr Bourne i'w phrynu'n ôl. Mae'r tir yn Safle o Ddiddordeb Gwyddonol Arbennig (SSSI) ar lawr Dyffryn Teifi rhwng Tregaron a Llambed. Roedd Peter Bourne yn awyddus iawn i wahodd ei hen gyfaill Carter am wyliau yno, ac fe ddaeth. Dyna'r tro cyntaf erioed i gyn-arlywydd yr Unol Daleithiau ymweld â Chymru. Ni ddaeth Arlywydd mewn swydd i'n gwlad tan Barack Obama yn 2014.

Yng nghefn gwlad Ceredigion, does dim byd yn aros yn gyfrinach yn hir. Felly, deuddeg awr ar ôl yr alwad ffôn hwyrol gan Ifor, rown i wedi cyrraedd Soar. Y criw camera oedd Tomi a David Owen oedd wedi teithio lan o Abergwaun y bore hwnnw. Soar-y-mynydd yw'r capel mwyaf diarffordd yng Nghymru, a does yr un ffordd hawdd yn arwain ato. Saif ar lan nant Camddwr, mewn llecyn hudolus yng nghanol tir uchel y defaid mynydd, heb yr un pentref na ffordd fawr o fewn deng milltir iddo. Yn yr haf, gwelir bysus yn ymlwybro ar hyd yr hewlydd cul at y capel, gan ei fod yn gyrchfan pererindota poblogaidd i Gristnogion o bob rhan o Gymru.

Wrth sefyll yn yr haul tu fas i Soar doedd dim sôn am y dyn mawr na neb arall, dim ond sŵn y nant a'r defaid. Cyn bo hir, byddai'n rhaid mynd i'r ciosg coch unig ar hewl Abergwesyn i hysbysu'r cynhyrchydd iddi fod yn daith ofer a bod twll o ddwy funud a hanner yn ei raglen. Ond yna dyma John Jones, Nantllwyd, yn cyrraedd yn ei Land Rover, cap fflat ar ei ben. Bois Nantllwyd oedd berchen y bryniau, ac fe saif Soar ei hun ar dir Nantllwyd. John Jones arall roddodd y tir i godi'r capel yn dilyn diwygiad yn ystod cwrdd gweddi yn ffermdy Nantllwyd yn 1819. Bu'r teulu'n flaenllaw yn ei gynnal dros gyfnod o bron i ddwy ganrif. Roedd John a'i frodyr yn dal i gasglu'r defaid i'w cneifio ar gefn ceffylau bryd hynny, yn byw y bennod olaf o'r hen ffordd Gymreig o fyw. A mynnodd fyw yno hyd yr eithaf, gan adael Nantllwyd ddwy flynedd cyn ei farw yn 87 oed yn Ionawr 2015.

Mor falch yr oeddwn o weld John y bore hwnnw! Mewn ateb i'm cwestiwn pryderus datgelodd, 'Odi, odi, bydd e'n dod cyn bo hir. Fi 'ma i agor y capel iddo fe.' Wrth i ni sgwrsio, dyma gar yn nesáu. Plisman oedd yn gyrru, un arall o gymeriadau mawr yr ardal honno, sef PC Owen Lake, y soniais amdano eisoes. Yr oeddwn i'n gyfarwydd iawn â fe yn blentyn. Fel Ifor, buodd e'n blisman pentref oedd yn byw yn y gymuned. 'Nôl yn nechrau'r 1960au, bu'n lletya yng nghartref fy nghefnder Andrew a'i rieni yn y cyfnod pan oedd e'n gyfrifol am gadw cyfraith a threfn ym mhentref Brechfa. Nid oedd yn swydd feichus. Allan o'r car gyda PC Lake daeth tri Americanwr digon sarrug yr olwg, pob un â sbectol dywyll, radio yn ei glust a gwn o dan ei gesail. Gwarchodwyr Carter. Er fod pum mlynedd ers iddo adael y Tŷ Gwyn, byddai'r gwarchodlu yn gwmni iddo tan ddiwedd ei oes. Mae gan bob cyn-arlywydd ormod o gyfrinachau yn ei ben i'w adael yn amddifad. Yn ystod ei ymweliad â Chymru, daeth deg dyn arfog i'w hebrwng. Dim ond tri oedd yn weledig, ond roedd y lleill yno yn rhywle.

Wrth glywed Owen Lake yn sgwrsio â ni yn Gymraeg, holodd un yn ddigon swrth, 'Do you know these guys?' Atebodd PC Lake ar ei union, 'Yes, yes. I used to lodge with his Uncle Bob and Aunty Margaret in Brechfa!' Mae perthyn yn bwysig i ni'r Cymry – erioed yn fwy na'r bore hwnnw yn Soar. Mewn oes cyn Al-Qaeda roedd hynny'n ddigon o *security check* i'r gwarchodwyr, ac aeth y triawd i mewn i Soar i archwilio'r pulpud ac edrych o dan y seddau rhag ofn bod rhywun wedi gadael bom yno. Anfonodd y gwarchodwyr neges i yrrwr Jimmy Carter bod capel Soar yn ddiogel, ac fe gyrhaeddodd mewn dim o dro. Mae ambell olygfa yn glynu yn y cof, ac rwy'n dal i weld cyn-arlywydd America yn cerdded yn hamddenol, yn haul Mehefin, i fyny tuag ata i wrth glwyd Soar-y-mynydd. Minnau yn ymddiheuro am darfu ar ei wyliau, gan esbonio mai ffilmio i sianel deledu Gymraeg oeddem ni. Ymatebodd yn fonheddig iawn, a chytuno i gael ei gyfweld ar ôl bod yn y capel.

Jimmy Earl Carter oedd y cyntaf o Arlywyddion yr Unol Daleithiau i gael ei fagu mewn 'tŷ cyngor'. Bu'n rhaid iddo weithio'n galed ar ei fferm cnau mwnci ar ôl i'w dad farw. Lle digon afiach oedd Plains, Georgia yn y 1950au, gyda chasineb a thrais hiliol yn rhemp. Nid oedd taith y Carter rhyddfrydol i bŵer yn un hawdd. Ar ôl mwy nag un siom, cafodd ei ethol yn llywodraethwr Georgia ym 1971. Yn ymgyrchydd brwd dros hawliau dynol, safodd am yr Arlywyddiaeth ym 1976. Dim ond 2% o'r etholwyr oedd wedi clywed amdano ar ddechrau'r ymgyrch. Doedd neb yn obeithiol iawn y byddai'n ennill, ond fe weithiodd yn galed gan ymweld â 37 o daleithiau a thraddodi dros 200 o areithiau cyn bod yr ymgeiswyr eraill yn cyhoeddi eu henwau! Roedd America'n dal i fod mewn sioc ar ôl sgandal Watergate ac fe wnaeth Jimmy Carter, fel Cristion o argyhoeddiad, yn fwriadol gynnig balm Gilead fel eli i glwyf y genedl yn ystod ei ymgyrch. Ac fe gariodd y dydd dros Jerry Ford. O ddod i ardal Tregaron, sut allai'r fath Gristion didwyll beidio ag ymweld â Soar-y-mynydd?

Bu'n driw i'w addewid i siarad â mi ar ôl bod yn y capel bach gwyngalchog. Sefyllfa hollol swreal oedd sefyll tu fas i Soar yn cyfweld y person mwyaf pwerus yn y byd tan yn ddiweddar. Dyma ddyn a fu â'i fys ar y botwm niwclear, un oedd â'r pŵer i'n troi ni oll yn llwch. Dechreuais drwy holi sut oedd yn mwynhau ci wyliau. Y noson cynt, bu mewn Noson Lawen yn y Talbot yn Nhregaron. Fe ganmolodd y croeso a'r adloniant. 'We've had good weather and good fishing,' a hynny gyda'r meistr ei hun, Moc Morgan. 'The Welsh people are charming and extremely hospitable. We were surprised at the wealth of local talent at the *noson lawen* last night, which we enjoyed immensely.'

Ond roedd materion mwy difrifol na physgota i'w trafod. Ddeufis ynghynt roedd Ronald Reagan, ei olynydd yn y Tŷ Gwyn, wedi gorchymyn i'w awyrennau rhyfel fomio Libya. Ei fwriad oedd lladd yr Arlywydd Gadaffi a'i deulu. Honnwyd fod Libya'n cefnogi ystod o fudiadau terfysgol ac am ddatblygu arfau niwclear. Fe wnaeth llywodraeth Margaret Thatcher ganiatáu i'r awyrennau F-111 hedfan o Brydain.

Cofiaf Gerry Monty, cyn-ohebydd *Wales Today* sy'n byw yn Solfach, yn tyngu iddo weld awyrennau Americanaidd yn gadael maes awyr Braedeth dan gysgod y nos. Methiant fu'r ymdrech i ladd Gadaffi. Cafodd alwad ffôn i'w rybuddio gan aelod o lywodraeth yr Eidal, a llwyddodd i ddianc ar y funud olaf. Ond ofnwyd y byddai dial yn dod ac roedd herwgipio awyrennau'n rhemp yn y 1980au. Yn dilyn y bomio fe wnaeth miloedd ar filoedd o Americanwyr ganslo eu gwyliau yn Ewrop. Roedd Jimmy Carter yn ddig iawn bod Ronald Reagan wedi codi nyth cacwn trwy fomio Libya, ond anogodd ei gydwladwyr i beidio â chanslo eu gwyliau. 'Sheer foolishness,' meddai wrthyf. 'There's nothing at all to be apprehensive about.' Eto, profodd trychineb Lockerbie ddwy flynedd ar ôl hynny bod sail i bryderon yr Americanwyr nerfus. Credir mai dial am y bomio yn Libya wnaeth y sawl a osododd fom yn awyren Pan Am 103 gan ladd 270 o bobol, gan gynnwys mam a merch o Sir Gâr.

Fe wnaethom adael Soar-y-mynydd a dilyn y ffordd droellog sy'n ymlwybro ar hyd glannau Llyn Brianne tan i ni gyrraedd yr argae anferth. Manteisiodd Carter ar y tywydd braf i gerdded ar draws yr argae i edmygu'r olygfa a mwynhau'r heulwen a'r awyr iach. Daeth hi'n amlwg bod ei gyfaill wedi esbonio'r sefyllfa am foddi cymoedd Cymru iddo, oherwydd ar ôl cyrraedd 'nôl i'r maes parcio gofynnodd i mi ai'r Saeson oedd yn yfed dŵr Llyn Brianne. Rwy'n dal i gicio fy hun am golli'r cyfle i wyrdroi ychydig o'r gwir! Ni wyddwn hynny ar y pryd, ond yn y 1970au fe lwyddodd Carter i rwystro cynllun dadleuol i godi argae ar draws afon Flint yn Georgia, afon sy'n llifo am dros 200 milltir trwy diroedd fu gynt yn eiddo i lwythau brodorol America. Mae llwyth y Muskogee yn ei galw'n Hlonotiskahachi, sy'n golygu 'fflint'. Canodd Luke Bryan:

> Down where I was born was Heaven on Earth
> The Flint River washes that red Georgia dirt.

Fel mab i dir coch Georgia, ac un a wyddai am frwydr barhaus y llwythau brodorol yno, does dim rhyfedd bod gan Jimmy Carter ddiddordeb ym mrwydr y Cymry i gadw ein cymoedd rhag cael eu boddi. Byddai pobol Llangyndeyrn yn Sir Gâr, a ymladdodd frwydr lwyddiannus i rwystro argae ar draws y Gwendraeth Fach, yn medru uniaethu'n iawn â'r bobol ar lan y Flint yn Georgia.

Aethom ymlaen i fferm Brynteg yn ardal Cwrt-y-cadno, lle roedden nhw'n brysur yn cneifio. Codai'r llwch yn gymylau oddi ar lond clos o ddefaid swnllyd, ac roedd y chwys yn tasgu wrth i griw o fois y bryniau, yn eu festiau, gneifio *flat out* mewn sied sinc fawr. Roedd y saith – Gwyn Lewis, Lyn Jones, Ieuan Lewis, Alun Richards, Geraint Williams, Eifion Jones ac Elwyn Biddulph – eisoes wedi cneifio 500 o ddefaid y bore heulog hwnnw, a 500 i fynd. Cymrodd y cneifwyr hoe fer i dorri gair gyda Carter, cyn bwrw ati eto.

Aeth yntau i'r ffermdy i fwynhau cinio gyda Ieuan Williams a'i deulu. Pryd o gig oen, wrth gwrs, gyda sŵn ei berthnasau'n brefi ar y clos tu fas! Ymhen ychydig daeth allan, a bod yn ddigon caredig i dynnu ei lun gyda ni'r criw camera a Mr Williams. Dyna'r ymweliad drosodd, feddyliais. Stori a hanner i Newyddion S4C a fersiwn Saesneg i *Wales Today*, er mwyn rhannu'r gost o gyflogi'r criw. Byddai'r cynhyrchydd wrth ei fodd.

Ond na, roedd mwy i ddod fel hufen ar y gacen. Aeth Jimmy Carter draw at y sied lle roedd y cneifwyr yn dal i fod yn brysur a gofyn i Eifion Jones, 'Could ah have a go?' Yna, er mawr syndod i bawb, fe dynnodd ei siaced lwyd, cydio mewn gweill drydan a chneifio dafad. Fe wyddai pawb i'r gŵr o Georgia fod yn *peanut farmer* – ond cneifio defaid? Oni bai bod y cyfan ar ffilm, byddai neb wedi credu! Roedd gan y cneifwyr fwcedaid o *woad* glas. Cydiodd un mewn ffon, ei dipio'n y bwced ac ysgrifennu 'Carter' mewn llythrennau breision ar draws ystlys y ddafad. Am weddill yr haf bu'r creadur yn crwydro'r bryniau gydag enw cyn-arlywydd America ar ei ochr. Tybed a sylwodd ymwelwyr arni? 'Hey, look, love – they even have names for their sheep in Wales!' Dychmygwch eu syndod pe wyddent y gwir.

Cyfarfod Carter oedd un o uchafbwyntiau fy mywyd newyddiadurol. Treuliais y rhan fwyaf o'm gyrfa ymhlith pobol gyffredin, a mawr oedd fy mraint o gael byw a gweithio ymhlith gwerin Cymru mewn cyfnod o newidiadau mawr a chyffrous yn hanes ein gwlad. Yr hyn oedd mor arbennig am gwrdd â Jimmy Carter oedd gweld y person mwyaf pwerus yn y byd yn ei ddydd mewn cyd-destun mor gyffredin, a'i weld yntau yn mwynhau ac yn gwerthfawrogi'r hyn oedd yn gyffredin i ni ond yn newydd iddo fe. Ac eto, nid ymwelydd mewn gofod ydoedd. Cafodd ei fethiant i sicrhau ail dymor effaith ar ein byd bach ni, yn ogystal â'r byd mawr, gan i mi fod yn gohebu ar helyntion a gododd yn sgil y methiant hwnnw ac ethol Ronald Reagan. Fe gyflawnodd Jimmy Carter bethau nodedig yn y Tŷ Gwyn. Daeth â'r Aifft ac Israel i gytundeb yn Camp David, arwyddodd gytundeb SALT II gyda Leonid Brezhnev i gyfyngu ar arfau niwclear, ac fe sefydlodd berthynas newydd gyda China. Ond bu Carter hefyd yn hynod anlwcus. Bryd hynny, fel nawr, roedd y Dwyrain Canol yn ferw i gyd ac yn 1979, meddiannwyd llysgenhadaeth America yn Tehran. Ar ôl chwe mis o geisio'n ofer i berswadio'r Ayatollah Khomeini i ryddhau'r 53 o staff oedd yn wystlon, anfonodd Jimmy Carter filwyr mewn hofrenyddion i geisio'u hachub. Ond bu'r fenter yn fethiant trychinebus pan fu gwrthdrawiad rhwng dau hofrenydd gan ladd nifer o'r milwyr. Yn etholiad arlywyddol 1980, etholwyd y cowboi-actor asgell dde Ronald Reagan a fyddai'n gyfaill mynwesol i Margaret Thatcher. Arweiniodd hynny, yn ei dro, at ddwysáu'r Rhyfel Oer, at leoli arfau niwclear yng Nghomin Greenham, at helynt lloches niwclear Caerfyrddin a straeon eraill a fyddai'n cymryd fy sylw.

Ar achlysur ei ben-blwydd yn 90 oed yn 2014, dywedodd Jimmy Carter y byddai wedi cael ei ail-ethol ym 1980 petai wedi ymosod yn rymus ar Iran. 'I could have wiped Iran off the map with the weapons that we had, but in the process a lot of innocent people would have been killed, probably including the hostages, and so I stood up against all advice. Eventually my prayers were answered and every hostage came home safe and free.' Aeth Carter ymlaen i wneud mwy o waith da ar ôl gadael y Tŷ Gwŷn na'r un arlywydd arall erioed. Fel diacon ac athro Ysgol Sul, mynnodd ymarfer ei werthoedd Cristnogol ar y llwyfan rhyngwladol. Ond gwerthoedd ydynt sy'n dra gwahanol i agweddau afiach cymaint o Gristnogion asgell-dde a rhyfelgar America. Yn ymgyrchydd diflino dros heddwch a chodi safon byw pobol ar draws y byd, bu'n ganolog i sawl cytundeb i ddod â gwrthdaro i ben mewn llefydd fel yr hen Iwgoslafia, Haiti a Sudan. Yn 2002, enillodd Wobr Heddwch Nobel. Nid yn aml mae dyn mor bwerus hefyd yn ddyn da. Braint unigryw oedd cael ei gyfarfod. Mae hefyd yn ddefnyddiol. Pan mae rhywun mewn cwmni yn bragian am gwrdd â rhyw fân seleb neu'i gilydd mewn clwb nos, efallai yr adroddaf yr hanes am y diwrnod heulog hwnnw yn Soar-y-mynydd a Carter y Cneifiwr. Os y'ch chi'n mynd i 'ollwng enw', man a man gollwng enw mawr!

Llwnc o Hud Maesyfed

I'R SAWL SY'N teithio ar hyd yr A470 rhwng de a gogledd, neu'r A44 sy'n croesi 'nôl ac ymlaen o Loegr, mae'n bosib taw gwlad ddigon gwag ac anniddorol yw hen sir Faesyfed. Ond ers i mi ddarllen dwy gyfrol ardderchog Francis Payne, *Crwydro Maesyfed*, mae hanes a chyfaredd ryfedd yn diferu o bob cwr ohoni. Yn sydyn, roedd i bob eglwys a phentref, pob afon a thwmpath castell ei ramant a'i hanes. Os am ganfod rhan 'newydd' o Gymru, da chi, darllenwch lyfrau Payne – ac ewch yno! Gan mai fy mhrif ddiddordebau hamdden yw hanes lleol ac ystyr enwau llefydd, roedd cael cyfle i grwydro cornel bach o'r sir ar ddiwedd diwrnod gwaith yn eli i'r enaid. Pleser pur oedd gadael y stiwdio fach yng Ngwesty'r Metropole yn Llandrindod ar ddiwrnod o hirddydd haf, dringo'r rhiw heibio i'r cwrs golff yn y car, a cherdded i ben y bryn i fwynhau'r awyr iach a'r golygfeydd eang sy'n ymestyn o gyrion Lloegr hyd at Fannau Sir Gâr. Ym Maesyfed, ar lethrau serth Bryn-glas uwchlaw eglwys hynafol Pilleth, yr enillodd Owain Glyndŵr ei frwydr fawr gyntaf ac adroddiad am ymgyrch i dynnu mwy o sylw at faes y gad oedd un o'r olaf i mi ei ffilmio cyn gadael y BBC.

Byddin fawr o ffermwyr a'u teuluoedd sy'n dod i'r ardal bob blwyddyn bellach, i faes y Sioe Fawr yn Llanelwedd. Bues i'n gohebu o'r maes ddeunaw o hafau. Traed tost ac oriau hir sy'n aros yn y cof yn bennaf – hynny a gwartheg yn brefi, ceffylau yn domi a ffermwyr yn cwyno. Wrth gyrraedd y maes ar bnawn Sul ar gyfer y gynhadledd newyddion, roedd hi'n anodd credu i flwyddyn arall hedfan. Bues yn dyst i'r sioe yng nghyfnod ei thwf o 1981 ymlaen a thros y blynyddoedd bu newid mawr yn ein dull o gasglu newyddion a darlledu o'r maes. Er bod Tomi

Owen, Tony Harries a minnau'n medru ymdopi â chasglu newyddion bron bob diwrnod arall o'r flwyddyn, byddai'n rhaid cael cynhyrchydd, cyfarwyddwr ac ysgrifenyddes i ymuno â ni wythnos y Sioe. Am y tair blynedd gyntaf, roedd y cyfan ar ffilm 16mm. Ond fe newidiodd pethau gyda dyfodiad camerâu fideo, a byddai'r deunydd yn cael ei olygu mewn *portacabins* ar y maes. Fe aeth y diwrnod gwaith yn hirach o lawer hefyd, gyda darlledu byw i raglen Newyddion am 8.30 y nos. Erbyn cyrraedd y gwesty, cael swper a chlebran yn y bar, byddai'n aml yn ddau o'r gloch y bore arnom yn mynd i'r gwely, i gael pum awr neu lai o gwsg cyn codi eto. Camgymeriad mawr ar fy rhan unwaith oedd dysgu aelodau'r criw o Gaerdydd i chwarae tipit, gan gwtogi yn fwy fyth ar oriau cwsg. Er cyrraedd y Sioe yn llawn hwyl ar bnawn Sul, byddwn yn barod i fynd adref erbyn nos Iau.

Adeilad pren tebyg i hen sied ffowls oedd Stafell y Wasg i gychwyn, gyda rhes o gioscs pren a gwydr at ddefnydd y gohebwyr, y ffotograffwyr a'r criwiau camera. Byddem yn cael tocyn bwyd bob dydd, ynghyd â thri thocyn diod. Ymhen amser, wrth i'r maes ddatblygu'n bentref o adeiladau newydd, cawsom gartref yn un o'r rheini. Byddai disgwyl eitem go faith o'r Sioe ac roedd digon o ddeunydd a digonedd o siaradwyr Cymraeg i'w cyfweld. 'Nôl yn nyddiau ffilm, pan fyddai'r gwaith yn gorffen ar ddiwedd y pnawn, byddem yn cilio i far swnllyd y Radnorshire Pavilion. Yno, byddai'r hen fois yn eu brethyn a'u capiau fflat yn gwacáu poteli galwyn o wisgi, tra roedd y ffermwyr ifanc yn yfed lager fesul galwyn yr un. Yn y diwedd, fe aeth pethau dros ben llestri, a phan es i a'r criw i mewn amser te ar bnawn Llun un flwyddyn, roedd y lle fel y bedd. Prin fod neb yno a'r staff tu ôl i'r bar yn segur. Gofynnodd Tomi Owen am dri pheint o lager. 'Sorry, we only serve Pimms,' oedd yr ateb. Dim rhyfedd fod pethau mor dawel. Bu tacteg y Sioe o gwtogi ar y randibŵ trwy roi'r gorau i werthu lager a wisgi yn y pafiliwn hwnnw yn hynod effeithiol!

Newidiodd naws y gohebu o'r Royal Welsh ym 1984 pan ddaeth y cwotâu llaeth i mewn. Ysgogodd hynny brotestiadau lu, gan gynnwys yr un enwog yn Llangadog lle daliwyd y Gweinidog Amaeth yn garcharor yn neuadd y pentref gan ffermwyr crac. Bob blwyddyn, byddai straeon newyddion mwy 'caled' o faes y Sioe: ymateb i losgi lorïau ŵyn Cymreig yn Ffrainc, protestiadau yn erbyn allforion cig lloi, BSE a'r pryder am ddiogelwch cig eidion, ac i goroni'r cyfan, Clwy'r Traed a'r Genau. Buan y daeth undebau amaethyddol yr FUW a'r NFU i weld gwerth defnyddio'r wasg a'r cyfryngau, ac roedd wythnos y Sioe yn Llanelwedd yn gyfle gwych i wneud hynny. Yn naturiol, roeddem ninnau ohebwyr hefyd yn falch o roi'r cyfle yna iddyn nhw.

Byddwn yn rhoi sylw eang i faterion amaethyddol yn ystod gweddill y flwyddyn hefyd. Byddai Peter Davies, oedd yn gweithio o swyddfa'r FUW yng Nghaerfyrddin, yn aml yn ffonio i awgrymu 'stori dda', yn ei eiriau e. Roedd Peter wastad yn barod i ymateb ar fyr rybudd i destun amaethyddol, a felly hefyd Malcolm Thomas o'r NFU. Byddem yn siŵr o gael *vox pops* da ym mart Caerfyrddin neu Landeilo, yn ogystal â chyfweliadau ar ffermydd pobol fel Brian Walters, Dai Davies, Evan Thomas a sawl un arall.

Ar ôl gorffen gwaith am y dydd yn Llanelwedd byddem yn dianc i dafarn tua'r dwyrain lle bu'n arferiad gen i i drefnu llety i'r criw mewn pentrefi sy'n cael eu henwi yn *Crwydro Maesyfed.* Ar ôl gwres y dydd, paradwys yn wir oedd cael eistedd y tu fas i'r Harp ym Mhencraig gyda diod oer, yr awel dyner yn chwythu lan o Loegr wrth i'r haul fachludo'n waedlyd dros fryniau du Maesyfed. Mae'r Harp yn rhannu copa'r graig gydag eglwys fawr, twmpath hen gastell diflanedig a dyrnaid o dai. Mae'r dafarn hir ac isel gyda'i loriau carreg yn dyddio'n ôl i'r 15fed ganrif, pan oedd y rhan fwyaf o bobol y fro yn uniaith Gymraeg. Trwy'r dyffryn islaw rhed yr A44 heibio i Dre'r Delyn, cyrchfan beirdd fel Lewis Glyn Cothi bum canrif a mwy yn ôl. Yno, fe gafodd y bardd yn llys Huw ap Dafydd ap Lewis, 'Pysgod, adar mewn bara, / Pasteiod, hen ddiod dda.'

Does neb yn canu yn Nhre'r Delyn heddiw. Lle bu'r llys, mae Harpton Court farm, ac Old Radnor fu Pencraig i'r bobol leol ers canrifoedd. Ond peidiwn â digalonni. Yn *Crwydro Sir Faesyfed* noda Francis Payne mai dim ond pedwar person oedd yn siarad Cymraeg ym mhlwyf Pencraig ym 1961. Yn ôl cyfrifiad 2011, mae 160 o bobol yno yn medru'r iaith, nifer anhygoel mewn plwyf sy'n ffinio â Lloegr. Saeson oedd yn cadw'r Harp ar y ddau achlysur pan fues i a'r criw camera'n aros yno. Er mai Ceintun (Kington) yn Lloegr yw'r dref agosaf, roeddent yn mynnu anfon eu plant i'r ysgol yn Llanandras am fod rhywfaint o Gymraeg yn cael ei ddysgu yno.

Mewn sawl gwesty bellach, mae peiriant i wneud eich tost eich hun i frecwast. Rhaid bod yr Harp o flaen ei amser, achos yno roedd disgwyl i chi baratoi eich brecwast i gyd eich hunan! Codais un bore heulog, ymhell cyn saith o'r gloch, i wynt bara'n llosgi. Rocdd Gareth Davies, ymchwilydd y criw a chynhyrchydd gyda'r BBC ers blynyddoedd bellach, wedi cael trafferth gyda'r *toaster* ac wedi agor y drws tân gerllaw'r gegin fach i adael yr aroglau allan. Wrth i ni ffrio bacwn yn y gegin fach, o gornel fy llygad fe sylwais ar rywbeth yn symud. Roedd donci chwilfrydig wedi dod mewn trwy'r drws tân agored a lawr y pasej i'r bar, lle'r oedd yn ddigon cartrefol. Clywais sgrech wrth i Ann Williams, un o'r criw, ddod lawr y grisiau a chanfod y creadur yn y bar. Gwaeddodd mewn sioc, 'Beth ma'r blydi donci 'ma'n neud fan hyn?' Creadur digon ystyfnig yw mul, a chawsom gryn drafferth i'w berswadio i adael y dafarn. Trwy lwc a bendith, fe aeth heb adael dim ar ei ôl. Yn 2017, fe aeth Ann a fi am wyliau byr i'r Harp, a enwir fel y Dafarn Wledig Orau yn y *2020 Good Pub Guide*. Er bod y stafelloedd bellach yn rhai *en suite* digon moethus, roedd camu dros y trothwy fel camu'n ôl ugain mlynedd. Prin fod y lle wedi newid, gyda'i lawr carreg a'r celfi pren o'r oes o'r blaen. Daeth ton o hiraeth drosof wrth feddwl am y tro diwethaf y bues i yno, yn yfed wrth y bar gyda phobol fel Andrew Pwmps a Huw Davies.

Mae amser yn symud yn araf ym Maesyfed, a naws yr hen oesoedd yn drwm. Ergyd carreg dros y ffin mae tref Ceintun, lle cafodd Francis Payne ei eni yn 1900. Yn yr eglwys leol mae cerflun o Syr Tomas ap Rhosier o lys Hergest, lle arferwyd cadw'r Llyfr Coch enwog. Dyna ysbrydolodd y Francis ifanc i ddysgu Cymraeg. Gorffennodd ei yrfa fel Ceidwad y Casgliadau yn Sain Ffagan ac ymddeol i galon ei annwyl Faesyfed lle bu farw yn 92 oed.

Mae'n werth galw yn eglwys Ceintun i weld y cerflun o Tomas ap Rhosier, a laddwyd ym mrwydr Banbury yn 1469. Wrth ei ochr mae delw ei wraig Elen Gethin o Faelienydd a aeth i faes y gad i gludo'i gorff 'nôl i Hergest, y llys oedd yn enwog am fod â chymaint o wydr drudfawr. Canodd Lewis Glyn Cothi:

> Pan las Tomas letemaur
> Ym Manbri gynt mewn brig aur,
> Duw Sul ei arglwyddes ef
> I'w dai gwydr a'i dug adref.

Gerllaw llys Hergest, sydd bellach yn fferm, mae Cefn Hergest yn codi. Mae'r man ucha'n 1,400 troedfedd uwchlaw'r môr, a Llwybr Clawdd Offa'n rhedeg ar ei hyd. Tra oedd yn byw yn yr ardal hon y cyfansoddodd y cerddor Mike Oldfield ('Tubular Bells') ei ail albwm offerynnol 'Hergest Ridge'. Mae cefnen yn ymestyn o Geintun yn Lloegr ar draws y ffin i bentref bach Llanfair Llythynwg (Gladestry) yng Nghymru. Mae'r pentref mewn cwm yng nghanol y bryniau uchel gydag eglwys, ysgol, tafarn a dyrnaid o dai. Sonia Francis Payne amdano'n cerdded ar hyd Cefn Hergest ar bnawn o haf cyn disgyn i lawr i'r Oak yn Llanfair i gael te. Byddai hynny, siŵr o fod, tua diwedd y Rhyfel Byd cyntaf. Yn 1990, trefnais le i'r criw i aros yn yr Oak adeg y Sioe.

Roedd *locals* yr Oak yn hynod gyfeillgar, i'r graddau y bydden ni 'yn y rownd' gyda nhw erbyn yr ail noson. Cawsom hwyl i ryfeddu yn yr Oak yn Llanfair Llythynwg, heb neb yn cwyno bod Andrew, Huw a minnau'n parablu'n Gymraeg ymhlith ein gilydd. Yn wir, ar y noson olaf, roedd ffyddloniaid y dafarn yn drist i ffarwelio â ni. Un o'r rheini oedd Clive, bachan oedd yn ffermio ar y ffin â Lloegr. Dim ond nant fechan oedd rhyngddo a'r wlad honno. Tua hanner nos, ar ôl sawl peint o seidr, dyma Clive yn rhoi ei fraich ar fy ysgwydd ac yn datgan mewn acen oedd yn diferu o wlad yr afalau, 'S'noize to 'ear you boyz speakin Welsh.' Yna, gan bwyso'n nes fyth tuag ata i, dywedodd, 'An' oi'l tell ya symat else – Oi'z glad we ain't like them bloody English!'

Pan fu Ann a fi yn aros yn yr Harp, fe holais am hanes Clive wrth sgwrsio gyda dau o'r *locals*, a chanfod ei fod wedi marw ers rhai blynyddoedd. Mae 'na chwarel fawr rhwng Pencraig a Llanfair, a phan ddeallodd Clive ei fod yn dioddef o gancr marwol 'he walked off the quarry', esboniodd un o'r *locals* yn drist. Ambell waith, mae'n well peidio â holi am bethau a phobol o'r gorffennol, a'u gadael hwy yno fel atgofion melys yn y cof.

Bu'r Radnorshire Society yn dadlau gyda Francis Payne na chafodd Gladestry erioed ei alw'n Llanfair Llythynwg. Tua blwyddyn ar ôl bod yn aros yn yr Oak, es i ysgol uwchradd John Beddoes yn Llanandras i ffilmio eitem am y Gymraeg yn cael ei dysgu am y tro cyntaf erioed mewn ysgol a sefydlwyd yn wreiddiol yn oes y Tuduriaid. Roedd y diolch am hynny i'r prifathro, Brian Walbran, cymeriad mawr â barf coch oedd wedi dysgu siarad yr iaith ar ôl symud i Gymru o Swydd Efrog. Mae Llanandras yn eistedd ar y ffin, gyda thraean o'r disgyblion yn byw yn Lloegr. Profiad rhyfeddol a llawen oedd holi plant o bentrefi Seisnig fel Kingsland, Eardisland a Gweble (oedd yn enwog am ei gwrw, yn ôl Lewis Glyn Cothi) yn Gymraeg. Gan mai dim ond ers tymor y cawsant wersi Cymraeg, roedd yr holi'n ddigon syml: 'Beth yw'ch enw chi? O le y'ch chi'n dod? Y'ch chi'n hoffi dysgu Cymraeg?' Anghofia i fyth yr ateb gefais i gan un ferch ifanc, 'Fy enw i yw Jessica, ac rwy'n byw yn Llanfair Llythynwg.' Cododd y blew ar fy ngwar wrth dybio nad oedd neb wedi dweud hynny ers dwy neu dair canrif. Erbyn hyn, mae'r enw Cymraeg ar arwydd y pentref, a hynny uwchben y Saesneg. Byddai'r hen Francis wrth ei fodd!

Tua ugain mlynedd ar ôl hyn, roeddwn yn teithio trwy Faesyfed ar noson eithriadol o stormus o Dachwedd. Mynd i gynhadledd drannoeth yn Nolfor ger y Drenewydd ar ran Undeb yr Annibynwyr yr oeddwn, i lobïo perchnogion cartrefi preswyl i ddarparu gofal trwy gyfrwng y Gymraeg. A hithau'n tynnu at saith o'r gloch y nos, fe arhosais ym mhentref bach Llanbister i weld os cawn wely yn nhafarn y Lion. Oedd, roedd lle yn y llety, ond dim *signal* ffôn symudol a bu'n rhaid i mi yrru i fyny'r hewl gul sy'n dringo Cefn Llanbister i gael gwasanaeth. Eisteddwn yno yn nhywyllwch unig y rhostir agored gyda'r gwynt yn siglo'r Golf VW glas fel cwch mewn harbwr. Ymhell i'r gogledd roedd y cymylau'n adlewyrchu goleuadau'r Drenewydd, a thua'r un pellter i'r de roedd cwmwl golau arall yn nodi lleoliad Llandrindod. Ar ôl siarad ag Ann ar y ffôn, fe droiais 'nôl i lawr y rhiw serth heibio i eglwys hynafol Llanbister i gynhesrwydd y Lion. Dau neu dri o ddynion oedd wrth y bar, a neb yn awyddus i sgwrsio. Darllenais fod hyn yn rhan o natur pobol Maesyfed, eu bod yn isymwybodol wedi etifeddu gan eu hynafiaid natur ddrwgdybus o bobol ddieithr a chyndynrwydd i rannu gwybodaeth. Byddai 'dweud dim, adnabod neb' yn dacteg ddoeth pan oedd lluoedd arfog yn croesi eu tiroedd o'r naill ochr i'r ffin yn ystod yr Oesoedd Canol.

Dyna ddamcaniaeth W H Howse yn ei lyfr *Radnorshire*. Wrth ateb dieithryn fe glywch rhai o bobol hŷn Maesyfed yn taro nodyn gofalus. Er bod Mr Jones yn bendant yn ffermwr, fe allech gael yr ymateb: 'Well, he's a farmer, I expect' neu 'He's a farmer, or somethin'. Yr esiampl fwyaf eithafol erioed oedd cyfweliad gan ffermwr o ardal Rhaeadr Gwy. Roedd un o awyrennau rhyfel y Llu Awyr wedi disgyn, rhan ohoni ar ben ei ffermdy. Safai yno o flaen y camera ar glos y ffarm, gyda chwt yr awyren yn sticio mas o do ei gartref y tu ôl iddo. Cwestiwn, 'It must have been a very frightening experience for you.' Ateb, 'Well, I expect so, like.' Cwestiwn, 'But you could have been killed.' Ateb, 'Yes, well, put it like that, I suppose I could have been like, sort of thing.'

Wedi ymdrech ofer i godi sgwrs gyda'r ddau neu dri wrth far y Lion, es mewn i'r lolfa. Yno, er mawr syndod i mi, roedd y casgliad gorau o lyfrau a welais mewn tafarn erioed. Silffoedd uchel yn llanw wal gyfan, a nifer o'r llyfrau hynny'n gyhoeddiadau lleol am Faesyfed, ei threfi a'i phentrefi, ei heglwysi a'i chestyll. Cefais ddwyawr o fwynhad pur cyn mynd i'r gwely.

Bore trannoeth, y tafarnwr swta, oedd hefyd yn ffarmwr ac yn gontractwr, ddaeth â brecwast imi. Sylwais, er mawr syndod, ar lun ar y wal sydd hefyd yn un o lyfrau Francis Payne, llun o 1958 yn dangos dyn mewn cot law hir yn sefyll mewn twll crwn llydan gyda nifer o ffermwyr mewn cotiau tebyg o'i amgylch. Ail-greu defod Ganol Oesol penodi Casglydd Rhent y Brenin yr oeddent ar gyfer teledu TWW, o barchus goffadwriaeth. Dywedais wrth y tafarnwr tawedog mod i'n gyfarwydd â'r llun, gan ei fod mewn llyfr Cymraeg o'm heiddo. 'Oh, that gentleman in the middle be my grandfather, like,' meddai'r tafarnwr, gyda diddordeb sydyn yn nhestun y sgwrs. Aeth i hôl cwpaned o goffi ac ymuno â mi dros frecwast. Am y chwarter awr nesaf, nid oedd pall ar ei barablu. Siaradodd am yr hen draddodiadau. Dywedodd mor drist oedd hi fod pobol ifanc yn gadael cefn gwlad, ac ysgol Llanbister mewn perygl o gau. Fe wyddai hefyd am y bygythiad i'r iaith mewn cymunedau ymhell i'r gorllewin, gan fynegi cydymdeimlad dwys.

Aeth pum mlynedd a mwy heibio cyn i mi alw yn y Lion eto. Pnawn Sadwrn ydoedd, a minnau'n torri'r daith ar y ffordd 'nôl o gyfarfod Cyngor yr Annibynwyr yng Ngregynog. Roedd yn ddiwrnod llwyd ym mis Mawrth, y briffordd lawr Dyffryn Ithon yn dawel, a'r wlad yn 'welw a llwyd fel claf', chwedl Steve Eaves. Yr un tafarnwr oedd yn y Lion, er nad oedd, yn naturiol, yn fy nghofio i. Eisteddai dau *local* wrth y bar. Unwaith eto, doedd dim gobaith cael sgwrs. Ar ben y bar roedd bydji gwyrdd yn cerdded o gwmpas yn hollol rydd. Dechreuodd un o'r dynion ei brofocio â'i fys – tan i'r aderyn gydio yn ei groen, a rhoi plwc cas i'w gnawd. 'Awtsh,' meddai'r dyn. 'Stop tormenting that bird,' meddai'r tafarnwr. A bu tawelwch pellach. Ffarweliais.

Brwydro'n Erbyn y Llif

TEIMLAIS Y DŴR brown, oer yn llanw fy welingtons wrth i mi a'r criw camera groesi'r cae yn Nyffryn Tywi oedd wedi troi'n llyn anferth dros nos. Wrth straffaglu trwy'r gwter ddofn wrth fôn banc rheilffordd y Canolbarth daeth y llif brwnt lan at fy mogail, ac roedd mwy na thraed oer yn fy mhoeni. Wrth fy ochr, roedd Ken Davies a Guto Orwig yn ymdrechu i gadw'r camera a'r offer sain yn sych. 'Watsha'r *equipment!*' oedd sgrech Ken dro ar ôl tro, gan taw fe oedd yn berchen ar yr offer drudfawr. Ffens y rheilffordd oedd y rhwystr nesaf. Dringais drosto'n drafferthus, gan grafu dwylo a choesau ar y gwifrau garw a'r mieri oedd yn tyfu arno, cyn helpu'r bois i godi'r offer drosodd. Yna, dringo'r llethr llithrig a sefyll ar wastadedd caregog y lein gan edrych i gyfeiriad y plismyn a'r dynion tân oedd wedi ymgasglu ger y fan lle'r arferai Pont Glanrhyd-Saeson sefyll. Gyda'r wawr, tua teirawr ynghynt, roedd y bont wedi dymchwel i'r llif mawr yn Afon Tywi o dan bwysau'r trên dau-gerbyd boreol o Landeilo i Langadog. Dim ond to'r cerbyd cyntaf oedd i'w weld uwchben llif yr afon. Ynddo o hyd roedd corff y gyrrwr a thri o deithwyr.

Bore Llun 19 Hydref, 1987 oedd hi, a thros y penwythnos fe drawyd gorllewin Cymru gan ddilyw. Disgynnodd gwerth mis o law mewn tridiau, tua chwe modfedd i gyd. Erbyn nos Sul, cafwyd adroddiadau am lifogydd difrifol mewn sawl man yn Nyfed. Roedd Ken wastad â radio yn ei swyddfa wedi'i ddiwnio i donfeydd yr heddlu a'r frigâd dân, ac ar y nos Sul fe ffoniodd i ddweud bod pethau'n wael iawn yn Nyffryn Teifi, o Lambed hyd at dref Aberteifi, ond bod llif arbennig o ddrwg yn Llandysul. Galwodd amdanaf a bant â ni, gyda Guto'r dyn sain, yn ei Audi Quattro gwyn i gyfeiriad Llandysul.

Cyweld gof Cwrtnewydd ar gyfer y *Journal* yn 1976. Roedd e wedi cael contract i gynhyrchu rhofiau i weithwyr Cyngor Ceredigion. Rhai coes hir, i bwyso arnynt wrth gwrs…

Yn stiwdio syml y BBC yn hen wyrcws Penlan yn 1978 yn fuan ar ôl cychwyn fel gohebydd cyntaf Radio Cymru yng Nghaerfyrddin. Sylwer ar y *tulip mike* hynafol. Llosgwyd yr adeilad yn ulw mewn tân yn 2018.

Gwledd Nadolig olaf y rhaglen deledu *Heddiw* yng Nghastell Caerdydd yn 1981. Yn ogystal ag Ann a fi ar yr ochr dde, mae wynebau cyfarwydd eraill, fel Huw Llywelyn Davies, Menna Richards, John Evans, Beti George a David Parry Jones.

Holi'r Cynghorydd Tom Theophilus, cymeriad hoffus a gwladwr dysgedig o Gil-y-cwm. 30 mlynedd yn ddiweddarach, bu Tom yn aelod gyda mi ar Bwyllgor Cynllunio Cyngor Sir Gâr tan ei farw yn 2016.

Tony Harries, y dyn sain, a Tomi Owen gyda'r camera yn ystod yr helfa am lofrudd John Williams rhwng Llanddewi Brefi a Soar-y-mynydd.

Gyda chyn-arlywydd Unol Daleithiau America ar glos fferm Brynteg, Cwrt-y-cadno. O'r chwith: David Owen, ei dad Tomi, Jimmy Carter, y ffermwr Ieuan Williams a fi.

Holi John Evans, Llewitha, ar achlysur ei ben-blwydd yn 111 oed yn 1988. Buodd John fyw am bron i ddwy flynedd wedi hynny.

Cyflwyno baner Cymru i gadfridog yr Oklahoma National Guard yn ystod ymarferion ar faes tanio anferth ger Muskogee yn 1994.

Cawsom sawl taith yn hofrenyddion y fyddin. Dyma fi'n paratoi am spin gyda Jonathan Hawker, gohebydd *Wales Today* yng nghanolbarth Cymru.

Ffilmio gydag Andrew 'Pwmps' Davies, cydweithiwr a chyfaill oes a fu farw'n frawychus o ifanc yn 52 oed. (Llun: Ann Lenny)

Recordio 'darn i gamera' gyda Tomi a Tony yn 1983. Lle roeddem ni? Dim syniad! Rhaid mod i wedi ffilmio tua 6–7,000 o eitemau newyddion rhwng 1981 a 2007.

Yn Sioe y Royal Welsh yn 1983 gyda Tomi a Tony, a'r cymeriad llawen a chyfaill da, Gwyndaf Owen, yn cynhyrchu.

Yn y Royal Welsh yn 1994. Paratoi i ffilmio darn yn fyw i Newyddion.

Gyda'r criw a Huw Davies, ein gyrrwr ffilm, y tu fas i dafarn y Phoenix, Gorslas yn ystod streic fawr y glowyr.

Achlysur hanesyddol: geni'r oes ddigidol a chamerâu fideo yng ngorllewin Cymru, wrth i Tony a Tomi drosglwyddo'r can olaf o ffilm 16mm i Huw ei yrru i Gaerdydd.

Cael benthyg ffôn symudol Ken Davies i alw'r swyddfa o Ynys Sgomer wrth ddisgwyl ymweliad gan y Tywysog Siarl yn haf 1988. Roedd y teclyn trwm ac anferth yn chwyldroadol ar y pryd!

Holi'r canwr Meic Stevens ar gael ei dderbyn i'r Orsedd yn Eisteddfod Genedlaethol Llambed 1984.

Gyda'r Gwarchodlu Cymreig yn Belize, Canolbarth America, yn 1989. Sylwer ar y mynydd yn llosgi yn y pellter ar ôl i'r milwyr danio bomiau morter a'i roi ar dân yn ddamweiniol.

Gwaith caled oedd cario'n hoffer ffilmio mewn hofrenyddion o un lleoliad i'r llall mewn gwres llethol.

Ond peth pleserus oedd recordio darn i gamera gyda fy nhraed yn nyfroedd y Caribî ar Ynys Moho.

BAŞIN KARTI ■ Press Card

T.C.
BAŞBAKANLIK
BAŞIN YAYIN
VE ENFORMASYON
GENEL MUDÜRLUĞÜ

REPUBLIC OF TURKEY
PRIME MINISTRY
GENERAL DIRECTORATE
OF PRESS AND
INFARMATION

ADI - SOYADI
Full Name **ALUN LENNY**

GOREVI **BBC TELEVISION**
Occupation **MUHABİR-İNGİLTERE**

EV ADRESI
Home address **BÜYÜK ANKARA**
OTELİ-ANKARA

№ 00863

Cerdyn y wasg yn rhoi'r hawl i mi ohebu o Twrci yn ystod Rhyfel y Gwlff 1991.

Gyda Huw Davies, yn teimlo'r gwres cyn darlledu o stiwdio'r BBC ym Mharis am brotestiadau ffermwyr yn 1993.

Llun sy'n codi hiraeth ynof bob tro. Paratoi'r rhaglen *Tystion* yn 2008 am hanesion Ken Davies a Tomi Owen. O'r chwith i'r dde: Andrew 'Pwmps' Davies, Ken Davies, finnau a Huw Davies. Erbyn hyn, dim ond fi sy'n dal yn fyw.

Tu allan i gapel Bwlch-y-corn gyda'm cynweinidog, y Parchg Ken Williams, a'r Parchg Ddr Geraint Tudur, cyn-Ysgrifennydd Undeb yr Annibynwyr Cymraeg, a'r ddau yn gyfeillion annwyl imi.

Annerch 'Rali'r Cyfrifiad' yng Nghaerfyrddin yn 2012.
(Llun: Lleucu Meinir)

Dangos cleddyf Harri VIII a thrysorau eraill parlwr Maer Caerfyrddin i Mared a'i ffrind mawr o Efrog Newydd, Eden Cale (merch y canwr John Cale o'r Velvet Underground), yn ystod ei hymweliad yn 2011, pan oeddwn yn Siryf y dref.

Y noson y cawsom ein hurddo fel Maer a Maeres Caerfyrddin yn 2017.

(Llun: Mike Walters)

Yr Oedfa Ddinesig yng nghapel Y Priordy, gyda'r gweinidog a'm Caplan y Parchg Beti-wyn James, Emlyn a Tina Schiavone (Dirprwy Faer a Maeres), fi ac Ann, a Phil Grice (Siryf).

Mynd lawr Afon Tywi pan oeddwn yn Ddirprwy Faer. Maer Caerfyrddin yw Llyngesydd y Porthladd hefyd, ac mae'n gorfod teithio'r saith milltir lawr i aber Afon Tywi bob blwyddyn.

Gyda'n hwyres fach, Megan, oedd mwy na thebyg yn methu deall pam fod pawb mewn gwisg ffansi!

Gydag Ann ar ôl traddodi darlith am 'Owain Glyndŵr yng Nghaerfyrddin' yng nghanolfan Gymraeg yr Atom, sef hen adeilad y *Carmarthen Journal* lle bues i'n gweithio o 1974–78. Dyna dro ar fyd.

Gyda Huw Edwards pan fu cynhadledd Siryfon Cymru a Lloegr yng Nghaerfyrddin yn 2017.

Paratoi ar gyfer etholiad cynghorau sir a thref 2012. Fe'm hetholwyd i a Jeff Thomas, a fu gynt yn bennaeth CID Heddlu Dyfed Powys.

Llun hanesyddol arall ar Sgwâr Caerfyrddin. Am y tro cyntaf erioed fe gipiwyd pob sedd yn y dref ar Gyngor Sir Gâr gan Blaid Cymru. O'r chwith: y Parchg Tom Defis, Peter Hughes-Griffiths, Jeff Thomas, Alan Speake, Gareth Jones a fi.

Cadeirio Pwyllgor Cynllunio Sir Gâr, y swydd heriol bues i'n ei chyflawni ers 2015.

Ar ôl cyfrif etholiad 2017. Gyda Jeff wedi ymddeol, fe'm hetholwyd i a Gareth John, hen ffrind ysgol.

Gareth a finnau yn sgwrsio am ddyfodol yr NHS yn Sir Gâr gyda Dr Rhys Thomas, a fu'n arwain ar sefydlu Gwasanaeth Ambiwlans Awyr newydd Cymru – y gorau yn y byd.

Gyda Gareth yn trafod problemau traffig a pharcio tre Caerfyrddin.

Shame on Liddle for snide jibes

Rod Liddle's jibes about "rain-sodden" Wales not belonging to the First World (Comment, last week) and his sneering attitude towards the Welsh language are examples of base racial stereotyping. It is ironic that such snide and offensive comments are published at a time when anti-semitism dominates the political agenda. You mustn't be nasty to Jews, but it seems we Welsh are fair game.
Alun Lenny
Mayor of Carmarthen

COUNCILLOR'S LEADING ROLE

CARMARTHEN town and county councillor Alun Lenny played a leading part in setting up the present BBC studio in Carmarthen 21 years ago and had a long career as a broadcast journalist.

He has welcomed S4C's announcement.

"I was the first ever Welsh language radio reporter based in Carmarthen in 1978, working out of a tiny unattended studio in the old Penlan Workhouse.

"I never dreamt that one day a national Welsh-language TV channel would be based here!

"This is a very exciting announcement indeed, the best news Carmarthen town has had in quite a while.

It will boost the local economy with well-paid jobs,

guaranteed for years to come. The S4C headquarters will hopefully be a catalyst for all kinds of smaller local companies and all kinds of professions – regardless of language.

"In congratulating Yr Egin 'winning team', in particular Medwyn Hughes and Chris Burns for their effort and vision, one must commiserate with Caernarfon, who'd also prepared a very strong case.

"But I believe that S4C has made the right decision, as the battle for the future of our language will be won or lost in Carmarthenshire and having our national TV channel at the heart of things is crucial."

BROADCASTING CAREER: Town and county councillor Alun Lenny.

Mae sawl llythyr o'm heiddo wedi ymddangos mewn papurau lleol, cenedlaethol a Phrydeinig – fel hwn yn y *Sunday Times* yn 2018.

Ers gadael y BBC, rwy wedi cael fy nghyfweld droeon ar deledu, radio a gan y wasg am amryw bethau. Mae'r erthygl hon am adleoli pencadlys S4C i Gaerfyrddin.

Annerch Cyfarfodydd Blynyddol Undeb yr Annibynwyr yn Rhyd-y-main, Dolgellau ym Mehefin 2019. (Llun: Rhodri Darcy)

Awst 2019 yn eglwys San Pedr. Traddodi darlith hanes am frwydr Bosworth, ger beddrod Rhys ap Thomas, y milwr a laddodd y brenin Richard III yn y frwydr honno, yn ôl traddodiad.

Ar ôl cyrraedd, a hithau'n wyth o'r gloch y nos, gwelwyd fod pont Llandysul o'r golwg o dan lif Afon Teifi, y dŵr yn ymestyn yn ôl tua hanner canllath i fyny'r brif hewl i Gaerfyrddin. Roedd canolfan y Frigâd Dân o dan bum troedfedd o ddŵr, a dim ond mewn pryd y llwyddodd y diffoddwyr tân rhan-amser i ryddhau'r injan dân. Ofnwyd, ar y pryd, fod y bont ei hun wedi dymchwel o dan nerth y llif. Roedd hyn ymhell cyn dyddiau'r ffordd osgoi, wrth gwrs, a phont Llandysul oedd man croesi un o'r hewlydd prysuraf rhwng Caerfyrddin ac Aberystwyth. Roedd y dynion tân wedi achub pâr oedrannus o'u cartref gerllaw, ac yng nghefn y Wilkes Head roedd casgenni cwrw gwag yn arnofio ar wyneb y dŵr brwnt. Yn 2018 profodd Bontweli lif difrifol iawn arall, sy'n dangos bod hanes yn ailadrodd ei hun.

Ar ôl cyfweld y swyddog tân, Elgan Jones, ffilmio darn i gamera a digon o luniau, fe droion ni'n ôl at Gaerfyrddin, gan fynd ar hyd yr hewl gefn i Lanpumsaint a galw yng nghartref Huw Davies, fyddai'n gyrru'r VT yn syth i Gaerdydd. Ar ôl cyrraedd adref fe ffoniais i'r copi i'r BBC ar gyfer y bwletinau radio cynnar. Byddai Hefin Edwards yn lleisio'r stori ben bore, er mawr ryddhad i mi. Gwyddwn y byddai'r diwrnod canlynol yn un prysur, ond ychydig a feddyliais mor ddifrifol fyddai digwyddiadau'r bore Llun hwnnw.

Drannoeth, yn fuan wedi'r wawr, roeddwn ym maes parcio Neuadd y Sir yng Nghaerfyrddin yn edrych ar y llanast islaw. Roedd Afon Tywi wedi gorlifo'r mur concrit uchel oedd fod i'w chadw allan o bentref Pensarn. Awgryma R J Thomas yn ei lyfr ardderchog, *Enwau Afonydd a Nentydd Cymru*, taw ystyr Tywi yw 'afon nerthol' sy'n 'tyfi' neu'n 'tewhau', ac mae'n gwneud hynny'n frawychus o sydyn ger Caerfyrddin lle bu pobol ers oes y Rhufeiniaid yn ceisio'i rheoli. Y bore hwnnw, roedd hi allan o reolaeth, gan orlifo'r cei wrth droed y dref a'r tai a'r busnesau ym Mhensarn yr ochr arall i'r afon. Yn eu plith roedd cwmni Dyfed Seeds, lle'r oedd fy nhad yn rheolwr.

Ym maes parcio Neuadd y Sir, wrth i Ken dynnu ei gamera allan o'r cês yng nghist y car, daeth neges dros system radio'r

BBC am Bont Glanrhyd. Bu'n rhaid edrych ar fap yn gyflym i weld lle'n union ydoedd, cyn gyrru lan yr A40 trwy Ddyffryn Tywi. Ar bwys troeon y Wern, gerllaw Tafarn yr Hanner Ffordd, roedd tua throedfedd o ddŵr ar draws yr hewl ond fe aeth y Quattro trwyddo gan adael tonnau yn ei sgil. Yr ochr draw i Landeilo, roedd darn hir o'r hewl o dan ddŵr. Rhaid oedd aros, a cherddais i mewn iddo yn fy welingtons i geisio mesur ei ddyfnder. Ar ôl i Land Rover ddod trwyddo o'r cyfeiriad arall, mentrwyd arni. Gêr isel a *full throttle* i rwystro'r dŵr rhag dod lan yr *exhaust* a boddi'r peiriant. Fe waeddon ni 'hwrê' ar ôl cyrraedd yr ochr draw.

Canfod ffordd i bont Glanrhyd oedd y pen tost nesaf. Ar ôl troi ym Manordeilo a chyrraedd clos fferm Glanrhyd-Saeson cawsom ganiatâd parod y teulu i adael y car yno, a cherdded ar draws y caeau trwy'r llif tua'r rheilffordd. Ar ddiwedd ein taith drafferthus, doedd dim problem cael cydweithrediad y gwasanaethau brys. Aethom 'nôl trwy'r llif i'r fferm, lle cefais ddefnyddio'r ffôn i ddweud yr hanes am y trychineb ar fwletin amser cinio Radio Cymru. Aethom i Langadog wedyn i gyfweld Carwyn Davies, oedd wedi gweld y trychineb yn digwydd o'i fferm ar draws yr afon. Roedd Carwyn yn chwarae rygbi ar yr asgell i Lanelli, a'r flwyddyn ganlynol fe'i dewiswyd i chwarae i Gymru, gan ennill saith cap. Bu farw o dan amgylchiadau trist iawn yn 1997 yn 32 oed.

Mewn cwest yn Llandeilo i drychineb Glanrhyd yr haf canlynol, datgelwyd fod seiliau'r bont wedi erydu dros gyfnod hir ac na ddylai'r trên boreol fod wedi ceisio ei chroesi i weld a oedd yn ddiogel ai peidio. Cafwyd dyfarniad o ladd anghyfreithlon, ond ni alwyd neb i gyfrif.

Tua thridiau wedi'r dilyw, daeth y Tywysog Siarl a Diana i weld y llanast. Cofiaf wylio'u hofrenydd coch yn dod i lawr Dyffryn Tywi tuag at Gaerfyrddin, a sylwi ar y nifer anarferol o ohebwyr a dynion camera dieithr o'm cwmpas. Nid oherwydd y llifogydd oeddent yno'n bennaf, ond am fod diddordeb mawr yng nghyflwr bregus priodas y pâr brenhinol. Datgelwyd bryd hynny fod Diana yn 'gyfeillgar' gyda James Hewitt, a bod

Charles wedi cynnau tân ar hen aelwyd Camilla Parker-Bowles y flwyddyn cynt.

'Every time I come to Carmarthen there seems to be some kind of disaster,' meddai Charles. 'Last time it was snow and now this appauling flood.' Roedd y Tywysog mewn hwyliau rhyfeddol o dda, ac yn barod iawn i gael ei gyfweld gan Gilbert John. Ond roedd hwnnw wedi ymwthio rhwng Charles a Diana, a thra bod y Tywysog yn dal i barablu, cydiodd un o'r Gwarchodlu Brenhinol yng ngholer cot Gilbert a cheisio'i dynnu yn ôl tra bod ei wyneb yn araf yn troi'n las. 'Please, Sir,' plediodd Gilbert, 'could you tell your man to stop strangling me?'

Tywyswyd y ddau i gyfeiriad Southern Terrace, yr unig res o dai ym Mhensarn ers dymchwel gweddill yr hen bentref i greu ardal fasnachol flynyddoedd ynghynt. Er i Afon Tywi fynd 'nôl i'w gwely, roedd wedi gadael trwch o fwd ar ei hôl, ac roedd Diana'n gwisgo sgidiau drudfawr hollol anaddas ar gyfer yr achlysur. Fe'i gwelaf hi nawr, mewn *bottle green outfit*, yn sefyll gyda'i chefn tuag ata i, yn codi un troed ac yn edrych lawr dros ei hysgwydd ar ei hesgid front. Doedd hi ddim yn edrych yn hapus iawn.

Tywyswyd y pâr brenhinol tuag at res o bobol leol. Yn eu plith roedd Mair Lloyd, oedd yn byw yn Southern Terrace. Menyw fach o gorff ond fawr o ysbryd yw Mair, sy'n dal yn fywiog yn 91 oed. Arhosodd Charles a holi sut le oedd ganddi, 'Terrible, Sir,' atebodd hi, 'come and see.' A dyma'r pâr, gyda'u gwarchodlu, y plismyn a'r wasg yn dilyn, yn ymwthio i barlwr bychan Mair lle'r oedd tua thair modfedd o fwd brown ar y llawr a *tidemark* hanner ffordd lan y papur wal. Rhaid bod baw Afon Tywi wedi distrywio sgidiau drudfawr Diana, ac wrth i'r hofrenydd coch ymadael, synnen i ddim iddi roi pryd o dafod i'r hen Garlo. Prin y gwelwyd y ddau yn gyhoeddus ar ôl hynny. Yn fy marn i, fe drawyd yr hoelen olaf i arch y briodas frenhinol y diwrnod hwnnw, ym mharlwr Mrs Lloyd yn Southern Terrace, Pensarn.

Lawr yn y Jyngl

GWLAD O WRES llethol, chwys a llwch, cartref i lwyth o greaduriaid mawr a mân yn brathu neu'n pigo; ffyrdd fel gwely afon trwy jyngl trwchus a chorsydd afiach; a chymydog mawr asgell-dde yn ysu i ymosod. Dyna Belize. Ond mae hefyd yn lle hudolus gydag adfeilion pyramidiau hen wareiddiad y Maya yn codi o lesni'r jyngl, ynysoedd gyda thraethau o dywod gwyn, a dyfroedd cynnes y Caribî yn golchi eu glannau unig. Dyma wlad tua maint Cymru, ond mor wahanol. Profiad swreal oedd gweld y Ddraig Goch yn hedfan yno a chlywed milwyr yn clebran yn Gymraeg yn ystod fy ymweliad yn 1989.

Yn Neuadd y Sir yng Nghaerfyrddin yr oeddwn, un bore llwyd a gwlyb. Roedd Cyngor Dyfed yn trafod galwad Cyngor Tref Dinbych-y-pysgod ar iddynt dalu iawndal i berchnogion tai haf a losgwyd gan Feibion Glyndŵr o'r grantiau a roddwyd i'r Urdd, yr Eisteddfod Genedlaethol a mudiadau cyffelyb. Wrth gwrs, fe wnaeth Dyfed wrthod y fath gais gwallgof. Bu tro ar fyd ers hynny, gan mai fy nghyfaill Mike Williams, aelod o Blaid Cymru, sy'n cynrychioli'r dref yn Little England Beyond Wales ers blynyddoedd bellach.

Daeth neges i ffonio Gwilym Owen, Pennaeth Newyddion. Nid yn aml y byddai'r pennaeth yn ffonio ganol bore. Oedd rhywbeth o'i le? Rhywun wedi cwyno am eitem, efallai, gan fygwth achos enllib? Prin y byddwn wedi dychmygu beth fyddai neges Gwilym. 'Sut hoffech chi a Tomi fynd ar daith i Ganolbarth America yr haf yma?' Beth, meddyliais? 'I Belize. Y fyddin sy'n trefnu'r daith. Mae'r Welsh Guards yno. Byddech chi'n byw yn yr *Officers' Mess* ac yn cael eich tywys i bobman mewn hofrenydd. Gwobr i chi am eich gwaith caled yn y gorllewin yna.'

Bues i'n casglu stampiau pan oeddwn yn fachgen a rhywle yn y tŷ mae llyfr llawn stampiau gwledydd y Gymanwlad fu gynt o dan reolaeth Prydain Fawr. Wrth i wledydd ledled byd, o un i un, fynnu eu hannibyniaeth, fe wnaeth nifer adfer eu henwau brodorol. Fe drodd British Honduras gynt yn Belize. Bu'n rhaid cael cipolwg ar y map, a dweud wrth Ann, cyn cytuno y byddwn i, Tomi Owen a'i fab, David, yn mynd. Yn fuan dechreuodd y paratoi ar gyfer treulio wythnos yn y jyngl. Llond braich a phen-ôl o *jabs* i'n gwarchod rhag teiffoid, polio a hepatitis. A dechrau llyncu'r tabledi malaria. Aeth Tomi a fi i Lundain i swyddfa'r fyddin yn Horseguards Parade i gael *briefing*. Yn ogystal â ni'n tri, byddai ffotograffydd a dau ohebydd papur newydd ar y daith.

Doeddwn i erioed wedi hedfan o'r blaen, heb sôn am fynd i le mor eithriadol o wahanol i unlle fues i erioed cyn hynny nac wedyn. Rhaid cyfaddef fy mod yn teimlo cymysgwch o gyffro a nerfusrwydd wrth ffarwelio ag Ann a'r teulu. Ond gwyddwn fy mod mewn dwylo da yng nghwmni teithiwr profiadol fel Tomi.

Pentref bach pert yn agos i'r A40 tua 15 milltir i'r gorllewin o Rydychen yw Brize Norton. Mae'n lle hynafol, gyda chyfeiriad ato yn Llyfr *Domesday*, 1086. Ond nid am hynny mae'n enwog. Ar gyrion y pentref mae maes awyr milwrol anferth, yn wir, canolfan fwyaf y Llu Awyr. Nid awyrennau rhyfel sy'n ei ddefnyddio, ond awyrennau mawr i gludo milwyr a nwyddau milwrol i bob rhan o'r byd. Oddi yno byddem yn hedfan i Belize. Bu'n rhaid aros wrth y glwyd i ddangos ein dogfennau i'r milwyr arfog. Bryd hynny roedd yr IRA yn dal i ymosod ar dargedau yn Lloegr, a rheswm da gan y milwyr i fod yn wyliadwrus. Deufis yn ddiweddarach, fe ffrwydrodd bom mewn barics yn Deal, Swydd Caint gan ladd dwsin o aelodau o fand y Royal Marines. Aethom i dreulio'r nos yn y Gateway, gwesty mawr sy'n eiddo i'r Llu Awyr ond sy'n debycach i hostel prifysgol.

Am 2.45 y bore fe ganodd y larwm a fflachiodd y golau coch yn y stafell wely a chlywid llais ar y tannoi yn gorchymyn i bawb

149

oedd yn hedfan i Ganolbarth America i godi. Doedd fawr o flas ar y coffi a'r tost ar yr awr annaearol honno. Bu'n rhaid sicrhau bod y camera a'r offer recordio yn eu bocsys alwminiwm yn mynd i'r lle iawn cyn disgwyl yr alwad i fynd ar yr awyren wrth i ddiwrnod hafaidd, braf wawrio. Awyren ryfedd yw'r VC10, gyda phedwar peiriant yn y cefn o dan ei chwt uchel. Nid yw'n fawr – dim ond lle i tua 120 o filwyr ac ychydig *cargo* yn y pen blaen. Fel pob awyren RAF, mae'r seddau'n wynebu at yn ôl, gan fod hynny'n gwella'r siawns o oroesi damwain. Llusgodd tua chwe awr heibio cyn i'r VC10 lanio yn Gander, Newfoundland i ail-lenwi â thanwydd. Am ein bod yn eistedd yn wynebu tuag at yn ôl, profiad annifyr oedd gweld y fforest goed pîn ddiddiwedd yn dod yn nes ac yn nes, heb weld argoel o'r llain glanio tan y funud olaf. Yn ystod yr awr gymrodd hi i lwytho tanwydd, doedd dim hawl gadael yr awyren, ond fe aeth pawb yn ei dro i aros am ysbaid wrth y drws agored i fwynhau'r heulwen a'r awyr iach. Doedd fawr fwy i'w weld na choncrit, coed pîn a'r lorri danwydd, ac adeiladau isel yn y pellter.

Tua'r un maint â maes awyr Cymru Caerdydd yw Gander. Anodd credu mai'r lle anghysbell hwn yng nghanol ehangder fforestydd mawr a llynnoedd Newfoundland oedd maes awyr pwysica'r byd ar un adeg. Ei leoliad, ar y pigyn o Ganada sy'n ymwthio tuag at Ewrop, fu'n gyfrifol am hynny. Gyda thwf anferth mewn teithio ar awyrennau yng nghanol y ganrif ddiwethaf, roedd yn rhaid i'r rhai oedd yn hedfan o Ewrop i America lanio yno i gael tanwydd, fel ein VC10 hynafol braidd ni. Agorwyd *lounge* newydd ysblennydd o farmor Eidalaidd amryliw gan y Frenhines Elizabeth yn 1959. Dyma oedd Oes Aur Gander, gydag enwogion di-ri yn torri'r daith yno: actorion fel Bob Hope, Elizabeth Taylor a Humphrey Bogart; cantorion fel Frank Sinatra, Marlene Dietrich, Elvis Presley a'r Beatles; gwleidyddion fel Fidel Castro, Churchill a John Kennedy. A fi, wrth gwrs.

Lladdwyd busnes Gander gan ddyfodiad yr awyrennau jet mawr oedd yn medru hedfan yn syth o ddinasoedd Ewrop i

America, camp oedd y tu hwnt i'r VC10 wrth hedfan yn erbyn y *jetstream*. Ni welais yr un awyren arall yn glanio yn ystod ein hawr ar y tarmac, ond 12 mlynedd yn ddiweddarach, ar y diwrnod caiff ei gofio am byth fel 9/11, glaniodd miloedd o deithwyr yn annisgwyl yn Gander. Pan sylweddolodd yr awdurdodau yn America fod awyrennau'n cael eu herwgipio, gorchmynnwyd pob un i lanio yn y maes awyr agosaf. I nifer oedd yn croesi'r Iwerydd, Gander oedd hwnnw, ac fe laniodd 38 o awyrennau mawr yno o fewn ychydig oriau. Byddent yno am ddyddiau. Tua deng mil yw poblogaeth Gander, ond fe agorodd pobol y dref a phentrefi cyfagos eu calonnau a'u cartrefi i ddarparu llety ar fyr-rybudd i 6,600 o deithwyr a chriwiau'r awyrennau. Ers hynny, mae'r teithwyr diolchgar wedi codi $1.5m i gronfa sy'n darparu ysgoloriaeth i bobol ifanc Gander. Dyna un canlyniad bendithiol y diwrnod erchyll hwnnw.

Yn anffodus, ni chawsom gyfle i ymweld â'r lolfa ysblennydd. Eto, ar ôl ein taith ar draws yr Iwerydd, braf oedd cael llyncu awyr iach Newfoundland ar fore heulog oer. Dyna'r unig dro i mi ymweld â Chanada. Ac rwy'n dal heb droedio ei thir!

Ar ôl glanio ym maes awyr Dulles, Washington, ychydig oriau'n ddiweddarach, bu'n rhaid mynd trwy *immigration* i dreulio awr a hanner yn y *terminal* prysur tra roedd syched y VC10 yn cael ei dorri unwaith eto. Nid jyst yr awyren oedd yn sychedig. Buom ynddi ers tua deng awr erbyn hyn, ac roedd hi'n 'amser lager' 'nôl yng Nghymru. Pan holodd Tomi a oedd yna far ar agor fe syllodd y ferch tu ôl i'r ddesg wybodaeth arno am eiliad, cyn ateb braidd yn wawdlyd, 'Sir, it's only nine o'clock in the morning!' Dyna adlais o Pedr ar fore'r Pentecost yn gwadu bod y disgyblion gorfoleddus wedi meddwi, gan mai 'Dim ond naw o'r gloch y bore ydyw!' Wrth groesi Culfor Mecsico ar gam ola'r daith, symudodd cysgod yr haul, arwydd clir bod y VC10 yn newid cwrs. Ar y gorwel pell roedd arfordir tywyll ynys fawr. Esboniodd y peilot, 'The land in the distance is Cuba. We're banking away to make sure we keep well out of their airspace.' 1989 oedd hyn, cofiwch, a'r awyrgylch wleidyddol yng Nghanolbarth America a'r cyffiniau yn un wenwynig.

O'r diwedd, tyfodd arfordir Belize ar y gorwel. Stranciai'r VC10 fel ebol blwydd wrth ddisgyn yn araf drwy'r awyr boeth oedd yn codi o wyneb dyfroedd piws-las y Caribî islaw. Yn y pellter, gwelwn doeau Dinas Belize yn disgleirio'n goch a gwyn yn yr haul tanbaid. Edrychai'n rhamantus iawn, ond byddem yn canfod maes o law taw rhwd ar adeiladau'r sianti oedd y lliw coch. Yn sydyn, dyma awyren ryfel Harrier werdd yn ymddangos ar y llaw dde i'n hebrwng i lawr i'r maes awyr. Ar draws yr eil i mi eisteddai merch ifanc benfelen yn lifrai'r llu awyr. Cynhyrfodd wrth weld yr Harrier, a oedd erbyn hynny'n frawychus o agos at adain dde'r VC10. 'O look,' meddai, 'it's Peter', gan bwyso tua'r ffenest a chwifio'i llaw. Cododd y peilot yntau ei law yn ôl. 'For God's sake,' meddai milwr o'r Cymoedd mewn braw o'r sedd y tu ôl iddi, 'Don't encourage 'im. Tell 'im to keep 'is f***ing distance!'

Tua maint maes awyr Abertawe oedd Belize International Airport. Roedd camu o'r VC10 fel cerdded mewn i ffwrn ac wrth groesi'r concrit teimlwn y chwys yn rhedeg lawr fy ngwar. Wrth i fws ein cludo ar daith fer ar hyd hewl ffarm sylwais ar sticer 'Jesus is your friend' ar ei ffenest. Ofnais y byddai angen y fath ffrind yr wythnos honno. Wedi cyrraedd Airport Camp, gwersyll y fyddin Brydeinig, rown i'n rhannu stafell gydag un o swyddogion y fyddin mewn cwt Nissan sinc o dan goeden fawr. Fe adewais fy mag Gladstone cynfas gwrdd yno, a mynd i'r briffio ar gyfer criw'r wasg a'r cyfryngau gan gapten o'r fyddin. Yn ogystal â'n criw ni, roedd yr hen wariar o newyddiadurwr, Ivor Wynne Jones, a Peter Dash a Peter John, ffotograffydd a gohebydd y *South Wales Argus* yn y cwmni. Roedd pawb yn flinedig a chrintachlyd ar ôl y daith hir ac yn chwysu yn y gwres llethol.

'The bad news,' meddai'r capten wrth agor poster mawr lliwgar ar y ddesg 'is that Belize has 56 types of snakes.' Syllodd pawb ar y poster a'i amrywiaeth o seirff amryliw mewn arswyd. 'The good news is, only eleven types are dangerous.' Dyna gysur! Fe'n rhybuddiwyd yn benodol i ffoi yn syth petaen ni'n gweld yr erchyll *fer-de-lance*, chwe throedfedd o wiber arbennig o ffyrnig. 'It's very aggressive – probably the most dangerous snake in the world,' esboniodd y swyddog. Yn wahanol i'r mwyafrif o nadredd, sy'n cilio wrth deimlo sŵn traed yn nesáu, mae'r *fer-de-lance* yn stelcian o gwmpas llannerch yn y jyngl neu mewn ffermydd coffi gan ymosod ar unrhyw beth sy'n dod i'r diriogaeth. Mae'r brathiad yn lladd y sawl sydd ddim yn cael serwm yn fuan iawn. Ychydig cyn ein hymweliad, brathwyd cadfridog y fyddin Brydeinig yn Belize. Cafodd serwm mewn ysbyty milwrol, ac fe'i rhuthrwyd mewn awyren ysgafn i Florida. Achubwyd bywyd y cadfridog, ond bu'n rhaid iddo roi'r gorau i'w yrfa.

Roedd straeon am nadredd yn frith ymhlith y milwyr. Wrth dreulio noson yng ngwersyll Salamanca, yn ddwfn yn y jyngl, fe'n rhybuddiwyd i gadw draw o'r afon gyfagos am fod Boa Constrictor 30-troedfedd yn byw mewn coeden ac yn hela yn yr afon. Tyngodd un milwr fod *fer-de-lance* wedi ymosod ar ei Land Rover! Soniodd milwr o Dreletert am neidr werdd, bert, a arferai ddod i fyny'r *storm drain* concrit i'r barics gyda'r hwyr i fwyta scraps o fwyd gan y milwyr. Daeth hynny i ben pan ganfuwyd fod y neidr o fath peryglus. Beth wnaeth y milwyr? 'When it came up the following night we chopped its f***ing head off with a machette,' atebodd. Rhybuddiodd hefyd fod nadredd yn hoffi cysgu trwy ymdroelli o gwmpas pibelli dŵr poeth cawodydd amrwd y gwersylloedd mwy cyntefig yn y jyngl. Byddai'n rhaid cymryd gofal wrth ymestyn am y siampŵ, meddyliais.

Ar wahân i'r seirff, roedd yno tarantulas o faint eich llaw a chorynnod eraill hynod wenwynig fel y Black Widow, heb sôn am sgorpions a miliynau o fosgitos. Nid dyma'r lle i fod i'r sawl sydd â ffobia o'r fath greaduriaid. Cefais gynnig tarantula marw mewn cês gwydr gan fachan oedd yn mynd o gwmpas y gwersyll yn gwerthu cofroddion o Belize. Meddyliais am fy nghyd-weithiwr, Guto Orwig, 'nôl yng Nghymru a'i arswyd o gorynnod. Ystyriais ei brynu yn anrheg iddo fel *shock therapy* i wella'i *arachnophobia*, ond ar y llaw arall, doeddwn i ddim am iddo gael trawiad ar y galon.

Yn dilyn y briff annifyr aethom i'r *Officers' Mess* i gael swper ac ymlacio. Erbyn hynny, roedd hi'n hanner nos yng Nghymru, a chwech yr hwyr yn Belize. Agorais tab yn y *Mess*. Cofiaf y rhif hyd heddiw: L12. Ym mha bynnag wersyll y byddem yn ystod yr wythnos, dim ond y rhif oedd angen wrth brynu'r ddiod afresymol o rad. Hyd yn oed yn 1989, roedd 20c am wisgi mawr neu beint o lager, a phunt am botel gyfan o rym, yn fargen. Os cofiaf yn iawn, tua £15 oedd fy nhab i ar ddiwedd yr wythnos – oedd yn cynnwys prynu potel o siampên i'r swyddog fu'n ein hebrwng o gwmpas y wlad.

Erbyn i mi gyrraedd fy ngwely yn y cwt Nissan ar ôl diwrnod 30 awr, roedd hi fel ffwrn, gyda'r ffan fawr yn y nenfwd yn gwneud fawr ddim i leddfu'r gwres. Nid yw'r BBC, am resymau *PC*, wedi ailddangos y rhaglen *It Ain't Half Hot Mum*, a leolwyd mewn gwersyll y fyddin yn Malaya gyda Windsor Davies fel y Sgt Major. Hawdd y gellid lleoli'r fath gyfres yn Belize. Syrthiais i gysgu tua hanner nos, cyn deffro am ddau o'r gloch mewn gwely oedd yn wlyb stecs o chwys oer. O bryd i'w gilydd, byddai 'na *bang* ar do sinc y cwt. Codais gyda'r wawr am chwech, a chanfod y tir o gwmpas ein lled yn drwch o ffrwythau mango oedd wedi syrthio o'r goeden fawr uwch ein pennau. Rhoddais gic i ambell un wrth gerdded tua'r bloc ymolchi, gan synnu bod mangos yn 50c yr un yn Tesco. Ar ôl cael cawod fe wisgais y lifrai milwrol amryliw a roddwyd i ni. Byddai'r rhain yn fendithiol yn ystod y dyddiau poeth, caled a brwnt nesaf.

Bacwn ac wy fel petaen ni adref oedd i frecwast, cyn golchi'r tabledi malaria lawr â pheint o *orange squash* oer o beiriant mawr hen ffasiwn, tebyg i'r hyn oedd mewn pob caffe slawer dydd. Daeth lorri a Land Rover i'n cludo i fyny'r Western Highway. Hyd yn oed heddiw, dim ond pedair hewl darmac sydd yn Belize. Mae'r Western Highway yn ymestyn am 80 milltir o'r brifddinas ar lan y Caribî yn y dwyrain i'r ffin â Guatemala yn y gorllewin. Dyma M4 Belize, ond ei bod mor dawel â hewl gefn gwlad yng Nghymru.

Holdfast yw enw'r gwersyll lle treuliwyd yr ail noson. Roedd baner yr Undeb a'r Ddraig Goch yn crogi o ddau bolyn wrth y fynedfa. Canfuwyd mai mewn pabell fawr y byddai'r chwech ohonom yn cysgu. Sylwais nad oedd nets mosgito yno, ond ar ôl i mi siarad â'r Lieutenant-Colonel dyma ddau filwr crintachlyd yn dod â rhwydi i ni. Aethom 'nôl i'r lorri eto i'n cludo tua'r gorllewin tan i ni gyrraedd *look-out post* pren a sinc, lle roedd dau filwr â binociwlars yn gwylio'r man roedd yr hewl fawr yn croesi'r ffin â Guatemala tua dwy filltir islaw. Cymro oedd un, ac roedd ei reiffl SA80 ar y bwrdd o'i flaen. Aelod croenddu o'r Belize Defence Force oedd y llall, gyda'i wn M16 yn y cornel. Yn y pellter, sylwais ar adfeilion pyramid yn codi o ehangder di-dor y jyngl, sef Xunantunich (Morwyn y garreg), un o byramidiau mwyaf ysblennydd hen wareiddiad y Maya. Ers 1,200 mlynedd dyma un o'r adeiladau talaf yn y wlad. Mae olion cynharaf y Maya yn Belize yn dyddio 'nôl dros 4,000 o flynyddoedd. Erbyn 300CC roedd ganddynt rwydwaith o ddinasoedd mawr yn ymestyn ar draws Belize, Guatemala, El Salvador, Honduras a rhan o Mecsico. Datblygwyd ysgrifen, mathemateg a chalendr, pensaernïaeth a gwaith celf cywrain, a system amaethyddol hynod o effeithiol. Cymharwyd gwareiddiad y Maya ag eiddo Groeg a Rhufain. Mae tystiolaeth ei fod yn wareiddiad creulon hefyd. Byddai gelynion yn cael eu haberthu, gyda'r offeiriad y aml yn blingo corff y gelyn ac yna'n gwisgo'i groen. Nid oedd y fath greulondeb yn unigryw i'r Maya, wrth gwrs. Byddai'r Rhufeiniaid yn arteithio pobol er mwyn cael sbri yn y Coliseum, ac yn yr Hen Destament mae sôn am y proffwyd Samuel yn darnio carcharor 'ar allor yr Arglwydd yn Gilgal'.

Tua mil o flynyddoedd yn ôl dechreuodd dirywiad mawr yn hanes y Maya. Meddiannwyd y dinasoedd, lle gynt bu hyd at 100,000 o bobol yn byw, gan y jyngl. Credir mai sychder hir achosodd ddirywiad y gwareiddiad oedd gyda'r mwyaf yn y byd cyn-ddiwydiannol. Chwalwyd yr hyn oedd yn weddill gan y Sbaenwyr bum canrif yn ôl a bu bron i'r gwareiddiad anferth a rhyfeddol yma fynd yn angof llwyr.

A dyna lle'r oeddwn, ar gopa pyramid mewn lifrai milwrol brown a gwyrdd o dan haul tanbaid Canolbarth America, yn rhedeg fy llaw tros gerfluniau cain o bobol a chreaduriaid rhyfedd a ffyrnig yr olwg a gerfiwyd yn y garreg wen dros fil o flynyddoedd yn ôl. Meddyliais am y defodau gwaedlyd a gynhaliwyd yno slawer dydd, ganrifoedd cyn i'r dyn gwyn cyntaf gyrraedd cyfandir America. Yn 2017 bu Xunantunich yn y newyddion pan ganfuwyd bedd anferth ugain troedfedd o dan yr wyneb. Ynddi, roedd gweddillion dyn ifanc, ac oherwydd y creiriau a gladdwyd ganddo, tybir mai un o frenhinoedd Llinach y Neidr ydoedd, llwyth rhyfelgar fu'n rheoli tua 1,300 o flynyddoedd yn ôl.

Yn hwyrach yn y dydd, wrth yrru 'nôl i Holdfast yn ein Land Rover, daethom ar draws un o lwyth y Maya cyfoes ar y ffordd – hen ŵr yn cario llwyth anferth o goed tân ar ei gefn, gyda strapen ledr o gwmpas ei dalcen yn help i gynnal y baich. Roedd yn falch iawn i dderbyn lifft. Wedi swper, ymunwyd â'r criw yn y *Sergeants' Mess*, yn eu plith rhai oedd yn siarad Cymraeg. Fe wnaethom fwynhau noson yn eu cwmni ond fe es i'm gwely yn y babell cyn i'r sesiwn yfed fynd yn rhy drwm. Rym oedd hoff ddiod y milwyr, fel y brodorion yn gyffredinol. Byddai criw o bobol leol yn dod i'r gwersylloedd ar gefn lorri gyda'r wawr i wneud y gwaith o lanhau tai bach ac yn y blaen. Y tâl am ychydig oriau o waith oedd $10 Belize, sef tua £3. Pris potel rym Appleton 151, sydd ddwywaith cryfder rym arferol, oedd $3, a byddai llawer yn treulio gweddill y diwrnod yn y cysgod yn araf yfed y ddiod hynod gryf honno. Enw cwrw cenedlaethol Belize oedd Belikin, neu Belly Ache fel byddai'r milwyr yn ei alw! Bragwyd y cwrw gan gwmni Bowen & Bowen, oedd yn perthyn i deulu a fu'n byw yn Belize ers saith cenhedlaeth. Rhaid bod cyswllt Cymreig yn rhywle...

Drannoeth, daeth hofrenydd Puma i'n cludo i'r lleoliad nesaf. Fel mae'r enw'n awgrymu, ucheldir digon moel yw Baldy Beacon. O'r awyr, gwelwn fod gwersyll mawr o bebyll milwrol arno. Dyma ni yng nghanol maes ymarfer. Roedd hi'n boeth a llychlyd, ac fe ddiflannodd y Puma mewn cwmwl o lwch wrth i ni lanio, neidio allan a chario'n hoffer trwm i'r Land Rover fyddai'n mynd â ni ymhellach. Roedd yn daith hynod amhleserus ar hyd ffordd oedd mor arw â gwely afon, gyda sarjant gwallgof wrth y llyw. Cawsom ein taflu o gwmpas yng nghefn agored y Land Rover gan daro penelin, aren neu ben-glin droeon yn erbyn dur noeth y cerbyd. Wrth dynnu at ddiwedd y daith gwelwn gwmwl mawr o fwg yn codi o goedwig yn y pellter. Roedd darn eang o dir yn llwch du â rhai coed yn dal i losgi. I newid un gair o linell cân Alun 'Sbardun' Huws, 'Mae'r goedwig ar dân ger y ffin â Guatemala.' Achoswyd y tân gan filwyr yn tanio magnelau *white phosphorus*, a nawr roedd y milwyr hynny'n cario dŵr o nant gyfagos mewn ymdrech ofer i'w ddiffodd.

Yng nghefn ein Land Rover roedd llond *jerrycan* mawr plastig du o ddŵr glân. O'i weld, fe heidiodd y milwyr tuag atom, gan ymwthio i yfed o'r llestr. Ymhen hanner awr, roeddwn innau'n fwy na pharod i yfed o'r diferion olaf hefyd. Yn y cyfamser roeddem wedi ffilmio'r sefyllfa. Profiad rhyfedd iawn oedd holi Sgt William Howarth o Fangor, fu gynt yn ddyn sain i *Heddiw*, ar fryn oedd ar dân yng Nghanolbarth America.

Y diwrnod canlynol, wrth ffilmio'r ymarfer ar y maes tanio, cawsom ein herio fel criw camera i gystadlu yn erbyn tri milwr i danio magnel o *shoulder launcher* tuag at hen gar oedd tua dau gan llath i ffwrdd. Wn i ddim beth oedd rheolau'r BBC am ganiatáu i'w staff danio arfau rhyfel, ond fe wnaethom ni daro'r targed ddwywaith mas o dair, unwaith yn fwy na'r milwyr!

Cawsom ginio ar y maes ymarfer – llond bag bins du o goesau cyw iâr a llond bag tebyg o *goleslaw* i'w rannu rhwng tua ugain ohonom. Mor wahanol oedd y swper gawsom mewn un gwersyll. Yno, yng nghanol y jyngl, o dan estyniad agored i gwt Nissan, roedd bwrdd mahogani sylweddol ac arno addurniadau arian drudfawr gan gynnwys carw mawr – y *regimental silver*. Hwn, am y tro, oedd pencadlys y Gwarchodlu Cymreig.

Eisteddem yn ddwsin o gwmpas y bwrdd, yn wasg ac yn uwch-
swyddogion. 'What's for dinner, chef?' holodd y Lieutenant-
Colonel a eisteddai gyferbyn â mi. 'Boeuf Bourguignon, Sir,'
atebodd y cwc mewn cot wen, oedd yn chwysu uwchben rhyw
fath o *warming counter* wrth baratoi i weini'r danteithion. Ie,
stiw cig eidion gyda thatws potsh a moron mewn gwlad lle'r
oedd y tymheredd yn aml yn croesi 35C yn y dydd, a fawr is yn y
nos. Ond fe wellodd pethau. 'What's for dessert?' holodd y bos.
'Pears dipped in chocolate with ice cream, Sir.' Dyna welliant!
'Lead on,' meddai'r Colonel wrtha i. Wedi hôl y pwdin, peth
cwrtais oedd disgwyl i bawb arall ddychwelyd. Eisteddais yno'n
gwylio'r hufen iâ'n toddi'n bwll ar y plât o flaen fy llygaid.

Profiad gwych oedd cael ein tywys mewn hofrenydd Puma
o fan i fan, ar uchder o tua mil o droedfeddi. Mae drysau mawr
yn sleidro 'nôl bob ochr, a'r rheini'n cael eu cadw ar agor yn
ystod y daith am ei bod hi mor boeth. Byddai chwech ohonom
yn eistedd gefn wrth gefn yn wynebu mas trwy'r drysau agored.
Roedd dau beilot yn y cabin, a *flight engineer* mewn helmed a
lifrai ar ei draed uwch ein pennau yn darllen y dirwedd oddi
tanom. Yn 1976, methodd peiriant hofrenydd Puma wrth godi
o un o'r gwersylloedd, a disgyn i'r jyngl. Lladdwyd yr wyth ar
ei bwrdd. Mae'n debyg bod y *flight engineer* yn chwilio am fan
diogel i ddisgyn petai'r hofrenydd yn mynd i drafferth, tasg
anodd mewn gwlad lle'r oedd y jyngl yn ymestyn yn ddi-dor am
ddegau o filltiroedd.

Wedi glanio mewn gwersyll ar ddiwedd un o'r teithiau hyn,
fe drodd Ivor Wynne Jones ata i a dweud, 'You know, when we
were flying over the jungle, I felt this overwhelming urge to jump
out.' Diawch, meddyliais, dyw pethau ddim cynddrwg â hynny!
Ond yna esboniodd Ivor iddo fod yn *paratrooper* yn y Dwyrain
Canol yn 1946. Sylwais wedyn ei fod yn gwisgo tei'r gatrawd yn
yr *Officers' Mess.* Dyma newyddiadurwr o'r hen ryw, o'i gorun
i'w sowdl. Dechreuodd ei yrfa gyda Gwasanaeth Tramor y
BBC, gan weithio mewn llefydd fel yr Aifft a Jerwsalem yn fuan
ar ôl yr Ail Ryfel Byd. Mae'n debyg taw Ivor gychwynnodd y
gwasanaeth darlledu ar Ynys Cyprus. Wedi dychwelyd i Gymru,

bu'n olygydd y *Carnarvon and Denbigh Herald* cyn ymuno â'r *Daily Post*. Bu gyda'r papur am 50 mlynedd, gan ohebu o sawl gwlad ar draws y byd, yn ogystal ag ar faterion Cymreig. Yn awdur, ysgrifennodd sawl llyfr ar destunau mor amrywiol â hanes y papur punt Gymreig ac Eisteddfod Cairo. Gan nad oeddwn i'n darllen y *Daily Post* yn y de, wyddwn i ddim am ei enwogrwydd yn tynnu blew o drwyn a chorddi'r pwysigion a'r werin fel ei gilydd. Bu Ivor farw yn 2007, ond fe'i gwelaf e nawr mewn siaced las dywyll, tei'r gatrawd a beiro yn ei law yn syllu dros ei sbectol at ryw swyddog neu'i gilydd gan gymryd nodiadau mewn llaw-fer gelfydd. Perthynai Ivor Wynne Jones i genhedlaeth o newyddiadurwyr sydd wedi diflannu. Braint oedd cael ei gwmni am yr wythnos fer honno.

Yn ogystal â'r hofrenyddion, roedd pedair awyren Harrier yn Belize. Petai lluoedd Guatemala yn ymosod, y rhain fyddai'n bennaf gyfrifol am geisio'u rhwystro tan fod mwy o awyrennau, milwyr a llongau rhyfel Prydain yn cyrraedd. Roedd profiadau Rhyfel y Falklands yn dal yn fyw iawn yng nghof rhai o'r milwyr yn Belize oedd ar fwrdd y *Sir Galahad* pan ffrwydrodd hi yn Bluff Cove saith mlynedd ynghynt. Mewn gwersyll yn nyfnder y jyngl un noson, gyda'r rym yn llifo fel dŵr, dechreuodd dau o'r sarjants drafod yn Gymraeg eu profiadau erchyll y diwrnod hwnnw. Roedden nhw'n teimlo'n eithriadol o ddig a chwerw iddyn nhw fod yn darged mor hawdd i awyrennau rhyfel yr Ariannin. Cafodd y milwyr eu cadw ar y llong yn ddiangen am gyfnod hir, meddent, ac ni ddylid fod wedi cludo *ammunition* ar yr un llong â'r milwyr yn y lle cyntaf.

Presenoldeb lluoedd arfog Prydain oedd prif incwm Belize bryd hynny, ond roedd tyfu cyffuriau yn fusnes mawr hefyd. Un bore, trefnwyd i ni fynd i lawr afon y Rio Grande gyda dau lond cwch o filwyr. Cofiaf sŵn y clic, clatsh wrth i filwr wrthio'r clip bwledi i mewn i'w reiffl SA80 a'i daro i'w le gyda sawdl ei law. Nid ymarfer oedd hwn. Petai angen, byddai'r gwn yn barod i'w danio. Rhai wythnosau ynghynt, daeth uned o bedwar o filwyr wyneb yn wyneb â smyglwyr cyffuriau arfog yn cario chwarter tunnell o marijuana ar hyd llwybr trwy'r jyngl.

Y Cymry oedd gyflymaf i ddod dros y sioc ac anelu eu gynnau, ac fe ildiodd y smyglwyr. Wrth i ni ruo i lawr yr afon yn y ddau gwch cyflym, meddyliais tybed a oedd peth o'r cyffuriau a ganfuwyd gan yr heddlu ar lannau gorllewin Cymru o bryd i'w gilydd wedi dechrau'r daith yma yn nyfnder jyngl Belize. Trwy drugaredd, ni fu angen i'r Cymry ddefnyddio'u harfau y bore hwnnw ar y Rio Grande.

'Belize wasn't a good posting,' meddai Cadfridog y Gwarchodlu Cymreig wrtha i flynyddoedd wedyn wrth i ni sgwrsio yn y barics ar draws y ffordd i dŷ ni yn dilyn Parêd y Cofio yng Nghaerfyrddin. 'The men were bored, so they drank and fought too much.' Ymladd â'i gilydd, hynny yw, nid gyda'r gelyn. Hawdd deall hynny pan fod dynion ifanc oedd wedi ymuno â'r fyddin i gael bywyd cyffrous yn gaeth i wersyll yng nghanol y jyngl am chwe mis. Pan oeddem ar fin ymadael â'r wlad dywedais wrth filwr o Gaerdydd fy mod i'n teimlo fel petawn i wedi bod yno'n llawer mwy nag wythnos. Atebodd yntau, 'I feel I've been here all my bloody life!'

Profiad melys-chwerw oedd gadael Belize. Gwyddwn na welwn y wlad fyth eto. Ac er mor galed, blinedig ac annifyr fu'r ymweliad ar brydiau, bu'n brofiad rhyfeddol hefyd. Wrth ddringo i'r VC10, sylwais fod dau filwr a anafwyd wrth ymarfer yn Belize ar *bunk beds* ym mhen blaen yr awyren, gyda dwy nyrs yn eu tendio. Yn yr howld, roedd corff swyddog a laddwyd yn yr un digwyddiad. Wrth groesi Culfor Mecsico, sylwais ar un o'r nyrsys yn siarad â'r peilot wrth ddrws y *cockpit* cyn dod 'nôl i strapio'r milwyr clwyfedig wrth eu gwelâu. 'There's some bumpy weather ahead,' cyhoeddodd y peilot. 'We've failed to go round it and it's too high to go over it. So we'll just have to go through it. Fasten your seat belts.' O fewn ychydig roedd y VC10 yn prancio ac yn crynu trwy storm frawychus o fellt a tharanau. Hawdd deall sut mae Culfor Mecsico'n feithrinfa i gorwyntoedd. Rhyddhad oedd dod lawr trwy'r cymylau i Dulles, lle byddai toriad o ddwy awr. Bu swyddog mawr du ei groen yn studio fy mhasbort, oedd â llun Ann a minnau arno. 'Which one are you?' gofynnodd. 'The pretty one,' atebais.

'You from Central America?' holodd gyda gwên. Oeddwn. 'Out like a light!' meddai. Dyma ni'n brysio tua'r bar i archebu jwg fawr o gwrw Miller a gwydred yr un o Jack Daniel's. Erbyn i ni ddringo'n ôl i grombil y VC10 roedd pethau'n edrych ar i fyny. Ciliodd goleuadau Washington oddi tanom a syrthiais i gysgu.

Ar ôl cyrraedd Brize Norton cawsom ein siarsio i fod yn wyliadwrus iawn wrth adael y maes awyr. Fe'n rhybuddiwyd fod dwy gell o'r IRA yn weithredol yng nghanolbarth Lloegr. Roedd achos i fod yn wyliadwrus oherwydd y flwyddyn ganlynol, cafodd dau filwr eu saethu'n farw gan yr IRA wrth aros am drên yng ngorsaf Caerlwytgoed (Litchfield). Dim ond 19 oed oedd Robert Davies o Bontarddulais. Oes, mae 'na lefydd mwy peryglus yn y byd na Belize.

Chwarae Sowldiwrs

O DAN LWYN banadl, tu ôl i adfeilion hen wal, roedd tri milwr arfog yn byw, mewn lifrai amryliw â chuddbaent gwyrdd a du ar eu hwynebau. Yn bwyta, cysgu a phopeth arall yn yr unfan o dan gysgod tamaid o darpolin, rhag ofn i'r gelyn ddod i'r goedwig ar draws y cae cyfagos. A liw nos, fe ddaethant: dau ddyn o Birmingham â'u bryd ar ddwyn wyau'r Barcud Coch o nyth yn y goedwig yng Nghwm Ystwyth. Dychmygwch eu harswyd o gael eu dal gan dri milwr yn neidio o'r tywyllwch wrth iddynt ddechrau dringo'r goeden!

Ymarfer ar gyfer treulio cyfnod yn *bandit country* Armagh oedd y milwyr o gatrawd y Ffiwsilwyr Cymreig, gan mai 1994 oedd hi a rhyfel cartref gogledd Iwerddon heb ddod i ben eto. Bryd hynny roedd y Barcud yn dal i fod yn aderyn prin iawn, a dwyn ei wyau gwerthfawr yn rhemp. Roedd gwarchod y nythod yn ymarfer da i'r milwyr ar gyfer y gwaith syrffedus o dreulio wythnosau mewn cuddfannau yng nghefn gwlad gwyrdd ond hynod beryglus de Armagh. Wrth deithio i Gwm Ystwyth i ffilmio'r stori y bore hwnnw, ychydig feddyliais i y byddai'r daith yn gorffen yn America ymhen rhai misoedd. Wrth gyfweld capten o'r gatrawd, soniodd fod cwmni o Fyddin Diriogaethol y TAs, bechgyn o Sir Gâr yn bennaf, yn mynd i Oklahoma. Trwy gyd-ddigwyddiad, roedd Jim Campbell, un o staff newyddion y BBC yng Nghaerdydd, yn uwch-gapten yn y TAs, ac fe drefnwyd lle i griw camera ar yr awyren.

Albanwr digyfaddawd oedd Jim, a byddwn yn siarad â fe bron bob dydd fel aelod o'r adran oedd yn trefnu criwiau camera ar gyfer y straeon dyddiol. Tan hyn, doeddwn i ddim wedi sylweddoli ei fod yn 'Major' yn y TAs – sef y 'milwyr wrth gefn' yn ôl yr arwydd mawr coch ar ffens uchel y barics gyferbyn â'm cartref yng Nghaerfyrddin. Diwrnod cyn ymadael i'r Unol Daleithiau, ffoniodd Jim i ddweud bod problem. Doedd dim awyren gan yr Oklahoma Nation Guard ac felly roedden nhw wedi benthyg un gan warchodlu Tennessee. 'They're not willing to fly a BBC crew,' meddai 'but don't worry. We'll sort something. Just turn up in Blackwood.' Dyma fi, Andrew Davies y dyn camera, a Mike Arnold gohebydd *Wales Today* yn cyrraedd canolfan y TAs yn y Coed Duon. 'Just put these on,' meddai Jim gan daflu lifrai milwrol atom. 'We'll say you're with us.' A dyna ni ffwrdd i Brize Norton i aros dros nos yng nghanolfan anferth yr RAF cyn croesi'r Iwerydd; noson arall yn y Gateway, lle bûm yn treulio'r nos cyn mynd i Belize, pum mlynedd ynghynt.

Drannoeth, dyma awyren y criw o Tennessee yn glanio. Swatiai'r Memphis yno ar y llain glanio fel ystlum anferth llwyd a gwyrdd. Arni roedd cwmni o filwyr y National Guard ar eu ffordd i ymarfer yng Nghymru. Gwadnau rwber esgidiau milwyr Oklahoma fyddai'n troedio 'lle bu'r angylion yn diosg eu sandalau' ar Fynydd Epynt am y pythefnos nesaf. Wrth i'r milwyr adael yr awyren, aed ati'n syth i'w hail-lenwi â thanwydd, cyn i ni ddringo i'w chrombil dywyll a diaddurn. Fel pawb arall, roeddem yn gwisgo lifrai milwrol amryliw. Nid oedd yr awyren C-141 Starlifter yn un newydd, gan iddi gael ei defnyddio gyntaf yn ystod rhyfel Vietnam, yn ôl un o aelodau'r criw. Roedd hi'n addas i gludo nwyddau neu filwyr – neu'r ddau, fel yn achos ein hawyren ni. Doedd hi'n fawr fwy na thiwb dur, gyda drws mawr yn y cefn i lwytho'n *luggage* a phedair rhes o 'seddau' canfas brown anghysurus yn ymestyn o gefn yr awyren i'r pen blaen. Rown i'n eistedd gyda fy nghefn at y *fuselage* dur noeth, penlin wrth benlin â Mike ac Andrew yn y rhes gyferbyn â mi. Am nad oedd *sound proofing* fel sydd mewn awyren fasnachol, roedd sŵn y pedwar peiriant jet Pratt & Whitney yn fyddarol ac fe gawsom *earplugs* melyn i'w gwisgo ar ddechrau'r daith hir. Hefyd, dim ond chwe ffenest fechan gron oedd yng nghefn yr awyren hynod glawstroffobig yma. Am gyfnod cyn hyn, bues i ffwrdd o'm gwaith yn dioddef o bylau o ddiffyg anadl, ac fe groesodd fy meddwl beth allai ddigwydd petawn yn cael pwl cas hanner ffordd ar draws yr Iwerydd. Fe ystyriais yn ddwys a ddylwn adael yr awyren tra roedd cyfle. Ond wnes i ddim – neu fyddai'r bennod yma'n gorffen fan hyn!

Fel arfer, nid yw peilotiaid awyrennau milwrol yn siarad â'r teithwyr. Ond fe wnaeth peilot y *Starlifter* ein croesawu yn acen ddioglyd Tennessee, 'We'll be flyin at 450 knots at 29,000 feet, landin in Dover Delaware in 'bout eight hours tuh refuel. Flyin internal tuh Tulsa, arrivin at 6pm local time. Guess y'all ain't gonna enjoy this flight.'

A gwir y gair am sawl rheswm. Tua deng munud ar ôl i'r awyren esgyn o Brize Norton, a'i thrwyn yn dal i anelu at y nefoedd, dyma olau coch yn fflachio a *buzzer* yn canu'n groch. Neidiodd y Flight Engineer, oedd yn eistedd ar bwys Major Jim a fi, allan o'i sedd gan weiddi rhywbeth i'r meicroffon am ei wddf. Dringodd dros ben y llwyth bagiau ac offer milwrol yng nghefn yr awyren. Erbyn hyn, sylwais fod cant o barau o lygaid yn rhythu trwy wyll yr awyren i'n cyfeiriad. Sôn am weld gwyn eu llygaid! Swyddog milwrol rhan-amser oedd y Flight Engineer – fel pawb arall ar yr awyren. Ei waith bob dydd oedd proffwydo'r tywydd, ond wnaeth e ddim proffwydo'r argyfwng yma. Ar ôl tynnu lifars fan hyn a throi handls fan draw, dyma'r sŵn yn tewi a'r golau coch yn diffodd. Wrth i'r Americanwr ddisgyn yn ôl i'w sedd, trodd y Major ato a gweiddi uwchben sŵn yr awyren 'What the f*** was that?' Ateb brawychus y cyfaill oedd: 'Ah hell, Sir, it's no problem. Ah guess we jest furgot tuh close the door prop'ly!' Roedd gwybod taw'r Dukes of Hazzard oedd yn hedfan yr awyren ddim yn llanw dyn â hyder am y daith hir ac araf ar draws yr Iwerydd.

Teirawr wedyn, dyma'r Major yn holi am fwyd. Wedi'r cwbl, oni ddywedodd Napoleon bod byddin yn martsio ar ei stymog? Yn anffodus, stymogau gwag fyddai gan y fyddin fach hon, gan fod rhywun wedi anghofio'r bwyd. Bu'n rhaid i ni fyw ar gwpaned o ddŵr a hanner Mars bar. Er mwyn torri ar y syrffed, aethom ein tri i'r *cockpit* i sgwrsio â'r criw o Tennessee.

Holais lle roeddem ni erbyn hyn. Atebodd y peilot, 'Should be 'proachin' Novia Scotia. Can't see it yet. Hell, guess we might be lost!' Ie, digri iawn, ond synnwn i ddim. O fynd i gefn yr awyren a syllu allan o ffenest fechan gwelais lain o dir brown diffaith yn dod i'r golwg yn y pellter – Canada. Doedd dim cwmwl yn yr awyr, a phentrefi pysgota bychain Newfoundland i'w gweld yn glir bum milltir oddi tanom. Cofiais i ni lanio yma ar ein ffordd i Belize. Teimlad rhyfedd oedd gweld, ond heb ailymweld, â rhan go unig o'r byd unwaith eto.

Ar ôl wyth awr o ymlusgo'n araf ar draws y ffurfafen yn y lorri wartheg hon, fe lanion ni yng nghanolfan yr USAF yn Dover, Delaware. Byddai dwy awr gennym tra eu bod nhw'n torri syched y Starlifter. Ar ôl bwyta brechdan, awgrymodd y Major y dylen ni'n tri dorri syched hefyd trwy ganfod siop yn gwerthu diodydd oer ac alcoholaidd. Cytunwyd yn frwd ac fe gerddon ni bellter ar draws y llain goncrit mewn gwres tanbaid i'r *Siopette* oedd yn llawn poteli croesawgar o lager oer a wisgi Jack Daniel's. Ar ôl llanw basged a mynd i'r *check-out*, dyma'r ferch yn holi, 'What unit are yah?' Gwthiodd Major Jim ei frest allan ac ateb, 'British Army,' gyda balchder amlwg yn ei lais. 'Ah'm sorry,' meddai'r ferch, 'ah can't serve yah. US personnel only.' A dyna lle'r oeddem: y chwys yn rhedeg i lawr ein hwynebau, chwys oer ar y poteli Budweiser mewn basged mewn un llaw a doleri'n y llall, a syched arswydus. Artaith yn wir. Ond roedd y Major yn ffansïo'i hun fel tipyn o *charmer*, a dechreuodd sgwrsio gyda'r ferch. A wyddoch chi beth, roedd ei chwaer-yng-nghyfraith yn dod o Bontypŵl! Wel, dyna chi gyd-ddigwyddiad, dyna chi lwc! Iawn i ni gael cwpwl o boteli felly, holodd y Major? Na, meddai'r Americanes. Cerddasom yn ôl trwy'r gwres mawr a dringo i wyll yr awyren hynafol yn fwy sychedig a diflas nag o'r blaen ar gyfer teirawr olaf y daith. Ond o leiaf roedd *in flight entertainment* y tro yma, oherwydd wrth groesi Tennessee fe diwniodd y criw mewn i orsaf canu gwlad, a'i chwarae'n uchel dros system PA yr awyren. Iawn 'da fi, ond nid yw C&W wrth ddant pawb, a bu sawl ochenaid.

Gwlad y Cowboi

Erbyn i ni lanio yn Tulsa roedd hi'n chwech o'r gloch yr hwyr (a hanner nos adref) a gwres y dydd heb ostwng dim. Daeth y Starlifter i stop tua hanner milltir o adeiladau'r maes awyr, a dyma ni'n esgyn o'r awyren heb orfod dangos pasbort hyd yn oed. Dychmygwch wneud hynna heddiw! Cafodd y milwyr blinedig eu martsio ar draws y llain lanio i ryw sied yn y pellter, gan adael ni'n pedwar yn eistedd ar y concrit yng nghysgod adain anferth yr awyren. Ymhen tua awr dyma griw'r Starlifter, oedd wedi pacio'r awyren am y nos, yn dweud wrthom ni, 'You guys sure look thirsty. Would yah all like some Coke?' A bant â nhw yn eu Humvee. Aeth chwarter awr dda heibio cyn iddynt ddychwelyd a dweud, 'Ain't got no Coke, just this,' gan daflu pecyn 24 can o gwrw Budweiser oer i'n cyfeiriad. Maddeuwyd popeth i lanciau Tennessee yn y fan a'r lle. Erbyn i'r lorïau a'r jîps gyrraedd i'n cludo ni'r 45 milltir i'r gwersyll milwrol ger Muskogee, roedd y caniau'n wag, a hwyliau'r Major a ni'n tri yn dipyn gwell.

Bydd yr enw Muskogee yn gyfarwydd i bawb sy'n dwli ar ganu gwlad. 'Nôl yn y 60au, pan oedd milwyr America yn Vietnam, a'r hipis hirwalltog ar blaned arall, fe wnaeth Merle Haggard lunio'r unig gân y gwn i amdani sy'n tynnu'n hollol groes i ysbryd gwrthyfelgar caneuon Bob Dylan a chantorion protest eraill o'r oes honno:

> We don't smoke marijuana in Muskogee;
> We don't take our trips on LSD
> We don't burn our draft cards down on Main Street;
> 'Cause we like livin' right, and bein' free.

Tref o tua 40,000 yw Muskogee. Dyma *Redneck capital* America gyda chanu gwlad yn ffordd o fyw. Byddai John ac Alun wrth eu bodd. Nid yw llawer o'i thrigolion wedi gweld y môr erioed, heb sôn am deithio i wledydd eraill. Pobol geidwadol dros ben ydynt, o ran gwleidyddiaeth a chrefydd. Hanner ffordd o Tulsa i'r gwersyll ger Muskogee, a hithau bellach wedi nosi, stopiodd y confoi milwrol mewn lle bwyta wrth ochr y ffordd fawr. Wrth aros mewn ciw am fwyd, roedd milwr tal o'r National Guard o'm blaen, a'i ben wedi'i siafio o dan het porc pei. Er mwyn dechrau sgwrs, fe holais i, 'Tell me, is it true they still don't smoke marijuana in Muskogee?' Anghofiais nad yw Americanwyr yn deall eironi. Edrychodd y milwr lawr ei drwyn yn sarrug arna i am eiliad hir cyn ateb, 'The hell they do, Sir. And if ah had ma way, ah'd take 'em all out the back and shoot 'em!' O, reit, meddyliais. Taw pia hi.

O'r diwedd, fe wnaethom gyrraedd Camp Gruber, gwersyll milwrol yng nghanol gwastadeddau eang Oklahoma. Erbyn hynny, roedd hi'n hanner nos a phobol Cymru yn paratoi i godi wrth i ni noswylio. Roedd y daith wedi cymryd tua phedair awr ar hugain – 'Twenty four hours to Tulsa' o addasu'r gân. O fynd mewn i'r cantîn a gweld *tea urns* mawr, rhuthrodd y milwyr sychedig atynt. Ond ych y fi – te oer! Bu cryn regi a rhwygo. Rown i'n rhannu stafell gyda'r swyddog oedd yn gyfrifol am gyfrifon y cwmni, bachan teidi iawn ond oedd lan tan berfeddion nos yn gwneud ei syms â'r golau ymlaen.

Pan gawsom ein deffro am chwech o'r gloch fore drannoeth meddyliais y byddem o leiaf yn cael brecwast gwerth chweil. Mewn â ni i'r cantîn a chael tafell o dost gyda *minced meat* mewn saws gwyn o ryw fath yn drwch drosto. Wrth i'r fenyw fochgoch y tu ôl i'r cownter rofio'r bwyd i'm plât, holais beth oedd enw'r danteithion hyn. 'Shit on a Shingle,' atebodd yn swrth. Swnio'n flasus, meddyliais. Os hoffech ei baratoi i frecwast mae'r risêt ar y rhyngrwyd, gyda llaw.

Fe wnaeth Andrew, Mike a fi grwydro o gwmpas y gwersyll ar fore tanbaid, gyda'r gwres yn 38°C am y pumed diwrnod o'r bron. Er nad oedd y gwersyll o adeiladau *breeze blocks* yn lle mawr, safai yng nghanol maes tanio anferth 60,000 erw, dwywaith maint maes tanio'r Epynt. Meddiannwyd y tiroedd gan y fyddin yn y 1930au. Roedd traean o'r tir yn eiddo i lwyth y Cherokee, a orfodwyd i symud i dalaith Oklahoma ganrif ynghynt o diroedd gwreiddiol y llwyth gannoedd o filltiroedd bant. Bu farw tua 6,000, traean o'r llwyth, ar y Trail of Tears yn

1836. Mwy am hyn yn y man. Wrth ffilmio machlud arbennig o waedlyd dros y maes tanio ym Muskogee un noson, daeth geiriau Tecwyn Ifan i'm meddwl:

Mae'r tir fu i ni'n gartref
Yn nwylo'r milwyr gwyn;
Machludodd haul ein pobol
I'w fedd tu hwnt i'r bryn,
A heno wedi'r teithio pell
Hiraethwn am ein tiroedd gwell.

Ar drothwy'r Ail Ryfel Byd, cafodd nifer o'r Cherokee eu gorfodi i symud eto. Fel yn achos Epynt, bu'n rhaid i deuluoedd adael eu ffermydd a'u cartrefi ar fyr rybudd, gan adael cnydau heb eu cynaeafu yn y caeau. Codwyd gwersyll anferth y Camp Gruber gwreiddiol: 1,750 o adeiladau i gyd, oedd yn cynnwys 480 o farics i filwyr, 100 o ysbytai bychain, 12 capel a phum theatr! Cyn ymosodiad D-Day fe ymgasglodd 250,000 o filwyr America fan hyn. Ni ddaeth degau o filoedd fyth yn ôl. Erbyn ein hymweliad ni, ar wahân i'r gwersyll bychan presennol, dim ond ffyrdd geirwon yn arwain drwy'r coedwigoedd i bob cyfeiriad ac olion seiliau prin y cannoedd o adeiladau oedd i'w gweld. Anodd credu bod poblogaeth dinas Abertawe wedi byw yma yn 1944.

Ganol bore, dyma pawb yn ymgynnull mewn neuadd fawr i gael *briefing*. Cawsom lith gan ddoctor oedd yn gapten yn y National Guard ynglŷn â pheryglon iechyd. 'Pan y'ch chi mas yn y maes ymarfer,' meddai, 'gwyliwch am y Rattlesnake, y Copperhead a nadredd eraill. Peidiwch â neidio mewn i lwyth o ddail marw o dan foncyff coeden rhag ofn bod corynnod Brown Recluse neu Black Widow yn byw yno.' Gan fod y tywydd mor boeth pwysleisiodd bod angen i bawb yfed deuddeg cwart (tua 12 litr) o ddŵr bob dydd. Ar ôl i'r doctor godi llond twll o ofn ar fois Sir Gâr, dyma'r Colonel yn torri ar ei draws i ysgafnhau'r awyrgylch. 'We'll have some fun too. We'll go up to Tulsa to watch the ballgame and after that you'll have time to do whatever you want.' O'r llawr daeth sawl gwaedd yn awgrymu beth oedd y TAs am wneud: 'Beer! Women!' ac ambell sylw rhy anweddus i'w hailadrodd. 'Shut UP!' gwaeddodd y Sgt Major.

Cyn mynd i'r *ballgame*, bu'r TAs wrthi'n ymarfer ar y maes tanio. Cawsant bobi M16 – hoff arf lluoedd America. Mae sŵn y fwled fel chwip wrth iddi fynd i'r pellter ar gyflymdra o fil o fedrau'r eiliad. Byddai'r fwled farwol yn eich taro ymhell cyn i chi glywed sŵn yr ergyd. Fel crwt o'r wlad, rown i'n hen gyfarwydd â gweld gynnau yn y cornel mewn sawl cegin ffarm slawer dydd, cyn dyfod rheolau i'w cadw o dan glo. Ond mae gwahaniaeth mawr rhwng gwn 12-bôr ac M16 sy'n gallu lladd person filltir a mwy i ffwrdd, felly profiad rhyfedd oedd mynd i'r ystorfa arfau a gafael mewn gwn oddi ar y *rack*. Yr unig ddiogelwch oedd clo ar y drws, mewn gwersyll milwrol agored lle allai unrhyw un ddod i mewn. Sylweddolais y foment honno mor gyffredin yw arfau yn America – mwy nag un dryll i bob dinesydd. Yn 2018 bu farw 40,000 o bobol yr Unol Daleithiau trwy gael eu saethu, neu saethu eu hunain – o'i gymharu â 60 ym Mhrydain.

Wedi diwrnod caled o danio ar y maes ymarfer, roedd y milwyr rhan-amser o Gymru yn ysu i brofi pleserau Oklahoma. Cawsom ni'n pedwar fenthyg car a gyrru mewn i Muskogee gan ddilyn ein trwynau trwy'r dref wasgaredig nes cyrraedd bar. Yno, roedd y bechgyn yn gwisgo hetiau cowboi, denims ac esgidiau uchel am mai *cowboys* o'n nhw, a'r merched yn gwisgo crysau tynn, denims a sgidiau lledr. Rown ni'n gwisgo dillad o Fosters, M&S a Burton am mai Cymry o'n ni. Yn naturiol, roedd canu gwlad yn llanw'r lle.

Fe brynais botel o *bourbon* Evan Williams ar y ffordd mas o Muskogee. Nawr, roedd Jack Daniel's yn enw cyfarwydd i mi, ond doeddwn i erioed wedi clywed am Evan Williams, er ei fod e'n ddiod enwog yn America. Yn wir, dim ond Jim Beam sy'n gwerthu mwy o *bourbon*. Credir fod Evan Williams yn dod o Sir Benfro, ac iddo ymfudo i America yn rhan olaf y 18fed ganrif, gan ddechrau cynhyrchu *bourbon* yn Kentucky yn 1783. Mae'r ddiod yn cael ei distyllu mewn lle o'r enw Heaven Hill!

Ac fe oedd hi'n nefoedd, eistedd gyda'r criw yn yr awyr agored, ar ôl i wres y dydd oeri, yn sipian diod yr hen Evan gan ryfeddu at y gofod serennog uwchben gorwelion eang gwastadeddau Oklahoma.

Sŵn chwiban trên mawr yn ymlusgo'n araf ar y cledrau heibio i'r gwersyll wnaeth ein deffro ni trannoeth. Doedd fawr o awydd ar yr un ohonom i wynebu'r *Shit on a Shingle* ar ôl noson gydag Evan Williams, ond roedd aroglau bacwn yn yr awyr. Bu cwcs y TAs wrthi ers pedwar y bore yn paratoi brecwast. 'Edrych, 'achan,' meddai milwr o Lanelli, 'bacwn!' Ie – bacwn fel y cig moch slawer dydd a fyddai'n crogi uwchben y lle tân mewn pob cegin fferm. Ar fy mhlât, glaniodd dwy sleisen o gig gwyn – gyda'r wawr lleiaf o gochni yn y canol – ynghyd â thafell o fara sâm i'w olchi lawr gyda the oer. Cawsom ein cinio wrth adael y cantîn, pecyn plastig brown tywyll tua'r un maint â llyfr emynau gyda'r llythrennau MRE arno. *Military Rations Envelope*, neu, fel meddai un wag, 'Meals Rejected by Ethiopians'. A doedd e ddim yn bell o'i le. Pump awr wedyn, ar ôl bore prysur yn tanio at dargedau yng nghanol gwacter gwyrdd Oklahoma, agorwyd y rashyns. Tybiaf taw cyw iâr oedd hanfod y stiw melyn. Nid oedd wrth ddant y milwyr. 'F*** me,' meddai un wrth agor ei amlen frown, 'someone's been sick in this!'

Cawsom lifft i Tulsa yn un o gerbydau'r fyddin, gan groesi Afon Arkansas ar gyrion y ddinas. Dyma afon fawr sy'n tarddu yn y Rocky Mountains ac yn llifo tua 1,500 o filltiroedd ar draws pedair talaith cyn ymuno â'r Mississippi. Roedd Andrew yn dipyn o bysgotwr, ac fe holodd yn gellweirus a oedd samwn ynddi. Edrychodd y gyrrwr yn hyrt arno cyn ateb, 'Dunno, but it's got 'gaitors and snakes.' Dyrnaid o *skyscrapers* gyda gweddill y ddinas yn ymestyn am filltiroedd i bob cyfeiriad yw Tulsa. Gyda phoblogaeth o 370,000 mae tua maint Caerdydd. Daw'r enw o 'Tallasi', sef 'hen dref' yn iaith y llwyth brodorol, y Creek. Am ran helaeth o'r 20fed ganrif, cafodd ei hystyried yn brifddinas olew'r byd, ac mae ôl cyfoeth mawr yr olew i'w weld o hyd yn yr adeiladau *Art Deco* a'r orielau celf gwych, fel y gwelir gwaddol cyfoeth y glo yn adeiladau dinesig Caerdydd. Cafodd Tulsa ergyd economaidd fawr pan ddaeth y diwydiant olew bron i ben, ond llwyddwyd i arallgyfeirio mewn meysydd eraill ac erbyn i ni ymweld â'r lle, roedd yn ddinas lewyrchus eto – a phoeth, gan fod y tymheredd yn cyrraedd 40°C yn rheolaidd yn ystod cyfnod byr yn yr haf. Fe wnaethom grwydro'r *shopping mall* i gael blas o'r lle a'r bwyd oedd gan mil gwell na rashyns y gwersyll. Gyda'r hwyr, aethom i far mawr o'r enw Inn Cahoots a thalu $5 i fynd mewn gan fod cwrw am ddim tan ddeg o'r gloch. Budweiser oedd y cwrw a weinwyd gan ferch benfelen a holodd o lle'r oeddem yn dod, gan ychwanegu, 'Ah sure lurve your accent.' Ar ôl sbel dyma ni'n sylwi nad oedd fawr o gic yn y cwrw ac o ddarllen y label gwelwyd mai 2° ydoedd, sef yr un cryfder â shandy oherwydd cyfreithiau rheoli alcohol llym Tulsa. Doedd y $5 fawr o fargen wedi'r cwbl!

Drannoeth, ar ôl brecwast diflas arall, roeddem yn ffilmio'r milwyr *on parade* am chwech o'r gloch. Roedd 'na fylchau'n y rhengoedd, cyn i fflyd o dacsis gyrraedd o Tulsa yn cludo nifer o'r milwyr yn ôl i'r gwersyll. Clywais sôn fod rhai o ferched Tulsa wedi mwynhau mwy nag acenion bois Sir Gâr y noson cynt. Roedd hi'n danbaid o boeth yn barod, ac o fewn dim roedd y *medics* yn brysur yn delio â milwyr oedd yn llewygu oherwydd y gwres a sgileffeithiau'r noson drom yn Tulsa. Cytunodd swyddog o'r National Guard, oedd wedi gwneud y camgymeriad mawr o ymuno â sesiwn yfed tecila gyda rhai o fois Llanelli i gael ei gyfweld. Roedd y milwr yn welw, yn chwysu ac yn crynu. Am y tro cyntaf erioed, rown i'n wironeddol ofni y byddai rhywun yn marw ar gamera – yn llythrennol. Llwyddodd i oroesi'r cyfweliad a meddyliais ei fod yn haeddu medal am hynny.

Awr neu ddwy wedyn, rown innau o flaen camera criw teledu lleol oedd wedi dod i ffilmio eitem am y milwyr o Gymru. Ar ddiwedd y cyfweliad, gofynnwyd i mi ddweud brawddeg yn Gymraeg. Cefais fy nhemtio i ddweud rhywbeth dwl, ond yna cofiais fod teulu o San Clêr yn byw yn ardal Tulsa, ac ergyd

171

carreg o'r gwersyll roedd yna arwydd pren mawr yn cyhoeddi taw dyma'r Jones Ranch.

Uchafbwynt ein hymweliad â'r maes milwrol oedd cael hedfan mewn hofrenydd Black Hawk, ddaeth yn enwog yn y ffilm *Black Hawk Down*. Taith fer oedd hon, digon i gael ychydig luniau o'r gwersyll a'r ardal o'r awyr. Y peth mwyaf brawychus am y Black Hawk, neu'r fersiwn honno ta beth, oedd bod y tanwydd mewn *blister tanks* meddal y tu ôl i seddau'r teithwyr.

Wrth baratoi i adael Camp Gruber am y tro olaf, roedd un peth arall i'w wneud. Rown i wedi prynu baner ddraig goch fawr yn Siop y Pentan i'w chyflwyno i bennaeth y National Guard. Yn anffodus, roedd y cadfridog mas rhywle ar y maes ymarfer, felly bant â ni mewn jîp am filltiroedd ar hyd yr hewlydd garw a llychlyd i berfeddion y goedwig. A chwarae teg, fe gawsom groeso ganddo. 'Gee, does this banner go back to the time of the Normans?' holodd, gan ddangos bod ganddo rhyw grebwyll am hanes Prydain. Esboniais ei bod hi'n ganrifoedd hŷn na hynny. 'This was the flag carried by King Arthur in his wars against the English,' dywedais, gan ymestyn hanes ond ychydig bach. Synnodd y cadfridog o glywed nad Sais oedd Arthur. Addawodd y byddai'n cael lle anrhydeddus yn amgueddfa'r National Guard.

Wedi troi cefn ar Camp Gruber, fe yrrom ni'n pedwar i Tulsa a bwcio gwesty dros nos. Wrth y dderbynfa, holodd Jim yn ei acen Albanaidd, 'Do you do discount for the military?' Atebodd y dyn, 'Sure. What unit?' Bron na allwn weld brest y Major yn chwyddo wrth ateb British Army. O gofio'n profiad gyda'r ferch yn yr *off-licence* yn Delaware, ofnais y gwaethaf. Ond atebodd, 'Yeah. Sure. We lurve you Brits! Ah can give yuh 25% off the bill.' Ar ôl i Andrew a fi lyncu ein balchder, aethom i'r bar i lyncu tecila a gwrando ar fand C&W – beth arall? Drannoeth, fe ffarwelion ni â'r Major, oedd yn mynd 'nôl i'r gwersyll am wythnos arall, a hurio car i yrru'r 300 milltir tua'r de lawr yr *interstate* i Fort Worth. 'Sure. Buick, OK?' holodd yr huriwr. Fflachiodd delwedd o *muscle* car mawr gyda pheiriant

V8 o flaen fy llygaid. Siom oedd canfod mai car cyffredin tebyg i Ford Escort oedd y Buick hwn. Rhyfeddod oedd canfod hefyd bod ganddo gorn ar ffurf cylch metal mawr ar yr olwyn, fel hen Ford Zephyr o'r 60au, a silff bren ar draws y *dashboard*. Ond fe wnaeth y tro yn iawn.

Y Llwybr Dagrau

Dyma fwrw tua'r de i lawr Highway 75. Mewn garej tu fas i Tulsa fe brynais gasét y band Asleep At The Wheel a chwarae 'I saw miles and miles of Texas' droeon, tan fod Andrew a Mike, nad oeddent yn ffans mawr o C&W, wedi hen alaru. Wrth chwilio am fanc mewn tref fach o'r enw Okmulgee, sylwais ar arwydd y Creek Council House Museum yn cyhoeddi bod hanes y llwythau aeth ar y Trail of Tears i'w weld yno. Gan fod geiriau Tecs am y 'tir fu i ni'n gartref yn nwylo'r milwyr gwyn' yn dal i droi yn fy mhen, cytunodd Andrew a Mike i alw er mwyn ffilmio pwt o eitem.

Bu'r adeilad cadarn o gerrig lliw golau yn gartref i senedd llwyth y Muskogee Creek tan 1907 pan sefydlwyd talaith Oklahoma. Daw enw'r dalaith o'r geiriau 'okla humma' yn iaith y Choctaw sy'n golygu, credwch fi neu beidio, 'dynion coch'. Yn sgil pasio'r Indian Removal Act yn 1830, cafodd degau o filoedd o frodorion eu gorfodi i adael eu tiroedd ac ymsefydlu yn Oklahoma. Cafodd y Chickasaw, Choctaw, Creek (Muscogee), Seminole a'r Cherokee eu galw'n Five Civilised Tribes am iddynt fabwysiadu arferion 'gwaraidd' y dynion gwyn o ran gwisg, crefydd, llenyddiaeth – a chadw caethweision. Un o gaethweision y Choctaw oedd dyn du o'r enw Wallace Willis. Ar ôl cael ei ryddhau, fe gyfansoddodd gân gospel am y cerbyd tanllyd gludodd y proffwyd Eleias i fyny i'r nefoedd. Enw'r gân yw 'Swing Low Sweet Chariot'. Tybed beth ddwedai'r hen Wallis o glywed ei gân yn atseinio o gwmpas Twickenham? O sôn am rygbi, mae Oklahoma 'run siâp â sosban fawr (nid sosban fach) ac mae arwyddion ffyrdd mewn rhannau o'r dalaith yn ddwyieithog: Saesneg a Cherokee, sydd â statws cyfartal. Er taw dim ond 15,000 sy'n siarad yr iaith, mae'n galondid clywed ei bod hi'n mwynhau tipyn o adfywiad mewn ysgolion a digwyddiadau diwylliannol.

Roedd tair o ferched yn gofalu am yr amgueddfa. Fe gyfarchais un a dechrau esbonio mai criw'r BBC o Gymru oeddem. Yn gyffredinol, digon truenus yw gwybodaeth pobol yr Unol Daleithiau am Brydain. Cofiaf fyfyriwr o Loegr yn dweud, ar ôl bod yn teithio o gwmpas America am chwe wythnos, bod un Americanwr wedi datgan yn syn amdano: 'You've only been here six weeks, yet you speak our language so well!' O ran Cymru, mae'n debyg i un o drigolion yr UDA ddweud un tro: 'Ah yes Wales. Isn't that the capital of Paris?' Wrth gyfarch y ferch yn yr amgueddfa yn Okmulgee, rown i ar fin esbonio am Gymru pan dorrodd hi ar fy nhraws: 'You come from Wales! Do you know Dr Geraint Jenkins?' Ar ôl dod dros y sioc, atebais fy mod i. Yn fuan ar ôl dod adref, adroddais yr hanes wrth Geraint, oedd yn ei chofio hi'n dod draw i Sain Ffagan i gael syniadau ar gyfer yr amgueddfa fechan yn Okmulgee.

Yn yr amgueddfa roedd lluniau o'r 'Indiaid gwareiddiedig', gyda'u gwallt du wedi'i blethu o dan *top-hats*! Ymhlith penaethiaid gydag enwau fel Red Cloud a Crazy Horse, roedd Chief William McIntosh. Gwisgai hwn y cyfuniad rhyfedd o benwisg o bluf a cilt. Un o ferched llwyth y Creek oedd ei fam, ac Albanwr oedd ei dad. Yn ŵr cyfoethog, daeth yn bennaeth y Creek yn nhalaith Georgia. A beth fu tynged Chief McIntosh? 'He was killed by order of the Creek nation council for selling land to the white man,' meddai'n tywysydd. Er nad oedd y llwythi brodorol yn cydnabod bod tir yn eiddo i neb, roedd hynny braidd yn eithafol awgrymais. 'Well, he sold much of Georgia to the white man,' ychwanegodd. Gwerthodd filiynau o erwau o dir am $200,000. O ganlyniad roedd llwyth y Creek yn ddigartref a bu'n rhaid iddynt adael tiroedd eu hynafiaid a symud i Oklahoma. Cytunais fod McIntosh yn llawn haeddu ei dynged. Mae 55,000 o'r Creek yn dal i fyw yn Oklahoma, lle mae ganddynt eu heddlu eu hunain, ysbyty a chlinigau, coleg bychan, papur newydd a rhaglen wythnosol ar y teledu.

Ar ôl ffilmio deunydd ar gyfer eitem newyddion, dyma ni'n ffarwelio â'r amgueddfa ac anelu trwyn y Buick tuag at Texas. Roedd y ffordd a'r olygfa goediog yn debyg iawn i'r daith i lawr Cwm Nedd, ond ei bod hi'n gan milltir a mwy. Ar ôl sbel dyma droi oddi ar y ffordd fawr i bentref bychan i chwilio am le i gael cinio. Aethom i mewn i'r unig *diner* oedd i'w weld, ac edrych ar y fwydlen. Doedd neb arall yno ac o'r gegin daeth sŵn dyn a menyw yn cwmpo mas yn Sbaeneg. Aeth hyn ymlaen am ddwy neu dair munud. Cododd lefel y gweiddi, ac fe lithrodd y tri ohonom allan yn dawel bach cyn iddi nhw ddechrau taflu pethau. Byddai'r ddau fyth yn gwybod bod tri Chymro wedi ymweld â'u bwyty y bore hwnnw! Deng milltir i lawr y ffordd, gwelsom arwydd mawr melyn. Ie, mewn rhan o'r byd sy'n enwog am ei stêcs, cawsom ginio mewn McDonalds.

Erbyn canol y pnawn fe wnaethom groesi'r Red River i mewn i Texas. Roeddwn wedi clywed llawer am yr afon. *Red River* yw'r enw ffilm o 1948 lle roed John Wayne a Montgomery Clift yn gyrru gwartheg i lawr y Chisholm Trail. Mae'r gân 'Red River Valley' ymhlith y caneuon cowboi gorau erioed: 'Just remember the Red River Valley / And the cowboy that's loved you so true.' Bu'n ffefryn gan gantorion mor amrywiol ag Woody Guthrie, Bill Haley a Leonard Cohen. Ond dyna siom! Doedd fawr o ramant yn perthyn i'r groesfan arbennig hon. Pont goncrit wastad yng nghysgod pont reilffordd o ddur rhydlyd sy'n cludo'r drafffordd ar draw yr Afon Goch ger dinas fechan a dinod Denison. Yno ganwyd yr Arlywydd Eisenhower a bu'r aderyn brith hwnnw Doc Holliday yn gweithio yma fel deintydd am gyfnod byr cyn cwrdd â Wyatt Earp. Holliday daniodd yr ergyd gyntaf yn yr enwog *Gunfight at the O K Corral*.

Llai nag awr i lawr y ffordd o Denison gwelwn *skyscrapers* chwaer-ddinasoedd Dallas a Fort Worth yn codi yn nhes y pnawn. Yn Fort Worth mae'r hen *stockyards* yn dal i fodoli. Yn y 1860au byddai'r cowbois yn gyrru miliwn o wartheg trwy'r dref bob blwyddyn ar hyd y Chisholm Trail, sy'n ymestyn am 700 milltir o San Antonio i Abilene. Pan ddaeth y rheilffordd, tyfodd busnes gwartheg Fort Worth yn gyflym ac erbyn 1917 y *stockyards* oedd y mart anifeiliaid mwyaf yn y byd. Dim ond cysgod o'r cyfnod hwnnw yw'r farchnad heddiw, ond mae naws oes yr O K Corral yma o hyd.

Aethom i mewn i'r bar ger mynedfa'r mart a chanfod nad oedd fawr ddim wedi newid yno ers canrif. Nid atgynhyrchiad o salŵn oedd hon – dyma'r *real McCoy*. Dychmygais Doc Holliday yn chwarae cardiau wrth y bwrdd yn y cornel, gyda'i dymer wyllt a'i ddryll yn barod o dan ei gesail petai rhywun yn cafflo. Mae'n siŵr bod y lle wedi gweld sawl ymladdfa wrth i'r cowbois sychedig oryfed diod Evan Williams ar ôl wythnosau llychlyd ar y Chisholm Trail. Does rhyfedd i'r ardal o gwmpas y *stockpens* gael ei bedyddio'n Hell's Half Acre. Trwy hap a damwain y gwnaethom alw'n y salŵn arbennig yma, ond yn anhygoel, roedd Andrew wedi bod yma o'r blaen gyda chriw camera arall!

Ar ôl noson mewn gwesty, dyma adael y Buick yn y maes awyr a hedfan oddi yno i Houston, i ddal awyren 'nôl i Gatwick. Mantais teithio yn dri o wŷr (lled) ifanc oedd cael y seddau gyferbyn ag allanfa frys y Jumbo, lle roedd mwy na digon o le i ymestyn ein coesau. Rhai miniog eu tafodau wrth siarad â'i gilydd oedd yr *air hostesses* o Texas, ond cawsom ni ddigon o faldod ganddynt. Gweinwyd poteli bychain o *malt whisky* a darparwyd carthenni cysurus wrth i ni setlo lawr i gysgu ar y daith drwy'r nos 'nôl i Lundain. Mor wahanol i'r siwrne flaenorol yn y Starlifter! Tua diwedd y daith, dyma'r merched o Texas yn tynnu eu seddau dros dro i lawr ac eistedd gyferbyn â ni wrth i'r awyren ddisgyn yn araf dros Lundain. Dechreuodd Andrew a minnau drafod yn Gymraeg beth fyddai cam nesaf ein taith. 'What's that language your speaking?' holodd yr hynaf o'r merched mewn llais fel raser. Esboniais mai Cymraeg ydoedd. 'Speak English in front of me,' gorchmynnodd hithau'n swta. Atebais, 'Sorry. I didn't realise you Americans spoke proper English.' Glaniodd y Jumbo ac roedd yr antur drosodd.

Gwlad y Ceffylau

Er cyrraedd Gatwick, doedd y gwaith ddim ar ben, gan fod angen ffilmio cwmni'r National Guard oedd wedi trwco'r maes ymarfer yn Oklahoma am faes tanio'r Epynt ym Mhowys. Duwies y ceffylau oedd Epona'r Celtiaid. Dyna darddiad y gair 'ebol' a 'pony', a'r elfen gyntaf yn yr enw Ep hynt, sef 'llwybr y ceffylau'. Roedd eangderau uchel Epynt yn enwog am fagu ceffylau ar un adeg, gyda ffeiriau mawr yn Llangamarch a llwybrau'r porthmyn yn croesi'r mynydd, fel mae'r enw Drovers Arms yn tystio. Ond mae blynyddoedd maith ers i neb dorri syched yn y Drovers. Maes ymarfer milwrol anferth fu Epynt, neu'r Sennybridge Training Area (SENTA), ers tri chwarter canrif. Er fod rhai o'r ffyrdd ar draws y *range* ar agor rhan amlaf, does fawr o groeso. Mae'r arwyddion yn annog gyrwyr i beidio ag aros, ac i beidio â chyffwrdd dim: 'Do not pick anything up, it may explode and kill you.'

Yn haf poeth ac ofnadwy 1939 cafodd 250 o bobol naw mis o rybudd i adael eu cartrefi am byth. Fel y Cherokee, gorfodwyd y Cymry i adael tiroedd eu cyndeidiau. Mae'r ardal yn frith o olion cyn-hanesyddol, gan gynnwys cylchoedd cerrig. Cysylltir Epynt â sawl enw o Oes y Seintiau – pobol fel Dyfrig, Cynog a Cadmarch. I'r gogledd o Epynt y ganwyd John Penri, y merthyr Annibynnol cyntaf, ac ergyd carreg i'r gorllewin mae Pantycelyn, cartref William Williams, lle mae ei ddisgynyddion yn dal i fyw. Y math yna o gefndir ysgogodd y cwpled trawiadol o Salm y Genedl gan Jennie Eirian am y:

> ... giwed a gerddodd mewn esgidiau hoelion
> man y bu'r angylion yn diosg eu sandalau.

Chwalwyd cymuned oedd bron yn uniaith Gymraeg yn 1940, gan symud y ffin ieithyddol ddeng milltir tua'r gorllewin dros nos. Mae Epynt yn ddarn anferth o dir, dros 30,000 erw, 12 milltir o hyd a phump o led gyda lle'n y gwersyll ym Mhontsenni i 1,750 o filwyr. O Fynydd Bwlch-y-groes i'r dwyrain o Lanymddyfri, draw ar draws y Crug Du a Twyn Rhyd

Car bron hyd at y Moelfre, y bryn uchel sy'n taflu ei gysgod dros Lanfair-ym-Muallt, mae'r map yn nodi fod yr Epynt yn 'Danger Area'.

Yn ei lyfr *Eppynt Without People* mae Ronald Davies, a fagwyd yn yr ardal, yn disgrifio'r misoedd olaf: 'People wondered if it was worth doing any hedging, was it worth digging a gutter or repairing a barn roof. Many of the older people wondered if it was worth living.' Rown i'n adnabod Ronald yn dda fel cynghorydd sir Llanymddyfri 'nôl yn nyddiau Dyfed. Roedd Ron yn dipyn o gymeriad. Ar adeg pan wariwyd lot o arian cyhoeddus ar geisio gwneud ffynhonnau dŵr Llandrindod yn atyniad unwaith eto i ymwelwyr, ceisiodd Ron hybu'r syniad o farchnata Llanymddyfri fel tref *spa*. Fe'm perswadiodd i ddod â chriw camera i ffilmio un o'r hen ffynhonnau yr oedd iddi, meddai Ron, ddŵr iachusol. Buom yn trampo trwy goedwig dywyll am hydoedd, gan neidio ar draws sawl gwter, gyda sŵn ffrwydriadau o'r maes tanio yn swnio'n beryglus o uchel ac agos ar brydiau. O'r diwedd daethom i lannerch yn y coed pîn. Yno, ar ôl chwilio am ychydig yn y porfa uchel, daeth Ron o hyd i'r ffynnon. Pwll bychan o ddŵr gyda brogaid bach, bach yn drwch ar ei wyneb. Er mawr arswyd i mi, tynnodd ddau wydr o boced ei got fawr, hel y brogaid o'r neilltu a'u llanw. Estynnodd un o'r gwydrau i mi. Mewn darn i gamera, fe yfais y llwnc lleiaf ohono, gan geisio anghofio am y brogaid!

Cartref Ron a'i deulu oedd fferm Glangwydderig, sydd ar y tro ar y ffordd mas o Lanymddyfri wrth ymyl yr hewl fawr i Aberhonddu. Nid oes afon arall yng Nghymru â'r enw yna, dywedodd wrthyf droeon. Druan o Ron. Un diwrnod cafwyd ei gorff yn nyfroedd yr afon oedd mor annwyl iddo. Ond mae ei lyfr sy'n nodi enwau pobol a llefydd Epynt ac yn adrodd eu hanes yn drysor.

Bues i'n gohebu o'r Epynt droeon. Un o'r nentydd sy'n rhedeg lawr o lethrau'r ucheldir i Afon Wysg ger Pontsenni yw Cilieni. Ar lannau'r Cilieni, yng nghanol y maes tanio nawr, roedd cymuned glos gynt o ysgol, capel a dyrnaid o dai. Yn 1990, hanner can mlynedd ar ôl i'r ysgol gau, daeth y brifathrawes a nifer o'r plant oedd yn ganol oed neu'n hŷn erbyn hynny yn ôl i gynnal aduniad. Yn 2010 cynhaliwyd *Wâc Cofio'r Epynt* gan Ffermwyr Ifanc Brycheiniog. Dyna braf oedd darllen bod 250 o bobol wedi dod o bell ac agos i glywed yr hanes yn cael ei adrodd gan rai a fagwyd ar yr Epynt.

Dim ond y llawr carreg gyda wal isel o'i gwmpas sy'n weddill o gapel Babell. Profiad ingol oedd ffilmio cyfarfodydd gan Gymdeithas y Cymod yno mwy nag unwaith. Er fod disgwyl i mi baratoi adroddiad gwrthrychol ar gyfer newyddion S4C, yn bersonol rown i'n teimlo dicter mawr tuag at y modd y dinistriwyd cymdeithas Epynt. Ar y mur isel yng nghanol y maes tanio mawr lle mae milwyr yn paratoi am ryfel, mae plac â'r geiriau o Eseia 2.4:

> Curant eu cleddyfau'n geibiau, a'u gwaywffyn yn grymanau.
> Ni chyfyd cenedl gleddyf yn erbyn cenedl, ac ni ddysgant ryfel
> mwyach.

Fel gohebydd, rhaid rhedeg gyda'r cŵn a'r cadno. Dyna ystyr 'bod yn broffesiynol' tebyg. Cofiaf y prynhawn braf cawsom ein hebrwng gan y fyddin o gwmpas ehangder yr Epynt mewn Land Rovers adeg rhyw ymarfer neu'i gilydd. Ar ddiwedd y pnawn dyma gyrraedd ffermdy unig a rhyfedd, gan nad oedd iddo bellach glos fferm nac adeiladau o'i gwmpas. Wn i ddim beth oedd yr enw Cymraeg gwreiddiol, ond Farm no.6 ydoedd bellach. Wrth gamu trwy'r drws roeddem yn yr *officer's mess*, gyda bar a milwr mewn crys gwyn a bow tei yn gweini *gin and tonics* i bawb. Profiad swreal oedd bod mewn bar o'r fath, fry ym mryniau gwlad y ceffylau gynt.

Ond dewch 'nôl at ddiweddglo stori ein taith i Tulsa, sef ymweld â'r cwmni o'r Oklahoma National Guard yn ymarfer ar yr Epynt. O'r fath eironi! Dyma filwyr oedd â'u gwersyll arferol ar diroedd fu gynt yn eiddo i lwyth y Cherokee yn ymarfer ar diroedd lle cafodd llwyth o Gymry eu hel o'u cartrefi. Nid yw cymuned yn cyfrif dim pan fod angen lle i baratoi am ryfel, waeth ym mha bynnag wlad yr ydych. Buom yn ffilmio ychydig o'r ymarfer a chyfweld swyddog o'r fyddin yn Gymraeg. Roeddwn yn teimlo blinder y *jetlag* erbyn hyn ac yn falch o adael yr Epynt am y siwrne fer adref. Cefais ddiwrnod o orffwys cyn treulio oriau yn y stiwdio yng Nghaerfyrddin yn gwylio milltiroedd o VT a llunio tair eitem newyddion hir yn cofnodi taith y TAs i Tulsa a'r National Guard ar Epynt, yn ogystal ag eitem am gamdriniaeth y Cherokee a llwythi eraill.

Ond doedd yr hanes ddim cweit ar ben. Rhai wythnosau wedyn cefais amlen fawr frown gyda stamp UDA a 'Do not bend' arni. Tu mewn roedd tystysgrif crand gydag arfbaes Byddin yr Unol Daleithiau yn cydnabod rhan 'Lenny Alun' yn Operation Prickly Pear. A gafodd gohebydd arall o Gymru y fath anrhydedd gan luoedd arfog America erioed?

Amsterdam

Bu'r DAITH ADREF o Birmingham y pnawn Sul heulog hwnnw'n un ddigon hamddenol. Fe wnes i osgoi'r traffyrdd ac ymlwybro 'nôl trwy Lanllieni ac Aberhonddu er mwyn i Nana (fy mam-gu) weld tipyn o'r wlad. Prin mod i wedi cyrraedd adref pan ganodd y ffôn, a deg awr yn hwyrach, roeddwn yn Amsterdam.

Roeddem wedi bod i weld Anti Ethel, chwaer-yng-nghyfraith Nana. Roedd hi ac Wncwl Wil ymhlith y don fawr o Gymry a ymfudodd o'r cymoedd i ganolbarth Lloegr ar ôl yr Ail Ryfel Byd, gan ddianc o'r pyllau glo i weithio'n y ffatrïoedd ceir. Er dianc o'r lofa, roedd y llwch eisoes yn drwch ar ysgyfaint Wil. Cofiaf gerdded i fyny caeau Efail-y-Banc gyda fe un noson braf o haf i wneud yn siŵr bod digon o ddŵr gan y bustych. Ond druan o Wncwl Wil, erbyn cyrraedd pen ucha'r ail gae, rhaid oedd troi'n ôl gan ei fod wedi colli'i wynt yn lân. 'Yr hen pneumo 'ma, ti'n gweld 'achan,' wedodd e. Roedd yn ddyn hynaws a llawen ac un braf i fod yn ei gwmni.

Roedd Nana ac Anti Ethel yn siarad yn rheolaidd ar y ffôn ar nos Sul, pan oedd y galwadau'n rhatach (ie, cofio hynny?) ond yn ysu am gael cwrdd unwaith eto, a'r ddwy bellach dipyn dros eu 80au ac yn weddw. Dydd Sadwrn heulog ddechrau Hydref 1992 oedd hi pan aethom i Birmingham gan aros dros nos gyda John, un o feibion Ethel, a'i wraig. Roedd Anti Ethel, wrth reswm, yn llawen dros ben i'n gweld ni, ond digon dagreuol oedd y ffarwelio ar bnawn Sul, gan y gwyddai'r ddwy na fyddent yn debyg o gwrdd fyth eto.

Wedi cyrraedd adref erbyn tua wyth o'r gloch, cefais swper a rhoi nhraed lan o flaen y teledu ar ôl y daith hir. Yna, canodd y ffôn. Allen i fynd i Amsterdam? Pryd? Nawr. Roedd damwain

awyren newydd ddigwydd a'r nos Sul honno fi oedd y gohebydd
cyntaf i ateb y ffôn! OK, bant â ni. Dyma daflu dillad i'r bag
Gladstone gwyrdd, cael gafael yn y pasbort a ffarwelio ag Ann
a'r plant unwaith eto. Fe wnaeth Huw Davies alw amdanaf a
wedyn am Guto Orwig, oedd yn byw yng Nghlydach, i'n gyrru
ni i Heathrow dros nos.

Buom yn gwrando ar yr adroddiadau ar y radio wrth yrru i
fyny'r M4, ac yn y maes awyr am bedwar o'r gloch y bore cefais
ffacs o Gaerdydd gyda manylion diweddaraf y stori. Roedd
awyren El Al Boeing 747 wedi disgyn ar ben blociau o fflatiau
ar gyrion Amsterdam y noson cynt. Ofnwyd fod tua 200 o
bobol wedi cael eu lladd, gyda phawb ond y criw o bedwar yn
byw yn y fflatiau. Ar ôl dal awyren gynnar iawn o Heathrow,
fe es ati i lunio sgript ar gyfer rhaglenni newyddion boreol
Radio Cymru. Profiad anghysurus braidd oedd ysgrifennu am
y fath drychineb wrth eistedd mewn awyren oedd ar ei ffordd
i Schiphol, sef yr union faes awyr roedd yr awyren El Al wedi
ceisio dychwelyd iddo tua deuddeg awr ynghynt.

Y peth cyntaf wnaethom ar ôl cyrraedd Schiphol oedd
dal tacsi i westy cyfagos. Roeddem wedi dod â chyn lleied
â phosib o offer ffilmio gyda ni ar y daith, gan y byddai'n
rhaid i Guto a fi gario'r cyfan. Ar ôl bwcio mewn i stafell dau
wely, fe wnaethom adael ein bagiau yno a mynd am frecwast
cyflym cyn hurio tacsi i'n cludo i ardal Bijlmermeer, lleoliad
y ddamwain. Fel pob gyrrwr tacsi, fe holodd ein perfedd ni.
O Gymru? Oedd, roedd wedi clywed am Gymru am iddo
weld *Pobol y Cwm* gydag is-deitlau, a ddarlledwyd yn yr
Iseldiroedd am gyfnod tua'r adeg hynny. Torrwyd ar draws
y clebran pan wnaethom gyrraedd *roadblock* yr heddlu.
Roedd y draffordd ar gau, a ninnau'n dal i fod milltir dda
o leoliad y drychineb. Doedd dim dewis ond cerdded tua'r
mwg oedd yn dal i godi yn y pellter gyda'r offer ffilmio ar
ein hysgwyddau.

Yr hanes am dranc awyren gargo El Al 1862 oedd y brif
stori newyddion ar draws y byd y bore hwnnw. Yn ystod ei
thaith o faes awyr JFK yn Efrog Newydd i Ben Gurion yn Israel,

glaniodd yn Schiphol i gael tanwydd. Yn fuan ar ôl esgyn o'r maes awyr am 6.20 ar y nos Sul, fe dorrodd y byllt oedd yn dal un o beiriannau'r Jumbo wrth yr adain dde. Syrthiodd y peiriant i ffwrdd, gan roi straen aruthrol a sydyn ar y peiriant arall ar yr un adain. Cyn i'r peilot gael cyfle i gau'r *throttle* i leddfu'r straen, torrodd y byllt oedd yn dal yr ail beiriant ac fe syrthiodd hwnnw i ffwrdd hefyd. Ceisiodd y peilot lywio'r awyren yn ôl i Schiphol trwy ddefnyddio'r ddau beiriant ar yr adain chwith. Ond wrth nesáu at y maes awyr collwyd rheolaeth, ac am 6.35 clywyd llais un o'r criw yn cyhoeddi'r geiriau iasol olaf: 'Going down, 1862, going down, going down, copied, going down.' Disgynnodd ar ben bloc o fflatiau deg-llawr a ffrwydro'n danchwa anferth. Dinistriwyd ugeiniau o fflatiau mewn pelen o dân. Er ofni ar y dechrau bod tua 200 wedi cael eu lladd, daeth y ffigwr swyddogol lawr i 43 ymhen amser. Eto, gan fod canran uchel o'r trigolion yn fewnfudwyr o wledydd fel Ghana a Suriname, doedd neb yn siŵr faint oedd yn byw'n y fflatiau, ac mae'n bosib bod mwy wedi marw a'u cyrff wedi'u llosgi'n ddim yn y danchwa.

Wrth i Guto a fi gyrraedd y lle ar droed, roedd criwiau camera o sianeli teledu ar draws y byd yn heidio i'r fan, a'r heddlu wedi codi *barriers* i'n cadw rhag mynd yn rhy agos. Er medru gweld rhan o'r fflatiau, roedd adeiladau eraill yn y ffordd. O'n clywed yn trafod beth i'w wneud yn Gymraeg, fe wnaeth plisman oedd yn sefyll gerllaw holi o'r lle roeddem yn dod. O gael yr ateb, dywedodd ei fod wedi chwarae rygbi i dîm heddlu'r Iseldiroedd yn erbyn Heddlu De Cymru. 'Two minutes,' meddai, gan edrych o gwmpas cyn agor y *barrier* a'n tywys trwy'r *underpass* o dan adeilad cyfagos ac allan i ddarn o dir agored o flaen y fflatiau. Yno, o'n blaenau, roedd yr hyn oedd yn debyg i beil o sgrap – y cyfan oedd yn weddill o'r Boeing 747. Roedd aroglau tanwydd yn drwm yn yr awyr, a sawr rhywbeth arall, aroglau melys, rhyfedd. Fe gofiaf y sawr hyd heddiw. Fe recordiais ddarn i gamera yn gyflym o flaen gweddillion yr awyren, ac fe gafodd Guto ychydig *shots* o'r fyddin o weithwyr oedd yn mynd trwy rwbel y fflatiau yn chwilio am bobol neu gyrff.

Gyda'r lluniau a'r llais ar VT, sut nawr oedd cael y stori'n ôl i'r BBC? Doedd ffonau symudol ddim yn gweithio a'r unig giosc a welwn oedd yr un wrth fynedfa gorsaf fysiau gyfagos, oedd wedi cael ei chwalu'n yfflon ar ôl i ddarn o'r awyren ei daro. I ohebydd, does dim hunllef waeth na chael stori wych, ond heb unrhyw fodd i'w hadrodd. Holais ein cyfaill newydd y plisman lle roedd yr orsaf heddlu agosaf. Esboniodd fod un tua hanner milltir i ffwrdd. Aethom yno a begian i gael defnyddio ffôn. Trwy lwc, roedd y plisman y tu ôl i'r ddesg yn y dderbynfa'n berson digon hynaws, a chawsom groeso i ddefnyddio'r ffôn unrhyw bryd.

Ni fu Gwyndaf Owen, cynhyrchydd y rhaglen, mor falch i glywed fy llais erioed! Mae'n siŵr mai sefyllfa nerfus iddo yntau, hefyd, oedd peidio â chlywed am oriau gan griw camera oedd yn ffilmio prif stori'r dydd ar leoliad mewn gwlad arall. Esboniodd fod cwmni teledu lleol wedi gosod offer lloeren mewn stadiwm chwaraeon cyfagos. Byddai lein gyda ni am ddeng munud am 4.00 y pnawn i anfon llais a lluniau 'nôl i Gaerdydd, ac am ddeng munud arall am 8.30 y noson honno i ddarlledu'n fyw ar yr awyr. Fe'n siarsiwyd ni i beidio â bod yn hwyr, gan fod llwyth o gwmnïau teledu eraill wedi bwcio eu *slots* o'r lloeren. Esboniodd hefyd fod cyfweliad wedi'i drefnu gyda chantores o Gymru oedd yn byw yn Amsterdam. Pan mae stori newyddion fawr yn digwydd unrhyw le yn y byd, rydych bron yn saff o ganfod Cymro neu Gymraes o fewn ergyd carreg! Dyma ni'n cerdded 'nôl lawr y draffordd wag tan i ni weld tacsi a aeth â ni i ganol y ddinas i recordio'r cyfweliad. Dyma'r unig dro i mi fod yn Amsterdam a bach iawn o amser gefais i i edmygu'r adeiladau a'r camlesi. Ar ôl holi'r gantores am effaith y drychineb ar bobol y ddinas, aethom i gael pryd o fwyd cyflym cyn dal tacsi i'r stadiwm chwaraeon, gan ysgrifennu'r sgript ar y ffordd. Ar ôl recordio'r llais ar gamera, anfonwyd y trac a'r lluniau o'r *sat-truck* i lawr y lein i Gaerdydd, gan gynnwys *shot* o'r sgript gyda threfn yr eitem fel bod y golygydd fideo yng Nghaerdydd yn gwybod pa luniau fyddai'n mynd gyda'r llais. Cyntefig iawn, ond effeithiol!

Aethom 'nôl i leoliad y drychineb i gael lluniau newydd, a begian benthyg ffôn unwaith eto yng ngorsaf yr heddlu i wneud darn i *Post Prynhawn*. O fewn dim roedd hi'n dechrau nosi, y llygaid yn drwm o ddiffyg cwsg a'r traed yn brifo ar ôl yr holl gerdded. 'Nôl â ni wedyn i'r maes chwarae i wneud *two-way* yn fyw i brif raglen Newyddion S4C am 8.30.

Diolch i'r drefn, roedd hi'n noson hindda o hydref. Roedd fan gwerthu coffi a *chips* wedi cyrraedd ac yn gwneud ffortiwn wrth fwyda'r criwiau camera oedd yn rhuthro'n ôl ac ymlaen rhwng safle'r drychineb a'r offer lloeren. Gwyliais y gohebwyr o bob lliw croen a sawl iaith yn adrodd yr hanes i'w gwylwyr mewn gwledydd pell ac agos. Fe wnes ambell nodyn o'r hyn ddwedai'r gohebwyr Saesneg eu hiaith. Mewn sefyllfa fel'na, byddai pob manylyn bach yn werthfawr pan fyddai fy nghyfle i'n dod i sefyll o flaen y camera i gyflwyno adroddiad i'r genedl.

Pan ddaeth yr amser i mi gamu o flaen y camera i hawlio fy neng munud yn y peiriant sosej cyfryngol, rhyddhad oedd clywed llais yn Gymraeg o'r galeri yn fy nghlust. 'Atat ti mewn deg.' A hithau wedi hen nosi, a'r goleuadau tu ôl i'r camera'n llachar, ni allwn weld yn union lle'r oedd y lens. Holais yn gyflym, a gweld bys Guto'n anelu i fyny ato. Cymrais un anadl ddofn, ac yna syllu i fyw llygad anweledig y camera. Clywais lais y cyfarwyddwr yn fy nghlust, 'Ciw Alun' a dyma fi'n adrodd y cyflwyniad i'r eitem VT roeddem wedi ffilmio yn ystod y dydd. Roedd tua tair munud i aros wedyn tra bod y gwylwyr adref yn clywed yr hanes ac yn gweld lluniau'r drychineb. Defnyddiais y munudau i fynd trwy'r hyn fyddwn yn ei ddweud nesaf yn fy meddwl. Wrth i'r VT dynnu at ei derfyn, dyma'r llais o'r galeri'n dweud, 'Deg eiliad' ac yna'n cyfrif i lawr o bump. Yna, dyma fi 'nôl *in vision* eto i ateb cwestiynau gan y cyflwynydd. Yn y cyfamser, roedd dyn camera arall yn aros yn barod i gymryd lle Guto a gohebydd yn hofran jyst mas o *shot* ar y chwith i mi. 'Alun Lenny, o Amsterdam, diolch i chi.' A dyna ddiwedd y darllediad i fi. Symudais i ffwrdd yn syth, tra bod Guto'n cymryd ei gamera oddi ar y treipod, gan adael i'r criw nesaf ddweud yr hanes mewn iaith dieithr wrth wylwyr mewn gwlad arall.

Fe wnaethom rannu tacsi â gohebydd o RTE ar y ffordd 'nôl i'r gwesty. Fel ninnau, roedd yntau hefyd wedi cael gorchymyn i adael Dulyn ar frys. 'Go now!' meddai'r golygydd wrtho. Ond beth am griw camera, holodd yntau? 'No time for that. Find one out there. Get on the plane!' A dyna fu'n rhaid i'r gohebydd druan ei wneud. Daeth ar draws criw camera lleol a'u hurio'n y fan a'r lle. 'It's a shame I hadn't met you boys first,' meddai. Byddai'r Golygydd Newyddion wedi amenio hynny, gan y byddai RTE wedi rhannu'r gost.

Ar ôl cyrraedd y gwesty, disgynnodd Guto ar ei wyneb ar y gwely yn ei ddillad a'i sgidiau gan ochneidio mewn blinder. Fe aeth y Gwyddel a finnau lawr i'r bar i gael un gwydred o lager cyn mynd i'r gwely. O'r bar, ffoniais Radio Cymru oedd am adroddiad ben bore drannoeth. Fe ddeffrais am chwech, heb deimlo i mi gael fawr o gwsg, a mynd lawr i dderbynfa'r gwesty. Er fy mod i yn Amsterdam, trwy gyfrwng ffacs o'r BBC yng Nghaerdydd y cefais y newyddion diweddaraf am y drychineb. Mae'n swnio'n rhyfedd, ond dyna oedd y drefn yn aml. Byddai asiantaethau newyddion Reuters a'r Press Association yn bwyda newyddion i'r BBC, a'r gohebydd yn y maes yn cael y wybodaeth ddiweddaraf o'r swyddfa.

Ar ôl llunio adroddiad i'w ddarlledu'n fyw i Radio Cymru, tybiais mai doeth fyddai deffro Guto rhag ofn iddo ddechrau chwyrnu neu wneud synau eraill tra roeddwn ar y ffôn yn yr un stafell. Bryd hynny sylwais ei fod yn dal yn ei ddillad yn cysgu ar ei wyneb ar y gwely o hyd. Bu'n rhaid i mi ei ysgwyd yn go galed cyn iddo ddeffro, a dechrau cwyno am boen yn ei frest uwchben ei galon. Cafodd y ddau ohonom ychydig o fraw, cyn iddo agor ei grys a chanfod siâp *screwdriver* fel tatŵ coch ar ei frest. Bu'r *screwdriver* ym mhoced ei grys ar ôl gwneud rhywbeth i'r camera y diwrnod cynt, ac roedd wedi cysgu ar ei wyneb ar ben hwnnw drwy'r nos! Gyda'r stori am y drychineb fwy neu lai wedi'i dweud, dyma ni'n dal awyren 'nôl i Heathrow ac anelu am adref. 'O ti'n edrych wedi blino,' meddai Nana wrtha i ar ôl i mi ddychwelyd. Wel, tebyg. Ni welais wely rhwng nos Sadwrn yn Birmingham a nos Lun yn Amsterdam!

Ond nid dyna diwedd y stori, chwaith. O fewn ychydig ar ôl dod adref, bues i'n sâl. Yna, ym 1997, daeth stori newyddion a'm syfrdanodd. Pum mlynedd ar ôl y ddamwain, fe wnaeth llywodraeth Israel gyfaddef bod yr awyren El Al a ddisgynnodd yn Amsterdam yn cludo, ymhlith pethau eraill, 50 galwyn o Dimethyl methylphosphonate – cemegyn a ddefnyddir i wneud y nwy nerfau marwol Sarin. Efallai nad y cemegyn oedd y sawr melys, rhyfedd, ond fe ddaeth hwnnw 'nôl i ffroenau'r meddwl yn syth. Adroddwyd fod cannoedd o drigolion a gweithwyr achub a fu yn Bijlmermeer wedi bod yn dioddef o symptomau tebyg i Gulf War Syndome, sef afiechyd a ddioddefwyd gan filoedd o filwyr a fu yn Rhyfel y Gwlff. Priodolir hynny i nifer o resymau posib, gan gynnwys effaith Sarin. Mae'r cemegyn yn un o deulu organophosphate a ddefnyddiwyd i ddipio defaid cyn cael ei wahardd yn 1992. Mae cannoedd o ffermwyr wedi dioddef salwch, yr honnir ei fod o ganlynaid i ddefnyddio'r cemegyn hwnnw.

Fe wnaeth y BBC, chwarae teg, drefnu i mi gael ymchwiliad meddygol trylwyr. Ond oherwydd natur annelwig y fath salwch, ni lwyddwyd i ganfod y gwir. Y naill ffordd na'r llall, mae'n dangos peryglon posib mentro i ambell sefyllfa wrth gasglu newyddion.

Y BBC: Cyflogwr Drwg a Da

MAE'N SIŴR FOD awdur bron pob hunangofiant yn cwyno am gyflogwyr. Ni wnaf eich siomi, ond mae dwy ochr i bob stori, a felly oedd hi yn fy hanes i yn ystod fy ngyrfa gyda'r BBC. Gadewch i mi ddweud yn syth bod y mwyafrif llethol o'r cynhyrchwyr a'r golygyddion y bues i'n gweithio iddyn nhw yn bobol ardderchog. Rwy'n edmygu'n fawr y cynhyrchwyr sy'n gorfod llanw rhaglenni newyddion – waeth faint o straeon newyddion a gohebwyr sydd ar gael ar unrhyw ddiwrnod penodol. Ac er fod pwysau aruthrol arnynt i sicrhau hynny, roeddent bron yn ddieithriad yn derbyn y rhesymau petai 'stori'n syrthio' yn ystod y dydd, gan adael twll i'w lanw'n y rhaglen. Fel dywedodd fy niweddar gyfaill a chyd-weithiwr, David Allen, mae'r cyfan yn 'wyrth ddyddiol'.

Bob blwyddyn roedd aelodau staff yn cael cyfweliad ffurfiol gan y Pennaeth Newyddion. Gan fy mod yng nghanol cyfnod prysur, gyda sawl stori dda, doeddwn i ddim yn poeni wrth gyrraedd Llandaf ddechrau haf 1986 i gael cyfweliad gyda David Morris Jones, y Pennaeth bryd hynny. Siom a sioc aruthrol oedd deall nad oedd y diweddar Deryk Williams, Golygydd Newyddion S4C, yn hapus gyda'm gwaith. Cefais fy syfrdanu pan ddywedwyd wrthyf y byddwn yn colli fy swydd pe na bai pethau'n gwella o fewn tri mis. Roeddwn yn methu credu'r peth. Wrth yrru adref gofidiais beth i'w ddweud wrth Ann a beth allwn wneud petawn yn colli fy swydd, a ninnau â dau o blant bach. Roedd Tomi Owen yn grac dros ben o glywed y newyddion, 'Paid â gadael i'r diawled ca'l ti lawr,' meddai.

Doedd dim amdani ond torchi llawes a cheisio 'codi'r gêm', er mor anodd oedd gwneud hynny ar ôl cael y fath ergyd a byw o dan gwmwl. Teimlwn fy mod yn cael cam mawr, gan fy mod yn mynd yr ail filltir yn barod.

Teimlwn yn sur iawn tuag at David Morris Jones hefyd, neu DMJ fel oedd pawb yn ei adnabod, ar ôl y cyfweliad, ond buan y sylweddolais nad fe oedd tad y drwg. Cafwyd cadarnhad o hynny mewn memo a gefais, yn sgil paratoi eitem ysgafn am y *Sunday Sport*, papur newydd oedd â llwyth o luniau o ferched hanner noeth ynddo. Gofynnwyd i mi baratoi eitem deledu am hyn, ac fe es i Lambed un prynhawn heulog o Fedi 1986 gyda chopi o'r papur i gael ymateb Cardis ar y stryd ac yn y Royal Oak lle roedd wastad criw o bobol siaradus. Rhan amlaf, does dim byd yn gwneud i galon gohebydd suddo yn fwy na gorchymyn i wneud *vox pops*, sef holi pobol ddiethr ar y stryd am hyn neu'r llall. Ambell waith, byddem yn crwydro strydoedd tref neu bentref am awr neu fwy, heb gael fawr o ymateb, ond y tro yma roedd gen i sylwadau digon difyr. Wrth gerdded yn ôl i gyfeiriad y car sylwais ar ddyn a menyw ganol oed oedd yn aros i groesi'r stryd. O dan gesail y dyn roedd copi o'r *Sunday Sport*. Aethom at y ddau a'u holi am y papur. 'Ni heb ddarllen e 'to,' meddai'r ferch, ac ychwanegodd y dyn, 'Ni'n mynd getre nawr i ddarllen e yn y gwely!' Yn y memo dywedodd DMJ mai dyna'r eitem fwyaf digri iddo weld ar newyddion S4C erioed ac iddo'i mwynhau yn fawr. Er fod mis cyn y byddwn yn gorfod mynd yn ôl i Broadcasting House i glywed fy nhynged, gwyddwn fod fy swydd yn ddiogel, a hynny diolch i'r *Sunday Sport*, o bawb! Fe welais DMJ olaf yn 2010, pan fuom ni'n dau yn rhannu'r deyrnged yn angladd fy hen gyfaill a chyd-weithiwr David Allan yn eglwys Sant Isyll, Saundersfoot.

Y wers a ddysgais yn 1986 oedd mor fregus all sefyllfa gohebydd ardal fod pan mae rhywun yn dechrau siarad amdano yn y swyddfa, ac eraill yn ymuno yn y fendeta, gyda'r gohebydd druan yn gwybod dim oll am hynny. Fe ddywedodd Gwyndaf Owen wrtha i pwy oedd wrthi, ac o bellter o bron i chwarter canrif, rwy'n dal i'w chael hi'n anodd i faddau iddyn nhw am y gofid mawr a achoswyd i mi a'm teulu. Eto, dyna sydd raid i fi geisio ei wneud. Dros y blynyddoedd ers hynny bues i'n aml yn cynghori ac yn cysuro gohebwyr eraill yn y gorllewin a fu'n wynebu beirniadaeth debyg, rhan amlaf gan bobol oedd wedi mynd yn syth o goleg i fyd newyddion, heb syniad ganddynt o sut brofiad yw byw ar yr hewl.

Un a wyddai'n iawn oedd olynydd Deryk Williams, sef y chwedlonol Gwilym Owen. Mae'n hysbys mai crwsâd Gwilym, ar hyd ei oes hir, fu tynnu blew di-ri o drwyn sefydliadau Cymraeg a Chymreig. Fel y gŵyr y sawl oedd yn darllen ei golofn yn *Golwg*, gallai fod yn llym a beirniadol iawn. Ond roedd yn fós heb ei ail o'm profiad i, oedd yn gwybod sut beth oedd bod yn ohebydd allan yn y maes. Byddai'n gwerthfawrogi ymdrechion criwiau camera i gael y stori mewn pryd, doed a ddelo. Ond wrth reswm bu ambell *sbat*. Pan oedd Gwilym ar fin ymddeol, fe drefnodd Ken Davies gasgliad yn ein plith ni fel gweithwyr y BBC yn y gorllewin i brynu pen Parker drudfawr iddo. Rhwng hynny a'r ymddeoliad, cafodd Ken gerydd gan Gerry Thurston pennaeth yr adran oedd yn gyfrifol am y criwiau camera newyddion, ar gais Gwilym, am wneud smonach honedig o ryw eitem. Gwylltiodd Ken, gan ddweud bod chwant arno lapio'r Parker mewn *sandpaper* a dweud wrth Gwilym lle i'w wthio! Aeth Gerry lawr i glwb y BBC ar ôl gwaith, a dweud yr hanes wrth Gwilym, oedd yn ystyried y peth yn ddigri dros ben. Wythnos yn ddiweddarach, mewn cinio yng ngwesty Pantyrathro i ffarwelio â Gwilym, fe gyflwynais y Parker iddo ar ran fy nghyd-weithwyr. Diolchodd am y rhodd, gan fynegi rhyddhad mawr o ganfod nad oedd y pen wedi'i lapio mewn *sandpaper*. Chwarddodd pawb, ac fe gochodd Ken druan.

Un arall oedd yn bleser gweithio gyda fe oedd Aled Glynne, a wnaeth gymaint i godi safon a bywiogrwydd Newyddion S4C. Gwyddai Aled beth fyddai'n apelio at bobol, ac roedd y ddau ohonom ar yr un donfedd wrth drafod sut i lunio eitem newyddion. Wrth edrych yn ôl, roedd y cyfnod hwnnw o dan arweiniad Aled Glynne a Gwilym Owen yn dipyn o oes aur. Cyn ei ymddeoliad, fe wnaeth Gwilym gydnabod fy ngwaith caled trwy drefnu fy mod yn cael bonws o 5% uwchlaw'r codiad cyflog arferol. Erbyn hynny rown i'n paratoi eitemau'n rheolaidd i raglenni newyddion Radio Cymru yn ogystal â Newyddion S4C. Os oedd stori ar benwythnosau, a dim gohebydd arall ar gael, byddwn yn aml yn paratoi straeon i *Wales Today* a Radio Wales hefyd. Roedd bwyda dau gyfrwng mewn dwy iaith yn dipyn o straen, o gofio mai gohebydd Newyddion S4C oedd fy swydd i fod.

Ac nid gohebu'n unig o orllewin a chanolbarth Cymru chwaith. Er enghraifft, yn 1992 bues i'n gweithio yn Iwerddon ddwywaith, ac yn Ffrainc, Llydaw a'r Iseldiroedd, gan weithio am gyfnodau hir heb ddiwrnod bant. Roeddwn yn mwynhau'r gwaith, a hynny, gwaetha'r modd, ar draul treulio mwy o amser gyda fy nheulu. Ond roedd y sefyllfa'n brysur dyfu'n hollol anghynaladwy. Ym mis Mawrth 1994, deuddydd ar ôl dychwelyd o ffilmio yn Iwerddon, cefais dy nharo gan feirws cas a bues i ffwrdd o'm gwaith am bron i fis. Dyna pryd y dechreuais ddeffro yn yr oriau mân yn ymladd am fy anadl. Roedd yn brofiad brawychus dros ben. Ym marn y meddyg, y fogfa – sef asthma – ydoedd. Dywedodd ffrind i mi bod cymryd diferyn o wisgi yn foddion da at hynny, a gan taw dyna oedd fy hoff ddiod ta beth, fe gymrais i fwy o'r moddion. Ac fe weithiodd, am gyfnod. Ond y cyfan wnaeth y ddiod oedd gohirio canlyniadau'r straen a chreu problem newydd.

Teimlwn fy mod wedi bod yn rhedeg ffwl pelt ers blynyddoedd, gyda thon fawr oedd yn mynd yn fwy ac yn fwy yn fy nilyn. Fe dorrodd y don drosof pan oeddwn ar fy ffordd i gwrdd ag Andrew Davies ac Alun 'Sbardun' Huws i ffilmio eitem mewn hen ffatri wlân ger Llanwrtyd. Yn wahanol i'r arfer, doeddwn i ddim ar frys, ac fe fyddai'n ddiwrnod o ffilmio hamddenol. Ond wrth yrru i fyny'r A40 teimlwn y straen yn cau'n dynnach a thynnach amdanaf. Erbyn cyrraedd Llandeilo, rown i'n ymladd am fy anadl ac yn ofni y byddwn yn marw yn y fan a'r lle. Ar ôl troi 'nôl a chyrraedd BBC Caerfyrddin, fe aeth Mike Arnold, gohebydd *Wales Today* â mi i A&E yn Ysbyty Glangwili ond methwyd canfod dim byd o'i le. Gwellodd pethau am gyfnod, ond fe aethant yn drech na mi erbyn diwedd y ganrif.

Bu'n amser anodd dros ben i Ann a'r plant a gweddill y teulu, a hefyd i'm cyd-weithwyr a fu bron yn ddieithriad yn gefn aruthrol i mi yn ystod cyfnod tywyll iawn yn fy mywyd. Cefais gefnogaeth barod golygyddion – Iona Jones, Tim Hartley a Rhian Gibson. Er fy mod yn llwyddo i ddal rhyw fath o afael ar fy ngwaith, byddwn i ffwrdd am gyfnodau hir o bryd i'w gilydd. Yn ystod un o'r cyfnodau hynny cafodd fy nghyfaill a'm cyd-weithiwr John Meredith ei awr fawr. Onibai am fy salwch, byddwn i wedi bod yn gohebu o'r cyfrif hanesyddol yng Nghaerfyrddin adeg Refferendwm 1997. Cofiaf wylio'r canlyniadau adref ar y teledu, ac wrth i'r dydd ddechrau gwawrio roedd hi'n ymddangos y byddai Cymru'n mynd lawr i nos hanes. Yna, fel y gwyddom, fe ddaeth yr 'IE' anhygoel o Sir Gâr gan droi'r siampên yn sur yn safnau'r gwrth-ddatganolwyr oedd eisoes yn dechrau dathlu ym Mro Morgannwg a llefydd eraill. A John gyda'r 'Ydwyf' enwog gafodd y fraint o gyhoeddi'r newyddion mawr i'r genedl. Doedd dim hawl ganddo wneud hynny cyn y cyhoeddiad swyddogol, ond cafodd ei roi 'ar y sbot' gan Dewi Llwyd, a phwy all ei feio? Rwy'n aml yn meddwl beth fyddwn i wedi ei wneud – cyhoeddi'r newyddion mwyaf yn fy hanes fel newyddiadurwr, neu gadael i Brad Roynon y Swyddog Canlyniadau wneud hynny yn ei Gymraeg carbwl a hollol annealladwy?

Daeth diwedd ar fy uffern ym mis Medi 2001. Ar gais Aled Eurig, oedd wedi dilyn Gwilym Owen fel Pennaeth Newyddion, fe aeth Ann a fi i weld Gerry Thurston yn y BBC yn Llandaf. Trefnwyd fy mod i gael mis o egwyl a therapi yn ysbyty'r Priory ym Mryste. Bu Sbardun hefyd yn rhan o'r drafodaeth amdanaf, gan i mi ddod yn dipyn o ffrindiau gyda fe trwy fy ngwaith a'm salwch. Mawr yw fy niolch hefyd i Wynford Ellis Owen a'm hen gyfaill Viv Shingler am eu cymorth bryd hynny, a'u cyfeillgarwch parhaus. Llwyddais i ymatal rhag cymryd tabledi a diod am dridiau cyn mynd i Fryste ar y 12fed o Fedi 2001. Y diwrnod cynt, roeddwn yn eistedd adre'n gwylio'r teledu, a gweld bod twr mawr ar dân yn Efrog Newydd. Yn sydyn, daeth awyren a tharo'r twr cyfagos. Roeddwn yn gwylio'r hyn a fyddai'n cael ei adnabod fel 9/11 wrth i'r peth ddigwydd. Wrth i'r byd fynd yn wallgof, roedd callineb ar fin dod 'nôl i'm bywyd i.

Hen blasty ag estyniad modern yng nghanol gerddi eang, gyda stafelloedd cystal â gwesty da yw Ysbyty'r Priory ym Mryste. Roedd yn gyfle i ddadlwytho gofidiau a rhannu profiadau mewn sesiynau trafod, gan wybod bod staff meddygol wrth law petawn i'n cael ymosodiadau o straen. Eto, er i mi fwynhau bob diwrnod yno, ni wyddwn sut fyddai arna i ar ôl mynd adref ymhen y mis. A fyddwn yn mynd 'nôl i'r hen rigol? Yna, ar y degfed diwrnod fe gefais brofiad rhyfedd iawn. Eistedd yn fy stafell oeddwn i pan deimlais Bresenoldeb. Prin eiliad barodd y profiad, ond fe newidiwyd fy mywyd am byth. Yr unig esboniad allwn ei roi oedd bod presenoldeb dwyfol wedi cyffwrdd â mi, ac o'r eiliad honno ymlaen fe lifodd hyder, nerth a llawenydd i drechu'r ansicrwydd a'r pryder am y dyfodol. Gwyddwn y gallwn wynebu bywyd o'r newydd heb ofni dim.

Gadael y BBC

AR ÔL GWELLA o'm salwch, bues i'n gweithio am chwe blynedd arall i Newyddion. Credaf taw dyma'r cyfnod pan oeddwn ar fy ngorau fel gohebydd. Roeddwn yn mwynhau'r gwaith a chwmni a chyfeillgarwch fy nghyd-weithwyr. Ond erbyn 2007, a minnau bellach yn 53 oed, tyfodd awydd i wneud rhywbeth arall gyda'm bywyd. Peth anodd yw newid gyrfa pan rydych mewn swydd saff sy'n talu'n dda – nid fod gohebydd ardal i'r BBC yn ennill ffortiwn, fel byddai rhai yn tybio. Roedd fy nghyflog yn debyg i'r hyn y byddai pennaeth adran mewn ysgol uwchradd yn ennill.

Mae'r rhan fwyaf o bobol sy'n mentro fel hyn yn gwneud yn siŵr bod rhywfaint o sicrwydd ganddynt. Un esiampl yw'r diweddar Steve Jobs, a sefydlodd gwmni Apple. Y *myth* yw ei fod wedi troi cefn ar gwrs coleg i sefydlu'r cwmni. Mewn gwirionedd, cymryd blwyddyn o seibiant wnaeth e, ar ôl i'w rieni gynnig ei gynnal am y flwyddyn honno. Nid yw pobol sy'n llwyddo ar ôl mentro yn gwneud hynny mewn modd anghyfrifol.

Roedd ail incwm yn ein tŷ ni gan fod Ann yn gweithio fel ffotograffydd proffesiynol ers blynyddoedd, gyda galw mawr am ei gwasanaeth fel ffotograffydd priodasau, yn enwedig. Rwy'n siŵr y gallai Ann sgrifennu llyfr am ei phrofiadau digri a difrifol wrth dynnu lluniau tua mil o briodasau mawr a mân. Rhan amlaf, byddai ei chynorthwyydd ffyddlon Cassie Owen wrth ei hochr, ond un tro, pan oedd Cassie'n sâl, fe wnes i wirfoddoli i fynd gydag Ann i briodas ar Ynys Bŷr. *Bad move*. Oherwydd y tywydd garw, doedd y cychod sy'n cludo ymwelwyr 'nôl ac ymlaen o Ddinbych-y-pysgod i'r ynys ddim yn hwylio'r diwrnod hwnnw. Eto, fe lwythwyd tua 30 o westai yn eu dillad gorau, yn oedolion a phlant, i mewn i gwch agored gyda thamaid o gaban ar gyfer y dyn oedd yn llywio yn unig. Roeddwn i'n eistedd reit yn y cefn rhwng Ann a'r Cofrestrydd. Ni chawsom gynnig gwregysau achub bywyd, ac erbyn i'r cwch basio penrhyn y castell, roedd yn rowlio a phitsio, gyda'r tonnau bob ochr yn poeri atom. Rhan amlaf, mae'n cymryd tua 20 munud i groesi'r ddwy filltir a hanner o fôr i Ynys Bŷr, ond fe gymrodd hi bron i awr y diwrnod diflas hwnnw. Sy'n profi na ddylech fyth wirfoddoli i wneud dim!

Fe wnaeth Ann roi'r gorau i'w gwaith yn 2010, yn rhannol oherwydd salwch Mared ond hefyd am fod camerâu digidol wedi llwyr ddisodli ffilm. Erbyn hynny, roedd miloedd lawer o bobol wedi gwenu ar ei chamera, ac rwy'n siŵr fod mwy ohonyn nhw yn ei chofio hi nag sydd yn fy nghofio i ar y teledu erbyn hyn!

Yr unig sicrwydd oedd gen i yn 2007 oedd cynnig o £5,000 y flwyddyn am dair blynedd i weithio fel Swyddog Datblygu Cyfundeb Annibynwyr Gorllewin Caerfyrddin. Hynny, a'r gydnabyddiaeth am bregethu ar y Sul mewn amryw gapeli, tâl nad oedd wastad yn anrhydeddus. Ond roedd yr hedyn yng nghefn fy meddwl, ac yn dechrau tyfu pan wnaeth y BBC gynnig tâl diswyddo a mynediad i rywfaint o bensiwn i'w staff hŷn mewn adrannau arbennig. Roedd Newyddion ymhlith yr adrannau a minnau mewn swydd ag oed teilwng, sef swydd SBJ – Senior Broadcast Journalist – teitl crand y BBC am ohebydd teledu. Gyda dyfodiad camerâu digidol bychain a golygu ar gyfrifiadur, roedd y BBC yn awyddus i weld gohebwyr yn gwneud y cwbl: canfod y stori, trefnu cyfweliadau, ffilmio'r cyfan eu hunain a golygu'r eitem. Fel un oedd â diddordeb ac ychydig brofiad mewn technoleg ddigidol, ni fyddai hynny yn broblem i mi o ran gallu. Yn wir, o fewn tair blynedd byddwn yn gwneud hynny gydag offer ffilmio Undeb yr Annibynwyr! Mwy am hynny eto. Roedd y BBC eisoes yn cyflogi VJs – Video Journalists – a fyddai'n dod i'r stiwdio yng Nghaerfyrddin o bryd i'w gilydd. Clywais bobol hanner fy oed i yn cwyno am bwysau'r offer roedden nhw'n gorfod cario mewn pacs ar eu cefnau, ac er fy mod yn berson cymharol gryf, roedd clywed y gohebwyr ifanc hyn yn sôn am boenau cefn yn codi amheuon.

Cofiaf eiliad y penderfyniad fel petai ddoe. Daeth Gilbert John, gohebydd Radio Wales, i mewn i'r stiwdio yn llawn ffws a gofid. Mae Gilbert ddeng mlynedd yn hŷn na mi ac yn dal i weithio i'r BBC, fel mae'n digwydd! O adnabod Gilbert ers bron i 40 mlynedd, gwn mai yn ei waith y mae ei fywyd – hynny, ac arllwys arian mawr i'r pwll diwaelod o gynnal a chadw ei gartref, plasty hynafol yn Nyffryn Tywi a fu gynt yn eiddo i Rhys ap Thomas. Yn ôl Gilbert, buodd Owain Glyndŵr yn aros yno wrth baratoi i ymosod ar Gastell Dryslwyn, ergyd carreg o'r plasty. Gweithio ar ei liwt ei hun bu Gilbert yn ei wneud am y rhan helaethaf o'i yrfa, gan weithio'n galed iawn ac ennill arian mawr i gadw'i blasty hynafol. Rwy'n dal i gwrdd â fe ambell waith yn mynd ar frys i lawr un o strydoedd Caerfyrddin gyda'i feicroffon yn ei law ar ôl bod yn holi rhywun neu'i gilydd. Hyfrydwch oedd cael fy ngwahodd yn gynharach eleni i noson wobrwyo'r Wasg a'r Cyfryngau yng Nghaerdydd lle cefais y fraint o draddodi araith fer am Gilbert a chyflwyno Gwobr Oes iddo.

Y diwrnod tyngedfennol hwnnw yn 2007, eisteddai wrth y ddesg nesaf ata i, gan achwyn am gynhyrchydd y rhaglen ac am y disgwyliadau amhosib, cyn gwneud galwad ffôn cyflym i rywun ac yna ruthro allan o'r stiwdio. Gwelaf Gilbert nawr, trwy lygad y cof, yn brasgamu tua'r drws, a chofiaf feddwl, wrth i ddrws y stiwdio gau'n glep ar ei ôl, ai fel'na roeddwn i am fod ymhen deng mlynedd? Codais y ffôn a siarad gyda Mark O'Callaghan, y Pennaeth Newyddion. Oedd y cyfle i fynd yn dal i fod yno? Ydoedd – jyst. Ar ôl trafod yn fanwl gydag Ann a'r teulu, fe es i Gaerdydd i siarad ymhellach gyda Mark a chanfod beth yn union fyddai'r telerau diswyddo. Ymhen tri mis, roeddwn wedi ymadael â'r BBC.

Ond cyn mynd, cafodd Ann a fi wahoddiad i achlysur 'Gadael y BBC' yn Llundain. Trefnwyd i ni aros dros nos mewn gwesty, a mynychu sesiynau am bensiynau, yswiriant ac yn y blaen. Ond nid ystyriaeth ariannol oedd y cyfan. Cawsom gyflwyniad am y rhwyg bosib o adael swydd ar ôl cyfnod hir iawn. 'I mean, when you go to a party, the first thing people ask you is: "And what is it you do?"'meddai'r fenyw oedd yn cyflwyno. Codais fy llaw a dweud, 'Not in Wales they don't. The first question is usually, "And where do you come from?"' Cafodd ei synnu gan hyn. Esboniais fod perthyn yn fwy pwysig na swydd i lawer o Gymry, a phwrpas yr holl mewn parti neu le bynnag oedd canfod cydnabyddiaeth gyffredin, neu *mutual acquaintance* fel ddywedais i. Profwyd y pwynt wrth i Ann sgwrsio gyda Paula, menyw oedd yn gweithio i adran arall BBC Cymru, yr hon yr oeddwn yn adnabod yn ddigon da i ddweud 'Helô' wrthi, a dim mwy. Yn ystod y sgwrs dros goffi, canfuwyd fod gŵr Paula wedi cael ei eni yng Nghae Crwn, y stryd lle ganwyd Ann ym Machynlleth. Fe'm trawodd i wedyn faint o gyfenwau Seisnig sy'n deillio o fyd gwaith: Smith, Cooper, Thatcher ac yn y blaen.

Er gwaethaf hyn, ac er i mi fynd 'nôl droeon i stiwdio'r BBC yng Nghaerfyrddin i gael fy nghyfweld i radio a theledu am amryw bynciau, rhaid cyfaddef bod gadael yn rhwyg – nid yn gymaint troi cefn ar y gwaith, ond colli cwmni cyd-weithwyr oedd hefyd yn ffrindiau da ac yn hwyl fawr iawn i weithio gyda nhw. Eto, byddwn yn canfod gwaith a ffrindiau newydd dros y ddegawd nesaf.

Gwaith y Deyrnas

PETAWN I WEDI aros gyda'r BBC tan oed ymddeol, byddwn wedi gadael erbyn hyn ar bensiwn llawn ac yn mwynhau bywyd hamddenol. Dim diolch! Tra bod gorwedd yn yr haul ar draeth am bythefnos yn baradwys i rai, dyna fy syniad i o uffern. Bu'r 12 mlynedd ddiwethaf yn llawn prysurwch ac amrywiaeth rhyfeddol, digon i lanw llyfr arall, mewn gwirionedd. Wrth i ddrws stiwdio'r BBC yng Nghaerfyrddin gau ar fy ôl, agorodd drysau eraill o'm blaen.

Roedd un drws yn lled-agored yn barod. Ers 2002, roeddwn wedi bod yn bregethwr cynorthwyol ac ar gwrs hyfforddi Coleg yr Annibynwyr, gydag athrawon a darlithwyr heb eu hail. Un o'r rheini oedd y diweddar Barchg Aled ap Gwynedd, cyn-gynghorydd Sir Dyfed ac un a fu mewn llys barn droeon fel ymgyrchydd iaith a heddwch. Rown i'n edmygu Aled yn fawr, a thrychineb oedd iddo syrthio i grafangau'r clefyd creulon Niwronau Motor yn 2004. Er ei fod mewn cadair olwyn, ac yn methu siarad ers misoedd, cefais e-bost hir ganddo ddeng niwrnod cyn ei farw yn fy annog i ddal ati gyda'r gwaith. 'Enaid hoff cytûn' arall oedd Yvonne Francis, pregethwr cynorthwyol arall o Gaerfyrddin. Byddai Yvonne yn ffonio ar nos Sul i holi, 'Haia, blodyn. Shwd a'th hi 'da ti heddi?' Ac wedyn byddem yn trafod yr oedfaon a'r aelodau, a chant a mil o bethau eraill. Cafodd Yvonne ddamwain car ddifrifol iawn ar yr M4 ger Pontarddulais, ac er iddi lwyddo i ddringo 'nôl i bulpud i bregethu fisoedd lawer yn ddiweddarach, cafodd strôc a bu farw o fewn wythnos yn 63 oed yn 2011. Bu'n golled enfawr i'w mab Siôn, yr achos Annibynnol a'r gymuned Gymraeg yn ardal Caerfyrddin.

Bues i'n ffodus dros ben bod glewion eraill wedi dilyn Aled

i'm hyfforddi. Yn eu plith roedd Dr Noel Davies, awdur llyfrau safonol ar ddiwinyddiaeth yn Gymraeg a Saesneg, yn academig craff ac yn berson hynaws ac ymroddedig iawn. Hefyd, y Parchg Guto Prys ap Gwynfor, heddychwr blaenllaw ac Annibynnwr nodedig, sydd wedi bod yn cynnal cyrsiau hyfforddiant yn Llandysul ers blynyddoedd. Y cymhwyster academaidd a gefais oedd Diploma mewn Diwinyddiaeth, ond roedd y trafod a'r dysgu yn llawer mwy gwerthfawr na'r dystysgrif.

Treuliais oriau lawer yn llyfrgell Coleg y Drindod Dewi Sant yn darllen y llyfrau diwinyddol diweddaraf. Llyfrau, gyda llaw, yw'r unig drysorau materol sydd gen i, gyda channoedd lawer yn llanw sawl wal, twll a chornel yn y tŷ 'ma. Mae Ann yn achwyn bod pob silff yn llawn, a phentyrrau bellach ar y llawr. Rhan o'r broblem yw bod siop lyfrau safonol ail-law ar waelod y stryd, ac wrth gerdded yn ôl o'r dref, byddaf yn aml yn galw yno a rhan amlaf yn mynd adref gyda llyfr arall yn fy llaw. Rhyw ddydd, efallai y byddaf yn ymddeol ac yn ailddarllen y llyfrgell helaeth yma o'm heiddo. Ie, rhyw ddydd, efallai.

Yn anorfod, bu pwysau arnaf i fynd i'r weinidogaeth ordeiniedig, ond teimlais fy mod yn cael fy arwain i ddefnyddio fy mhrofiad newyddiadurol mewn ffordd wahanol. Fe neidiais at y cyfle i weithio'n rhan amser fel Swyddog Cyhoeddusrwydd Undeb yr Annibynwyr. Dyrnaid o staff oedd gan yr Undeb yn ei swyddfa ar gyrion Abertawe, o dan arweiniad yr Ysgrifennydd Cyffredinol, Dr Geraint Tudur – cawr o ddyn, ymhob ystyr. Yn ogystal â llunio Datganiadau Newyddion, rown i'n tynnu lluniau ac yn gofalu am y wefan. Roedd yr hwyl a gefais yng nghwmni Geraint, Ann Williams, Delyth Evans, Wendy Ellis a Nerys Humphries gystal â'r sbri gyda bois y BBC.

Mae swyddfa'r Undeb yn dwyn enw John Penri, 'y merthyr Annibynnol cyntaf'. Yn awdur radical a fu'n ymgyrchu dros fwy o bregethu yn Gymraeg yn eglwysi Cymru, cafodd ei grogi am frad yn 1593. Mae'r Annibynwyr yn dal i sefyll yn y traddodiad radical yna, a rhan o'm gwaith oedd hyrwyddo ymgyrchoedd yn erbyn anghyfiawnder a'r sawl sy'n cael cam. Roedd hi'n loes calon i mi fod pobol hŷn oedd yn mynd i gartrefi preswyl ar ôl byw eu bywydau trwy gyfrwng y Gymraeg yn canfod eu hunain mewn awyrgylch Seisnig. Sawl tro y bues i'n ymweld â pherthnasau a chyfeillion oedrannus a'i chael hi'n anodd cael sgwrs am fod rhaglen deledu Saesneg arno *full blast* yn y lolfa. Codais y mater gyda'r Undeb ac fe gytunwyd i lobïo llywodraeth Cymru a pherchnogion cartrefi preswyl preifat i sicrhau gwasanaeth i bobol hen a bregus trwy gyfrwng yr iaith Gymraeg.

Yn 2008 fe aeth y Parchg Beti-Wyn James a minnau i weld Gwenda Thomas AC, Gweinidog Gwasanaethau Cymdeithasol Llywodraeth Cymru bryd hynny. Rown i'n gyfarwydd â Gwenda ers pan oedd hi'n Gynghorydd Sir, ac fe gawsom groeso gwresog. Pan sefydlwyd pwyllgor i gasglu tystiolaeth am y mater, fe wnaeth nifer sylweddol o eglwysi Annibynnol gefnogi'r argymhellion i ddarparu gofal a gwasanaeth trwy gyfrwng y Gymraeg. Mae Cymry sydd â dementia yn aml yn colli'r gallu i siarad Saesneg wrth i'r salwch ofnadwy yma waethygu, felly mae rheswm clinigol dros ddarparu gofal yn Gymraeg. Ar ein ffordd 'nôl o roi tystiolaeth ar y testun i bwyllgor yn Llanelli fe ddwedodd y Parchg Ganon Dr Patrick Thomas stori wrtha i am Harold Felin Brechfa, un o'r rhai oedd yn tyngu iddo weld y Bwystfil enwog! Roedd Harold wedi gorfod symud i gartref preswyl yn Llanybydder oherwydd dementia, ac roedd Patrick yn digwydd bod yno pan ddaeth menyw di-Gymraeg i'w asesu. Edrychai Harold arni'n fud heb ddweud gair wrth i honno ei holi yn Saesneg. 'The disease has obviously progressed, because he's totally unresponsive,' oedd asesiad y ferch. Ar ôl iddi adael, fe drodd Harold at Patrick a gofyn, 'Pwy ti'n gweud o'dd y blydi fenyw yna, 'te?' Ni wyddai Patrick p'un ai i chwerthin neu wylo.

Er mawr siom, fe wnaeth Undeb y Meddygon y BMA wrthwynebu'r argymhellion i roi dewis iaith i gleifion, ac fe fues i'n dadlau gyda meddyg ar Radio Cymru. Ond er gwaethaf barn y BMA fe wnaeth Llywodraeth Cymru gyhoeddi'r strategaeth 'Mwy na Geiriau' sy'n argymell darparu gwasanaeth trwy gyfrwng y Gymraeg i bawb sy'n dymuno hynny mewn iechyd a gofal, yn oedolion a phlant. Cytunaf gydag awdur Epistol Iago yn y Testament Newydd fod ffydd heb weithredoedd yn ddiwerth. Mewn geiriau eraill, os nad yw'r Cristion yn medru gwneud gwahaniaeth er gwell i fywydau pobol, pa werth yw ei ffydd?

Mae Cyngor yr Undeb yn cwrdd bob gwanwyn a hydref yn hen blasty anferth Gregynog, gyda'i furiau ffug-Duduraidd du a gwyn, mewn man tawel yng nghanol mwynder Maldwyn. Mae'r cynadleddwyr yn aros yno dros nos sy'n golygu fy mod i erbyn hyn wedi lletya yno 25 o weithiau! Yn hen seler win y plasty syber mae bar, sy'n llawn clebran a chwerthin pan mae 30 o Annibynwyr yn ymlacio a chymdeithasu ar ôl diwrnod caled o bwyllgora dwys yn trafod amryw agweddau o waith yr Undeb, y cyfundebau a'r eglwysi. Mae'r llc bron fel clwb nos yng nghanol cefn gwlad, a phawb yn mwynhau'r cymdeithasu p'un ai yw'n yfed gwin neu ddŵr, cwrw neu Coke. I mi, mae hynny'n hollol gydnaws â neges Iesu, yr hwn sy'n ein hannog i fyw 'bywyd yn ei holl gyflawnder' tra bod 'y goleuni gyda ni'.

Mae'r Cyfarfodydd Blynyddol yn teithio rhwng de a gogledd bob blwyddyn, gan gwrdd mewn gwesty, neuadd neu gapel. Arferai Geraint Tudur hurio fan wen a thrwco'i siwt syber am siaced ledr ddu wrth i ni dorchi llawes a llwytho'r fan gydag offer sain, cyfrifiaduron, baneri ac ati. Braint fawr a phrofiad llawen i mi oedd cydweithio gyda Geraint a'r criw i helpu cyflawni ei weledigaeth o ddefnyddio cyfryngau cyfoes i hybu delwedd a gwaith Undeb yr Annibynwyr.

Roedd Cyfarfodydd 2016 yn Llanuwchllyn yn arbennig o gofiadwy. Yn dilyn oedfa yn yr Hen Gapel, rhuthrodd nifer ohonom yn ôl i Dafarn yr Eryrod, lle'r oedd sgrin deledu fawr wedi'i darparu ar ein cyfer yn y lolfa er mwyn gwylio'r gêm fawr rhwng Cymru a Gwlad Belg yng Nghwpan Ewrop. Roedd hi'n hanner amser erbyn i ni gyrraedd, a'r sgôr yn gyfartal, un yr un. Pan sgoriodd Hal Robson-Kanu yr enwog 'Cruyff turn' gôl, fe floeddiwyd i godi'r to, a phan wnaeth Sam Vokes orffen y job roedd hyd yn oed rhai o wragedd hŷn a syber yr Undeb ar eu traed yn bloeddio. Roedd Gwyn Elfyn yn eistedd wrth fy ochr, ac mae dal i fod cleisiau ar fy nghoes yn dyst i'r noson honno.

Daeth Llŷr Edwards, fy hen gyfaill o gyd-weithiwr, i mewn o'r bar drws nesaf a'm llusgo draw i gwrdd â'r *locals* oedd yn feddw o orfoledd a diod erbyn hynny. Ni chofiaf fod yng nghanol y fath ferw erioed. Yn sicr, roedd yn noson i'w chofio. Llwyddais i ddianc o'r Eryrod, 'nôl i'm llety ar gyrion y pentref, tŷ a godwyd gan deulu O M Edwards. Doedd neb arall wedi cyrraedd, a doedd gen i ddim allwedd. Yna, yn y pellter clywais sŵn car yn nesáu, gyda'i ffenestri ar agor a'r teithwyr yn canu 'Hogia Ni' nerth eu pennau. Y cantorion aflafar braidd oedd y Parchedigion Alun a Geraint Tudur ac Iwan Llywelyn Jones. A'r bore canlynol, wrth gyflwyno'r cystadlaethau ar gyfer yr Ysgolion Sul, roedd y Parchg R Alun Evans yn gwisgo crys coch Cymru.

Yn rhinwedd fy swydd gyda'r Undeb, cefais ymweld â sawl lle newydd. Yn 2013, urddwyd Dr Geraint Tudur yn Llywydd Annibynwyr y Byd. Byddwn yn addasu Datganiadau Newyddion yn ôl y galw, ac fe ddisgrifiais Geraint fel 'former Cardiff minister' i'r *Echo*, 'Head of Swansea-based union' i'r *Evening Post*', ac yn y blaen. Cefais fy nhemtio i roi 'Bangor Lad World Leader' yn bennawd i'r *Daily Post*! Roedd cynhadledd Annibynwyr y Byd yn Llundain y flwyddyn honno, a braint oedd cael mynd ar daith i Bedford i gapel coffa'r Piwritan John Bunyan, awdur *Taith y Pererin*, lle cynhaliwyd yr Oedfa Urddo.

Achlysur ychydig mwy gwerinol oedd y daith gerdded o ffermdy Cefn-brith ger Llangamarch, lle ganwyd John Penri, hyd at bentref Tirabad. Mae gan Gefn-brith, sy'n hen adeilad Gradd II*, le sanctaidd bron yn hanes yr Annibynwyr, ond doedd neb wedi glanhau'r clos fferm ers tro byd. Wrth i Geraint agor y glwyd gan geisio osgoi'r budreddi ar lawr, fe waeddodd y ffermwr o ben draw'r clos, 'Mind the shit, boss!' Rhybudd ymarferol, er iddo amharu rhywfaint ar ramant y lle a'r achlysur.

Mae gan yr Undeb dair uned ffilmio a stiwdio recordio a

golygu yn Nhŷ John Penri, o dan ofal Rhodri Darcy, a fu'n gynhyrchydd teledu gan weithio i raglenni fel *Dechrau Canu Dechrau Canmol* a *Songs of Praise*. Mae Rhodri yn paratoi fideos o'r safon uchaf ar gyfer gwefan yr Undeb ac i'w dosbarthu ymhlith yr eglwysi ar DVD i'w gwylio fel sail i drafodaeth o dan gynllun unigryw *Y Ffordd*. Byddaf yn gweithio gyda fe ar ambell eitem, gan gynnwys holi pobol ar y stryd yng Nghaerfyrddin am eu ffydd a'u cred, os oeddent yn mynd i gapel neu eglwys, ac os ddim, pam ddim. Profiad rhyfedd, wedi bwlch o ddeng mlynedd ar ôl gadael y BBC, oedd crwydro'r strydoedd unwaith eto yn holi'r werin o flaen camera. Ers ymddeoliad Geraint Tudur yn 2017, mae'r Parchg Dyfrig Rees wedi arwain yr Undeb i'r dyfodol gyda'i weledigaeth am Gristnogaeth gymunedol a chynhwysol. Fel un a gychwynnodd ei yrfa yn gweithio ar fferm, mae gan Dyfrig awdurdod ac empathi neilltuol wrth lywio strategaeth ddiweddaraf yr Undeb i gynghori ffermwyr lle i droi am gymorth wrth wynebu ansicrwydd mawr Brexit.

Rwy hefyd yn un o olygyddion *Y Tyst*, papur yr Annibynwyr. Mae'n wyrth fod y papur, o dan y prif olygydd y Parchg Dr Alun Tudur, yn dod allan bob wythnos yn ddi-ffael. Gwasg Morgannwg sy'n ei argraffu ac Elinor Wyn Reynolds, Swyddog Cyhoeddiadau'r Undeb, sy'n sicrhau nad oes yr un gwall iaith ynddo. Fel ffotograffydd sy'n defnyddio camerâu Nikon a Lumix Leica, rwy wedi tynnu miloedd o luniau ar gyfer gwefan yr Undeb, *Y Tyst* ac i'r wasg yn gyffredinol ers 2007. Ar wahân i briodasau, bach iawn o luniau arferai pobol gymryd mewn capel tan yn gymharol ddiweddar. Roedd y peth bron yn dabŵ, a 'nôl yn y dyddiau cynnar pan ddechreuais dynnu lluniau mewn Cwrdd Chwarter fe wnaeth rhai pobol gwyno. Ond erbyn hyn mae tynnu lluniau o oedfaon ac achlysuron arbennig yn beth cyffredin, diolch i'r camera sydd ar bob ffôn symudol. Dros 12 mlynedd, rwy wedi paratoi cannoedd o ddatganiadau newyddion, a nifer di-ri o bosteri a baneri lliwgar.

Fy swydd ran amser arall oedd bod yn Ysgogydd i Gyfundeb Gorllewin Caerfyrddin, gyda'i 3,000 o aelodau mewn 43 capel. Rown i mewn cwmni da o weinidogion ac aelodau blaengar, ac yn dal i fod. Am flynyddoedd, bu aelodau'r Cyfundeb yn staffio siop yr elusen meddwl MIND yng Nghaerfyrddin, ac yn 2009 buom yn ganolog yn helpu cyn-feddygon milwrol i sefydlu'r elusen Gwella'r Clwyfau/Healing the Wounds sy'n rhoi cymorth i gyn-filwyr sy'n dioddef o PTSD – straen ar ôl trawma. Yn wir, fi awgrymodd yr enw i'r elusen oedd am sefydlu yn hen blasty Gelli Aur, ond sydd nawr wedi ei leoli ym Mhen-y-bont ar Ogwr. Rydym yn defnyddio ein Cwrdd Chwarter fel llwyfan i gyhoeddi sawl ymgyrch dros gyfiawnder cymdeithasol – popeth o annog y cyhoedd i gefnogi ein ffermwyr trwy brynu bwydydd lleol, i bwyso ar lywodraeth Cymru i wneud mwy i rwystro'r gangiau sy'n herwgipio merched o dramor ac yn eu gorfodi i weithio fel puteiniaid. Yn 2008, cynhaliwyd Sul y Cyfundeb, achlysur y gwnes i ei fedyddio'n 'Sul Sbesial'. Ni wyddwn faint o bobol fyddai'n dod i'r ŵyl gyntaf ar bnawn Sul heulog o Orffennaf i Ysgol Griffith Jones, San Clêr a rhyfeddod oedd gweld cannoedd o bob oed yn ciwio i fynd i mewn i'r neuadd fawr. Ers hynny bu'r Sul Sbesial ar daith o gwmpas Sir Gâr. Cafodd ei gynnal yn Yr Egin S4C eleni gan wneud defnydd llawn o'r adnoddau digidol sydd yno.

Rwy'n dal i weithio i'r Undeb a'r Cyfundeb, ac mae'r galwadau arna i fel Pregethwr Cynorthwyol wedi mynd â mi i nifer di-ri o gapeli – o Ealing Green yn Llundain, hyd at Abergwaun yn y gorllewin a Dolgellau yn y gogledd. Mae nifer o gapeli bach a mawr wedi cau yn ystod y cyfnod hwnnw, a nifer fwy fyth yn gwanhau wrth i'r ffyddloniaid farw, heb fawr neb yn cymryd eu lle. Mae popeth nad yw'n newid yn marw, a thrwy wrthod newid dim yn y capeli ac ym mhatrwm oedfaon, fe gollwyd cyfle mawr i harnesi ynni a brwdfrydedd ieuenctid y 1960au.

Bu chwyldro anweledig mewn agweddau pobol wrth i ni symud o'r oes Fodern i'r Ôl-fodern sy'n cael ei yrru gan gyfryngau digidol. Hanfod Ôl-foderniaeth yw bod pobol yn mynnu'r hawl i herio 'gwirioneddau' yn ogystal â chael cyfrwng i fynegi barn. Os nad yw'r eglwys Gristnogol yn cofleidio'r newid, mae perygl y bydd hi'n crebachu i fod yn gwlt bychan. Pum can mlynedd ers y Chwyldro Protestannaidd, mae angen chwyldro arall yn ein ffordd o geisio deall beth yw bwriad y grym creadigol rydym yn ei alw'n Dduw ar ein cyfer fel pobol. Fel Annibynnwr, rwy'n parchu barn pawb i gredu fel y myn, neu ddim o gwbl. Eto, credaf fod ysbrydolrwydd yn rhan o fodolaeth pob person, ond bod amryw ffyrdd o'i fynegi. Rwy'n Gristion am i mi deimlo tosturi Duw yn achub fy mywyd yn llythrennol ar adeg o salwch difrifol. Tosturi, fel yr amlygwyd ef yn ei gyflawnder yn Iesu o Nasareth, yw hanfod Cristnogaeth. Yn fy marn i, mae'n wendid bod arweinwyr crefyddol dros y canrifoedd wedi caethiwo ffydd a chred mewn dogmâu crefyddol. I mi, mae Ysbryd Duw ar waith mewn pob gweithred o dosturi a thrugaredd, o faddeuant ac aberth a chariad. Cymuned sy'n hyrwyddo'r rhinweddau hynny wrth ddathlu bodolaeth eu Hawdur yw eglwys.

Dyna'r fath o gymuned glos rwy'n ei gwasanaethu fel Arweinydd yng nghapel Bwlch-y-corn, lle bues i a Mam yn arwain yr Ysgol Sul yn y ganrif ddiwethaf. Mae Mam newydd roi'r gorau i chwarae'r organ ar ôl cyfnod rhyfeddol o bron i 70 mlynedd, ond mae pedair o ferched galluog o hyd ar rota'r organ. Pan gefais i fy neilltuo'n Arweinydd i gynorthwyo'r gweinidog, fe wnaeth Eirlys Harries gymryd fy lle fel Ysgrifennydd. A phan fu farw fy nhad yn 2013, ar ôl cyfnod maith fel trysorydd, fe wnaeth Dorian Williams, oedd wedi ymddeol fel prifathro Ysgol Uwchradd Bro Myrddin, gymryd at y gwaith gyda chymorth ei wraig, Janice, a Geraint Evans. Ers 2017, Dorian yw'r Cynghorydd Sir dros yr ardal, sy'n golygu bod dau ohonom allan o eglwys fach o 34 aelod yn eistedd yn siambr Cyngor Sir Gâr!

Cawsom fawrion yn weinidogion arnom ni a'r fam eglwys Peniel. Fe ddilynwyd y prifardd S B Jones gan y Parchg T Elfyn Jones, awdur nifer o emynau godidog yn *Caneuon Ffydd*. Dilynwyd yntau gan y Parchg Eifion Lewis, pregethwr grymus a diweddar briod Nan Lewis. Mae Nan, ar y cyd â chyfansoddwyr dawnus fel Meinir Lloyd ac Eric Jones, yn awdur sioeau cerdd ar themâu Beiblaidd sy'n llanw theatrau mawr fel y Lyric yng Nghaerfyrddin. Fy hen gyfaill, Y Parchg

Dr Edwin Courtney Lewis, awdur toreithiog, sydd bellach dros ei naw deg oed, ddaeth wedyn, i'w olynu gan y Parchg Ken Williams, bugail hynod ofalus a ffrind annwyl arall i mi. Y gŵr glew o Faenclochog, y Parchg Emyr Gwyn Evans, yw'n gweinidog presennol – a hynny ar ofalaeth newydd o chwe eglwys Annibynnol.

Er yn achos bach, rydym yn dal yn fywiog gyda chroestoriad oed o aelodau a chyfeillion yr achos. Mae gennym dudalen Facebook sy'n cofnodi oedfaon ac amryw ddigwyddiadau eraill yn ystod y flwyddyn. Un noson fythgofiadwy yn 2007 fe ddaeth nai S B Jones atom i ganu'r anthem fawr 'Yma o Hyd' ar achlysur dathlu pen-blwydd yr achos yn 75 oed. 'Wyddwn i ddim bod y fath le â Bwlch-y-corn yn bod cyn heno!' meddai Dafydd Iwan wrth gynulleidfa'r capel orlawn. Mae 'na sawl Bwlch-y-corn yn dal i fod, rhan o'r rhwydwaith enfawr o gymunedau bychain sy'n greiddiol i wneuthuriad cenedl y Cymry.

Salwch Mared

FE AETH EIN byd ar chwâl ar ddydd Iau, 22 Gorffennaf 2010. Eisteddai Mared yn y gegin yn llefain mewn poen ar ôl cael sgan yn Ysbyty Glangwili. Bu'n dioddef o bennau tost ers amser hir, a dywedodd y meddyg mai *migraine* ydoedd, ond mynnodd Mared gael y sgan. O fewn awr roedd hi'n dechrau colli ei golwg. Aethom â hi yn syth yn ôl i A&E lle cafodd ei hanfon am sgan o fath gwahanol. O fewn dim cawsom y newyddion erchyll bod tiwmor yn yr ymennydd uwchben y llygaid dde ac y byddai'n rhaid iddi fynd i'r uned niwrolegol yn Ysbyty'r Waun yng Nghaerdydd ar fyrder i gael llawdriniaeth. Yn y cyfamser, roedd Mared bron yn anymwybodol, a rhoddwyd *steroid* iddi i'w rhwystro rhag cael strôc neu waedlif ar yr ymennydd.

Consultant o dras Indiaidd oedd yn arwain y shift yn A&E ac fe'i gwelaf ef nawr yn tynnu ei siaced, yn torchi llawes, ac yn ffonio Ysbyty'r Waun. Cefais yr argraff ei fod yn cael trafferth cael lle i Mared, ond doedd e ddim am gael ei wrthod. Buodd wrthi am chwarter awr dda cyn rhoi'r ffôn lawr a'i godi eto'n syth. 'Heath hospital. Blue lights. ' Aeth Ann gyda Mared yn yr ambiwlans, oedd yn pasio pawb ar yr M4, gan gyrraedd Caerdydd o fewn yr awr. Fe gyrhaeddais yn y car ychydig yn hwyrach, ar ôl bod adref i baratoi bag i Ann a fi i aros dros nos gyda Rhun, oedd yn byw yn y ddinas bryd hynny. Gan fod y *steroid* wedi gwneud ei waith o leddfu'r chwyddo, cytunwyd i ohirio'r llawdriniaeth tan drannoeth, pan fyddai'r prif lawfeddyg ar ddyletswydd. Bu bron i'm calon dorri pan ofynnodd Mared i fi, 'Sai'n mynd i farw odw i?' Ond yna, daeth y llawfeddyg cynorthwyol i mewn yn ei *scrubs* glas a gofyn iddi, 'You have something in your head? I'll fix that.'

Roedd hi'n ganol pnawn ar y dydd Gwener pan aeth Mared

lawr i'r theatr. Dywedwyd wrthym am fynd adref a disgwyl galwad ffôn yn hwyrach y noson honno. Fe lusgodd yr oriau fel dyddiau tan i'r llawfeddyg ei hun ffonio am tua wyth o'r gloch. Oedd, roedd popeth wedi mynd yn iawn. Roedd hynny, wrth reswm, yn rhyddhad aruthrol. O fewn deg diwrnod roedd Mared adref. Ond wythnos wedyn, pan aethom i Ysbyty Treforys i gael canlyniad yr awtopsi, cawsom ein llorio'n llwyr gan y newyddion arswydus bod y cancr o fath difrifol, yn wir, yn diwmor marwol. Rhan amlaf, byddai'n dychwelyd o fewn deunaw mis i dair blynedd, ac ni fyddai gwellhad. Dim ond 26 oed oedd Mared bryd hynny, ac er bod hi'n berson eithriadol o ddewr a phositif, beth allwn i wneud a dweud?

Un o'r pethau cyntaf i'w wneud oedd mynd â Mared bob dydd, am chwe wythnos, i gael triniaeth yn uned radiotherapi Ysbyty Singleton, Abertawe. Yno, roedd hi o dan ofal yr Athro Roger Taylor, sy'n arbenigwr blaenllaw ar gancr yr ymennydd mewn plant a phobol ifanc. Mae'n ymddangos ar y teledu o bryd i'w gilydd yn siarad am y pwnc. Yn wreiddiol o Abertawe, cafodd ei hyfforddi yn rhai o ysbytai gorau Prydain, gan gynnwys y Royal Marsden yn Llundain, cyn dychwelyd i'w ddinas enedigol yn 2006. Ar hyn o bryd, mae'n gwneud gwaith ymchwil i *proton beam radiotherapy*, y driniaeth ddiweddaraf a mwyaf effeithiol i ladd celloedd cancr yn ymennydd y claf. Mae dau beiriant proton newydd gael eu sefydlu yn Llundain a Manceinion. Bu'r dechnoleg ar gael yn y Swistir ers deng mlynedd, ond oherwydd y gost, bach iawn o gleifion NHS gafodd fynd yno i gael y driniaeth. Mae'n torri fy nghalon bod cymaint o arian yn cael ei wario ar arfau rhyfel tra bod elusennau ymchwil i gancr yn dibynnu ar gardod.

Ar ôl y driniaeth, bu Mared yn mynd 'nôl i Singleton bod tri mis ar y dechrau, ac yna bob chwe mis wedyn, i gael canlyniad sgan ac apwyntiad gan yr Athro Taylor neu'i gofrestrydd. Mae'r straen cyn cael y canlyniad yn aruthrol, yn enwedig yn y blynyddoedd cynnar, a'r rhyddhad yn anferthol. Mae'n wyrthiol nad yw'r cancr wedi dychwelyd – yr un mor wyrthiol â'r hyn mae

Mared wedi gwneud â'i bywyd yn ystod y naw mlynedd. Roedd yn mwynhau gyrfa lwyddiannus fel y gantores Swci Boscawen. Yr uchafbwynt oedd canu deuawd gyda Rufus Wainwright a'i fand (oedd yn cynnwys Gerry Leonard, gitarydd David Bowie) yng Nghanolfan y Mileniwm pan oeddent ar daith ryngwladol. Ond fe roddodd y salwch stop ar hynny i gyd, ac nid yw wedi canu ers hynny. Eto mae nifer o'i chaneuon, fel y clasur 'Adar y Nefoedd' a gynhyrchwyd gan yr enwog David Wrench a Gruff Meredith, yn dal i'w clywed ar Radio Cymru.

Wrth geisio ymdopi â'r peth ofnadwy oedd wedi digwydd iddi, fe ddechreuodd Mared ddwdlo ar bapur. Teimlodd awydd rhyfedd i lunio patrymau mawr a lliwgar. Fe drodd y seler helaeth yn ein tŷ ni yn stiwdio, ac fe drodd Swci Boscawen yn Swci Delic. O dan yr enw yna fe wnaeth hi ddechrau paentio cynfasau mawr, trawiadol a chanfod bod marchnad i'w gwaith. Er enghraifft, cafodd ei chomisiynu gan yr Eisteddfod Genedlaethol i baentio murlun anferth ar gyfer y dderbynfa ym Mhrifwyl Llanelli 2014, addurno maes a llwyfan Tafwyl, a goleuo lôn dywyll yng nghanol tref Caerfyrddin ar y cyd â phobol ifanc o ysgol sy'n addysgu disgyblion ag anghenion ychwanegol. Mae wedi cynnal sawl arddangosfa, sydd erbyn hyn yn cynnwys fideo yn dweud ei hanes hollol arwrol.

Ni fu'r daith ers hynny heb ei dreialon. Yn 2015, bu farw ei ffrind mynwesol Mel Fung o gancr. Bu hynny'n gyfnod anodd dros ben, ac mae'n dal i hiraethu amdani'n fawr iawn. Ond y flwyddyn honno hefyd fe wnaeth Mared briodi ei ffrind mynwesol arall, Alex Dingley, mewn gwasanaeth awyr agored ar ddiwrnod heulog yng ngwesty Pantyrathro, sy'n edrych i lawr ar aber Afon Tywi, yn agos i bentref Llansteffan lle mae eu cartref.

Mae Alex yn gerddor, a bu'r ddau mewn stiwdio ar lannau'r Môr Tawel yng Nghaliffornia yn recordio'i albwm diweddaraf. Y pen arall i America, yn Efrog Newydd, mae Eden Cale, un o ffrindiau gorau Mared, yn byw. Mae Eden yn unig blentyn John Cale a aeth o Garnant yn Sir Gâr i America yn 1964, lle ymunodd â Lou Reed i ffurfio'r Velvet Underground, un o'r grwpiau roc mwyaf dylanwadol erioed. Roedd Eden yn forwyn priodas i Mared ac Alex, a bu'r ddau yn ei phriodas eithriadol o smart hi yn Connecticut yn 2018. Rwy'n hoff iawn o'r llun lle mae John a Mared yn cael laff ar ôl iddo yntau ddweud "So hwn fel Cyfyrddin, odiw e?' gydag Eden yn y canol yn gwenu ar y camera heb syniad am beth ma' nhw'n siarad!

Ers roedd hi'n ddim o beth, hoff gantores Mared oedd Debbie Harry, sef Blondie. Pan oedd Mared ac Alex ar ymweliad ag Efrog Newydd yn 2016, fe ddwedodd Eden ei bod hi wedi trefnu iddyn nhw gwrdd â rhywun. Tra bod y tri yn eistedd mewn *diner* pwy gerddodd i mewn o'r stryd ond Debbie Harry ac fe gawsant dros awr o hwyl yng nghwmni ei gilydd o gwmpas y bwrdd. Ddylech chi fyth gwrdd â'ch arwr, medden nhw, gan y byddwch yn siŵr o gael eich siomi, ond roedd Debbie yn fenyw hyfryd a chyfeillgar. Mae Mared yn dal i fyw o dan gwmwl y salwch, ond mae heulwen hefyd yn ei bywyd ac mae'r hyn a gyflawnodd ac a brofodd ers 2010 yn rhyfeddol. Ni fyddai hynny wedi bod yn bosib heb ymroddiad a chefnogaeth lwyr Alex, a fu hefyd yn gofalu am ei fam anabl tan iddi farw yn 2018.

Roedd Rhun yn byw yng Nghaerdydd pan gafodd Mared ei rhuthro i'r ysbyty yn 2010, ac fe aeth â Big Mac iddi bob bore ar ôl y llawdriniaeth! Mae hynny'n swnio'n rhyfedd nawr, gan nad yw Mared wedi bwyta cig ers hynny. Ni fu'r ddeng mlynedd yn y brifddinas yn amser hawdd i Rhun o ran cael gwaith sefydlog. Roedd yn aelod o'r band Zabrinski, a gafodd dipyn o lwyddiant ar un adeg, gan rannu llwyfan gyda'r Super Furry Animals ar daith o gwmpas un ar ddeg o ddinasoedd mwyaf Prydain. Pan ddaeth ei swydd gyda Chyngor Caerdydd i ben, cafodd hyfforddiant i fod yn Gynorthwyydd Dysgu yn y gobaith o fynd trwy goleg i fod yn athro, ond roedd y cytundeb *zero hours* yn fywoliaeth lom dros ben. Symudodd 'nôl i Gaerfyrddin gyda'i gariad, Elin, sy'n gweithio i Gyngor Gofal Cymru ac yn dod yn wreiddiol o Danygrisiau, lle mae ei mam Iona yn dal i fyw. Fe briodwyd y ddau yng nghapel Bwlch-y-corn yn 2013 a'r wledd briodasol wedyn yng ngwesty Pantyrathro. Gyda chantorion lleol ac aelodau o sawl côr ymhlith y gwestai, roedd y canu yn y capel bron gystal â'r canu yn hwyr y nos yn y gwesty!

Y flwyddyn ganlynol fe ddechreuodd Rhun weithio yn *cash and carry* anferth cwmni Castell Howell ym Mhensarn, cwmni lleol sydd bellach yn cyflogi 700 o staff. O fewn dwy flynedd, fe gafodd ei ddyrchafu'n brynwr a gwerthwr diodydd y cwmni, ac mae nawr yn gyfrifol am werth miliynau o bunnau o fusnes blynyddol. Ond yng nghanol ei brysurwch mawr, mae'n dad rhagorol i Megan a Maia, fel y mae Elin yn fam ardderchog iddynt. Ar ôl mynd trwy sawl storm, mae'n braf medru dweud ein bod ni fel teulu yn agos iawn ymhob ffordd – yn ddaearyddol ac o ran perthynas.

Dal i Fynd Ffwl Pelt

PAN MAE PERSON yn ymddeol yn gynnar, ac mewn iechyd da, mae'n darged i fudiadau sy'n chwilio am bobol sydd ag ychydig o *mileage* ar ôl ar y cloc. Ar ôl gadael y BBC, roedd hawl gen i i berthyn i blaid wleidyddol, ac fe ymunais â Phlaid Cymru. Yn fuan wedyn cefais fy nghyfethol fel aelod o'r Blaid ar Gyngor Tref Caerfyrddin. Rown i'n rhydd nawr i fynegi barn ar faterion lleol a chenedlaethol, ac fe gyhoeddwyd llythyrau o'm heiddo mewn papurau fel y *Guardian*, y *Telegraph* a'r *Times* yn ogystal â'r *Journal* a'r *Western Mail*. Yn 2011, cefais fy urddo'n Siryf tref Caerfyrddin a chael gwisgo'r gadwyn arian a chlogyn glas. Dim ond pymtheg o drefi trwy Gymru a Lloegr sydd â siryf, gan gynnwys y Sheriff of Nottingham wrth gwrs! Swydd seremonïol ydyw, er i mi glywed bod gan Siryf Caerfyrddin yr hawl i grogi pobol o hyd. Fe ddechreuais lunio rhestr... Pan gynhaliwyd cynhadledd flynyddol y siryfion yma yn 2018, bu fy nghyn-gyd-weithiwr, Huw Edwards, yn ddigon caredig i ateb fy ngwahoddiad ar ran Cyngor Tref Caerfyrddin a rhoi o'i amser prin i annerch y ginio. Roedd y cynadleddwyr o'r dinasoedd a threfi hanesyddol eraill wrth eu bodd o gael cyfle i siarad â'r darlledwr enwog a chael llofnod a selffi.

Yn etholiadau Cyngor Sir 2012 cefais i a Jeff Thomas ein henwebu i ymladd ward dau-aelod De Tref Caerfyrddin yn enw Plaid Cymru. Rown i'n gyfarwydd iawn â Jeff am i mi ei holi sawl gwaith ar gamera pan oedd yn blisman, gan orffen ei yrfa fel Pennaeth CID Heddlu Dyfed Powys. A dyna lle'r oedd Jeff a fi nawr yn curo ar ddrysau i ofyn am gefnogaeth yr etholwyr. Roedd yn waith caled mynd o ddrws i ddrws mewn pob tywydd mewn ward drefol sy'n ymestyn o gyrion pentref Abergwili, trwy ganol ardal fasnachol tref Caerfyrddin, hyd at faestrefi

Tre Ioan a Llan-llwch. Yn y rhan fwyaf o dai doedd neb adref (neu'n cuddio tu ôl i'r llenni) felly byddem yn rhoi'r daflen rown i wedi ei dylunio trwy'r drws. Cawsom groeso cynnes gan rai, trafodaeth hir gydag eraill, ac ambell un yn dweud wrthym lle i fynd. Ond fe gawsom dipyn o hwyl hefyd. Wrth gerdded lawr un stryd tynnais goes Jeff trwy ddweud, 'Fel plisman, rhaid bod ti'n hen gyfarwydd â chnoco drws troseddwyr.' Atebodd yntau, 'Cnoca di'r drws ffrynt, ac fe af i rownd y bac!'

Bues i'n gohebu mewn sawl cyfrif etholiadol, ond profiad cwbl wahanol yw bod yno fel ymgeisydd, gan aros uwchben y bwrdd yn gwylio'r blychau'n cael eu hagor a cheisio dyfalu beth yw'r argoelion o weld y papurau bach gwyn yn mynd trwy ddwylo'r sawl sy'n cyfrif. Cafodd Jeff a minnau ein hethol, ac am y tro cyntaf eriocd fe wnaeth y Blaid ennill pob un o'r chwe sedd yn nhref Caerfyrddin. Roedd hynny'n ddigon o ryfeddod i mi, oedd yn cofio'r amser pan oedd y dref yn gadarnle Llafur digon gwrth-Gymraeg. Fe wnaethom gadw rheolaeth ar Gyngor y dref hefyd trwy ennill 12 o'r 18 sedd, sefyllfa sy'n bodoli o hyd. Eto, daeth hi'n amlwg mai gwrthblaid fyddem o hyd ar lefel sirol, gyda 28 sedd o'r 74 ar y Cyngor. Ond gan fod Llafur wedi ennill seddau ar draul yr Annibynwyr, byddai'r glymblaid newydd o dan Arweinydd Llafur, sef y Cynghorydd Kevin Madge, yn hytrach na'r Cynghorydd Meryl Gravell.

Wrth ymadael â'r BBC yn 2007, tybiais na fyddai angen i mi dywyllu Neuadd y Sir fyth eto, ond ar ôl bwlch o bum mlynedd dyma fi 'nôl ac yn mynd yno'n amlach nag erioed. Beth gododd yn fy mhen i, dwedwch? Ar ôl degawdau o fynychu cyfarfodydd y Cyngor gan eistedd yn fud ar seddau'r wasg, profiad rhyfedd ar y naw oedd cymryd fy lle fel cynghorydd ar un o seddau lledr llwydlas Neuadd y Sir a chael yr hawl i siarad mewn cyfarfodydd. Meddyliais am y mawrion fu'n eistedd yno 'nôl yn nyddiau Dyfed, pobol fel Hywel Teifi Edwards, Howard Jones a D T Davies, pobol y bues i'n gwrando ar eu hareithiau tanbaid cyn eu holi o flaen camera. Gwenais wrthyf fy hun pan ddywedodd Bill Thomas, cynghorydd o Lanelli: 'Gadeirydd, rwy wedi bod yn dod i'r lle hwn ers 1996...' gan fy mod i wedi dringo'i risiau llydan am y tro cyntaf yn 1974, pan oeddwn yn gyw-ohebydd y *Journal*.

Cynlluniwyd yr adeilad mawr, pencadlys Cyngor newydd Dyfed bryd hynny, gan y pensaer blaenllaw Syr Percy Thomas, oedd hefyd yn gyfrifol am Neuadd Pantycelyn ar gampws Prifysgol Cymru Aberystwyth. Saif fel rhyw *chateau* Ffrengig uwchlaw Afon Tywi ar safle'r hen garchar a gynlluniwyd gan John Nash, pensaer enwog Palas Buckingham, Marble Arch a Regent Street yn Llundain, a fu'n byw yng Nghaerfyrddin am dros ddeng mlynedd. Ac mae rhai o furiau a thyrrau'r castell hynafol yn cau o gwmpas cefn Neuadd y Sir fel set o hen ddannedd pwdwr. Dros gyfnod o chwarter canrif, bues i'n gohebu i Newyddion teledu ar gannoedd o wrthdystiadau mawr a mân y tu allan i'r neuadd, gan bobol â phlacardiau oedd yn protestio am bob math o bethau. Roedd lobïo taer o bryd i'w gilydd yn erbyn cau ysgol fach neu gartref henoed, protestio chwyrn dros hawliau'r iaith Gymraeg ac ambell brotest fawr o blaid heddwch. Ac fe dreuliais oriau di-ri yn lladd amser wrth ddisgwyl cyfweld cynghorydd neu swyddog ar ddiwedd cyfarfod.

Yn ogystal ag aelodau profiadol fel Roy Llewellyn a Gwyn Hopkins roedd nifer o gynghorwyr newydd, brwd a galluog ar feinciau'r Blaid yn 2012, gan gynnwys Glynog Davies oedd yn ohebydd HTV i raglen *Y Dydd* pan oeddwn i ar *Heddiw* 'nôl yn 1981. Aethom ati ar unwaith i lunio strategaeth i lambastio'r weinyddiaeth yn gyson a didrugaredd. Cefais fy mhenodi'n swyddog y wasg i'r grŵp, gyda'r cyfrifoldeb o lunio datganiadau newyddion yn beirniadu'r weinyddiaeth ac i lunio Rhybudd Gynigion ar y cyd ag eraill i greu embaras i Lafur ar lawr y siambr. Ymhlith y cyntaf roedd Cynnig yn galw ar y Cyngor i dalu Cyflog Byw i bob aelod o staff. Er na lwyddwyd i gario'r dydd, fe gytunodd y Cyngor i ddileu'r ddwy radd gyflog isaf, oedd yn golygu gwell cyflog i tua 2,000 o weithwyr.

Yr hen wariar Peter Hughes-Griffiths oedd yn arwain grŵp y Blaid bryd hynny, dyn nad oedd y Prif Weithredwr Mark James yn hoff iawn ohono, yn ôl pob sôn. Roedd nifer fawr o'r cyhoedd yn ddirmygus o Mr James hefyd, yn bennaf oherwydd ei frwydr gyda blogwraig gafodd ei harestio yn 2011 am geisio ffilmio cyfarfod o'r Cyngor o'r oriel gyhoeddus. Fe drodd y dadlau am sylwadau ar y we yn chwerw, gan arwain at achos enllib drudfawr yn yr Uchel Lys. Er i Mr James ennill yr achos, fe ysgwyddwyd y costau cyfreithiol sylweddol iawn gan drethdalwyr Sir Gâr.

Yn sgil yr achos, fe brofwyd gwerth gwrthblaid effeithiol pan ddisodlwyd Kevin Madge fel arweinydd y grŵp Llafur yn 2015. O'm hadnabyddiaeth bersonol ohono, gwn fod Kevin yn ddyn anrhydeddus a didwyll iawn, ac fe ddaeth hi'n amlwg nad oedd partneriaid Annibynnol Llafur yn y glymblaid yn hapus gyda'r sefyllfa. Erbyn hynny, roedd Emlyn Dole yn arwain grŵp Plaid Cymru yn dilyn ymddeoliad Peter o'r swydd honno, ac fe ddaeth Meryl Gravell atom i ofyn a fyddem yn ystyried ffurfio clymblaid newydd â'r grŵp Annibynnol, gydag Emlyn yn Arweinydd. Dyna ddigwyddodd, ac mae'r drefn honno'n parhau gyda Mair Stephens yn is-arweinydd. Mae'r Gymraeg mewn dwylo da gan taw Peter yw'r aelod o'r Bwrdd Gweithredol sy'n gyfrifol am yr iaith a Glynog am addysg. Bu newid araf ond pendant yn niwylliant y Cyngor hefyd, gyda staff yn fwy parod o lawer i ddefnyddio'r Gymraeg ymhlith ei gilydd. Ac fe brofodd penodi'r Gymraes, Wendy Walters, fel Prif Weithredwr yn gynharach eleni i fod yn chwa o awyr iach.

Yn dilyn ymddeoliad Jeff Thomas o'r Cyngor Sir, Gareth John a enwebwyd i gerdded y strydoedd a chnocio drysau gyda mi yn etholiad 2017. Rown i'n adnabod Gareth ers dyddiau'r Ysgol Ramadeg, ac roedd hi'n amlwg bod nifer fawr o bobol y ward etholiadol yn ei adnabod hefyd, gan iddo fyw yn Nhre Ioan ar hyd ei oes. Cawsom dipyn o hwyl wrth fynd o ddrws i ddrws. Pwy all anghofio'r dyn ddaeth i ateb y drws yn ei bants, ac ar ôl i'w wraig weiddi arno i gau'r drws, dod allan i ffrynt y tŷ oedd yn wynebu hewl fawr brysur i barhau â'r sgwrs? Er i Mrs May darfu ar yr ymgyrch trwy alw etholiad frys bythefnos cyn etholiadau'r Cyngor Sir, cafodd y ddau ohonom ein hethol gyda mwy o fwyafrif na chynt dros yr ymgeiswyr Ceidwadol,

Llafur ac Annibynnol. Mae'n siŵr y byddai Gwynfor Evans, a ddioddefodd wawd a sen fel yr unig aelod o Blaid Cymru ar y Cyngor ar un adeg, yn rhyfeddu at y ffaith ein bod yn y mwyafrif bellach gyda 38 allan o 74 o gynghorwyr.

Ers dros bedair blynedd, rwy wedi bod yn Gadeirydd y Pwyllgor Cynllunio. Mae'r swydd mor heriol ag unrhyw waith a wnes i erioed, ond rwy'n ci fwynhau yn fawr. Gall y cyfarfod bara am deirawr neu fwy yn ddi-dor a dwys, gyda'r cyfan yn cael ei we-ddarlledu'n fyw. Mae i'r pwyllgor statws *quasi-judicial* a byddaf yn eistedd yn y gadair fawr gyda chyfreithiwr ar y naill law i mi a'r Prif Swyddog Cynllunio, Llinos Quelch, neu ei dirprwy, ar y llall. Yn ogystal â chadw rheolaeth amser ar berson sy'n gwrthwynebu cais cynllunio a'r asiant sy'n ymateb, rhaid gwrando'n astud ar bob gair ddaw o enau'r 17 o gynghorwyr eraill – a bod yn ofalus iawn beth rwy'n ei ddweud fy hun. Mae ymgeiswyr yn gallu apelio i'r Arolygaeth Gynllunio yn erbyn ein penderfyniadau ac mae colli'r fath achosion yn gallu costio degau o filoedd o bunnau i'r Cyngor Sir.

Unwaith y mis, rydym yn mynd mewn bws ar ymweliadau safle fel rhan o'r broses o ystyried ceisiadau cynllunio dadleuol, ond fuon ni erioed mor bell â Phwyllgor Cynllunio Dyfed ym mis Ebrill 1992. Gan fod cynlluniau ar y gweill i godi ffermydd gwynt yn y sir, penderfynodd y pwyllgor ymweld â Delabole, ger Tintagel yng ngogledd Cernyw, lleoliad yr unig fferm wynt ym Mhrydain bryd hynny. Fe aeth Guto Orwig a fi lawr i Delabole ddiwrnod yn gynt er mwyn ffilmio'r twrbeini ymlaen llaw, gan aros dros nos mewn gwesty lleol i ffilmio'r ymweliad safle. Roedd hi'n ffodus i ni wneud, oherwydd roedd niwl y môr hyd y drws drannoeth. Cofiaf weld oleuadau bws Davies Brothers, Pencader yn dod yn araf drwy'r niwl i mewn i'r safle. Wrth ffilmio'r cynghorwyr yn camu oddi ar y bws, roedd hi'n amlwg nad oedd Myrddin Evans, sef 'Myrddin bach' o Rydaman, wedi gweld y camera. Wrth godi hwd ei anorac frown a syllu i mewn i'r niwl, ebychodd, 'Wel, Duw, Duw, bois bach. Welwn ni *bugger all*!' Gwir y gair, ac ar ôl cael cinio fe aeth y cynghorwyr tuag adref ar ôl siwrne ofer o bron i 500 milltir.

Dros ugain mlynedd yn ddiweddarach, rown i gyda'r Pwyllgor Cynllunio yn ymweld â safle'r cais am fferm wynt anferth ar Fynydd Llanllwni. Roedd hi'n ddiwrnod gwlyb a niwlog, a phwy oedd yno'n ein ffilmio ni'n camu lawr o'r bws ond Guto. Pan sylwais nad oedd e'n ffilmio'r eiliad honno, fe oedais yn nrws y bws er mwyn ailadrodd yn uchel eiriau Myrddin bach yn Delabole. Cofiodd Guto a chwerthin yn uchel. Dyna beth oedd profiad *déjà vu*!

Ar hyn o bryd rwy'n rhan o'r broses o lunio'r Cynllun Datblygu Lleol newydd a fydd yn rheoli nifer a lleoliad tai a datblygiadau masnachol yn Sir Gâr tan y flwyddyn 2033. Mae'n gyfrifoldeb anferth. Gallai caniatáu codi gormod o dai fwyda'r mewnfudo sy'n erydu'r iaith Gymraeg yn ein sir. Ar y llaw arall, os nad oes digon o dai addas fe fydd ein pobol ifanc yn gadael eu cymunedau. Hyd eithaf ein gallu, rydym yn ceisio sicrhau cyswllt rhwng codi tai a chreu swyddi. Mae arwyddion bod mwy a mwy o bobol ifanc, ar ôl mynd i ffwrdd i goleg a chael blas o fywyd y ddinas yn eu hugeiniau, yn dod 'nôl i Sir Gâr i ddechrau teulu am ei fod yn lle mor ddiogel a hyfryd i wneud hynny. Mae adnoddau hamdden yn rhan gynyddol bwysig o'r hyn sydd ei angen i'w denu nhw 'nôl, a gyda seiclo mor bobologaidd bellach, rwy'n ymfalchïo i mi, fel maer, gael y fraint o agor Felodrom newydd Caerfyrddin.

Bues i ac Ann yn Faer a Maeres tref hynaf Cymru yn 2017–18. Mae gwisgo'r clogyn coch a'r gadwyn aur ddrudfawr yn beth seremonïol, ond roeddwn hefyd am ddefnyddio'r swydd mewn modd mwy gwleidyddol – gyda 'g' fach. Yn ystod y flwyddyn, fe gyhoeddwyd cynllun hynod ddadleuol Bwrdd Iechyd Hywel Dda i ddiraddio Ysbyty Glangwili a chodi ysbyty newydd 'rhywle rhwng San Clêr ac Arberth'. Fe alwais gyfarfod cyhoeddus, a threfnu deiseb ar-lein a arwyddwyd gan filoedd o bobol. Cofiaf fynd yn blentyn pum mlwydd oed i weld y Fam Frenhines yn agor Ysbyty Glangwili. A dyma fi, 60 mlynedd yn ddiweddarach, yn cychwyn ymgyrch dros ei ddyfodol fel

Ysbyty Gyffredinol. Mae'r drafodaeth yn dal i fynd ymlaen gyda Gareth John, sy'n brofiadol ym maes iechyd, bellach yn arwain ar ran y Blaid.

Fel un sydd â diddordeb byw yn hanes Caerfyrddin, gwyddwn mae un o'm rhagflaenwyr fel maer oedd Rhys ap Thomas. Yn ôl un traddodiad, dyma'r marchog wnaeth ladd Richard III ym Mrwydr Bosworth yn 1485 gan roi'r Cymro Harri Tudur ar yr orsedd. Mae cerflun o Rhys mewn arfwisg llawn ar ei feddrod yn eglwys San Pedr, ac mae Cyfeillion San Pedr yn cynnal Gŵyl Bosworth bob mis Awst. Ar ôl ychydig o ymchwil, fe archebais faner anferth gyda'r Ddraig Goch a Chroes San Siôr, sef copi union o'r faner a gludwyd gan Harri trwy Gymru i faes y gad yn Bosworth, i'w chodi ar dŵr yr eglwys. Fel maer hefyd, fe draddodais ddarlith gyda sleidiau am ymweliad Owain Glyndŵr â Chaerfyrddin yn ystod y rhyfel mawr dros annibyniaeth ar ddechrau'r 15fed ganrif.

A ie – Annibyniaeth. Am gyfnod, bu'n air i'w osgoi ym Mhlaid Cymru, sy'n beth rhyfedd gan taw dyna pam sefydlwyd y blaid yn y lle cyntaf. Roedd gennym obeithion mawr o dorri trwyddo yn y cymoedd pan etholwyd Leanne Wood yn arweinydd yn 2012, ond ni ddigwyddodd hynny, ar wahân i'w buddugoliaeth bersonol yn y Rhondda. Er ein bod yn arwain Sir Gâr, roedd yna deimlad o anfodlonrwydd ymhlith cynghorwyr y Blaid. Mewn cyfarfod un prynhawn o Fehefin 2018, awgrymais wrth y grŵp ei bod hi'n bryd i ni gydnabod yr eliffant yn y stafell, a gwahodd Adam Price i ystyried sefyll fel ymgeisydd am yr arweinyddiaeth. Derbyniwyd yr awgrym gyda brwdfrydedd mawr ac yna hefyd gan Bwyllgorau Etholaethau'r Blaid yn lleol. Gan fentro mynd allan ar gangen go hir, cefais fy nghyfweld gan y BBC ar radio a theledu i esbonio pam fod angen newid arweinydd y Blaid – nid am fod Leanne yn arweinydd gwael, ond am fod gennym wleidydd yn Adam Price oedd o'r safon uchaf ym marn llawer tu fewn a thu allan i'r Blaid.

Roedd Adam yn America ar y pryd, ac ni ddaeth ymateb ar unwaith. Ond yna cytunodd i sefyll ar ôl i Leanne wrthod y syniad o arweinyddiaeth ar y cyd. Ymunodd Rhun ap Iorwerth, cyfaill a chyd-weithiwr yn y BBC slawer dydd, yn y ras hefyd. Roeddwn yn rhan o'r criw a fu'n ymgyrchu dros Adam trwy ffonio aelodau Plaid Cymru yn y gorllewin, a chanfod yn fuan iawn bod canran uchel yn frwd iawn o'i blaid. Ers dod yn arweinydd mae Adam Price wedi rhoi annibyniaeth yn ôl ar dop yr agenda wleidyddol, a chyhoeddi ei strategaeth ymarferol i fynd â phobol Cymru tuag at hynny erbyn 2030. Gyda thwf aruthrol YesCymru mae'n weledigaeth sydd wedi gafael yn nychymyg pobol mewn modd syfrdanol, a phrofiad gwefreiddiol i mi oedd mynd gyda Mared ac Alex i orymdeithio gyda'r miloedd trwy strydoedd Merthyr ym mis Medi. Yn sydyn, mae pobol Cymru yn ystyried Annibyniaeth o ddifri. Ni feddyliais erioed y byddem yn byw i weld hynny.

Ond mae cenedlaetholdeb Prydeinig, a amlygir yng ngwallgofrwydd Brexit, hefyd ar gynnydd ac yn bygwth ein hunaniaeth. Mae'n ras yn erbyn amser i warchod dyfodol Cymru, a rhaid i bawb sydd am ymuno baratoi i fynd ffwl pelt!

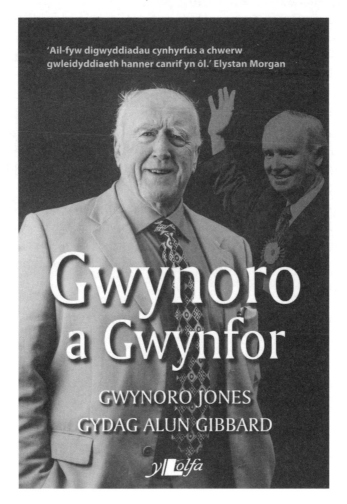

'Chwip o straeon
a thalp o hanes
mewn un gyfrol.'
Betsan Powys

Tweli
Griffiths

YN EI CHANOL HI

y Lolfa

£9.99

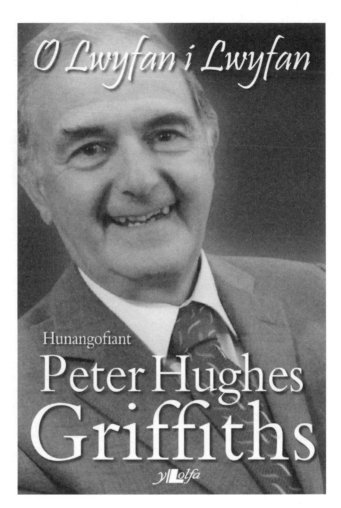

O Lwyfan i Lwyfan

Hunangofiant

Peter Hughes
Griffiths

y Lolfa

£9.95

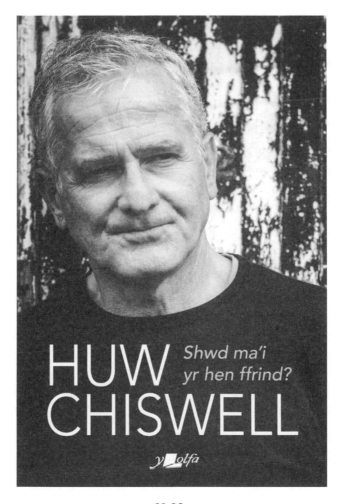

HUW CHISWELL

Shwd ma'i yr hen ffrind?

y olfa

£9.99